SV

Hans Erich Nossack
Die gestohlene Melodie

Roman

Suhrkamp

Erste Auflage 1972
© Suhrkamp Verlag Frankfurt am Main 1972
Alle Rechte vorbehalten
Druck: Mühlberger, Augsburg
Printed in Germany

*»Unser Gatte hat noch nie zuvor seinen eigenen
Namen im Schlaf gerufen«, sagten die Frauen.*

Aus einem Indianer-Märchen

1

Man könnte sich die Sache natürlich sehr viel einfacher machen, und die Dinge, von denen hier die Rede sein soll, nach den uralten Regeln der Erzählkunst berichten. Das sollte einem, der zwar selber kein Autor ist, aber als Redakteur und Lektor tagtäglich an literarischen Manuskripten herumzukorrigieren hat, nicht weiter schwerfallen. Es hätte den unschätzbaren Vorteil, daß die Glaubwürdigkeit des Erzählten gar nicht erst angezweifelt würde, während die sogenannte Wirklichkeit, das weiß jeder Zeitungsleser, trotz aller beigefügten Fotos höchst unwahrscheinlich anmutet und man sich immer fragt: Was will man uns da verheimlichen? Was steckt dahinter?

In unserm Fall ließe sich zum Beispiel als Ausgangspunkt denken, daß jemand von seinem Zimmer aus die gegenüberliegende Häuserreihe beobachtet, während er über seine eigenen Angelegenheiten nachdenkt. Nicht daß es drüben etwas Interessantes zu sehen gäbe, das würde ja nur beim Nachdenken stören, sondern weil eben nichts andres da ist als die Häuserreihe mit den vielen Fenstern; mit Neugier hat das nichts zu tun. Man weiß, wie die Leute ihr Dasein eingerichtet haben, man weiß, wann der und der nach Haus kommt und wann der und der den Fernsehapparat anstellt. Ein wenig rechts im oberen Stockwerk hilft ein Mann seiner Frau beim Abtrocknen des Geschirrs, die Küche ist oberhalb der Kacheln hellblau gestrichen. In dem Zimmer darunter schaukelt ein andrer Mann sein Baby voller Begeisterung, manchmal fotografiert er es auch mit grellem Blitzlicht, damit auch die Verwandten sich an dem Baby

7

freuen können. Und daß die Frauen montags die Wäsche auf den Balkon hängen, ist auch nicht weiter interessant, man registriert nur, daß wieder einmal Montag ist. Wenn man jedoch so beginnt, obwohl die Frauen der ganzen Welt montags die Wäsche auf den Balkon hängen, ohne daß es heutzutage einen stichhaltigen Grund dafür gäbe, und obwohl sich nicht einmal aus der Art der Wäsche wichtige Schlüsse ziehen ließen, sollte man besser den Namen der Stadt nennen und sogar den Straßennamen, diesen uralten Trick der Erzählkunst darf man nicht außer acht lassen. Aber man hüte sich davor zu fragen: Wie halten die Leute das aus? So eine Frage ist ganz unerlaubt, sie würde jede Ordnung stören und nur traurig machen. Im Gegenteil, es ist ein wahrer Segen, daß es Fernsehen gibt, weil es die Leute davor behütet, auf Gedanken zu kommen, denen sie nicht gewachsen sind. Sollen die Frauen doch bitte noch ein weiteres Jahrhundert die Wäsche montags auf den Balkon hängen, das schiebt die Katastrophe hinaus.

Nur in einem der Fenster wohnt einer, der sich nicht nach dem vorgeschriebenen Kalender richtet, das fällt sofort auf und ist sogar verdächtig. Was fällt dem Mann ein, sich nicht nach den allgemeinen Gewohnheiten zu richten? Und so unauffällig zu leben, daß er gerade dadurch auffällt? Denn das ist natürlich weit aufschlußreicher, als an der Wäsche festzustellen, daß Montag, und am blauen Licht, daß Freitag ist und ein Krimi im Fernsehen gegeben wird. Der dort drüben hat kein Fernsehen, und einen Balkon für die Wäsche hat er auch nicht. Wie kommt er nur ohne das aus, was sowieso alle wissen, da es in der Zeitung steht, möchte man ihn fragen. Ein alter Mann ohne Zweifel, das sieht man an der Art, wie er sich in seinem Zimmer bewegt. Insofern muß man

8

sich an das Gegebene halten, obwohl ein alter Mann
gar nicht mehr zählt; mag er nur durch sein Verhalten Kritik an uns üben, das geht uns nichts an.
Außerdem ist dies alles ja nur ein Vorschlag, wie man
die Dinge, von denen die Rede sein soll, erzählen
könnte. Er ist übrigens gar nicht so leicht zu beobachten, besonders im Sommer läßt sich nicht feststellen, was in der andern Hälfte seines Zimmers vor sich
geht, falls da überhaupt etwas vor sich geht. Sein
Fenster ist durch einen riesigen alten Birnbaum halb
verdeckt, der eine Unmenge verholzter brauner Birnen produziert, für die niemand Gebrauch hat und
die im Herbst auf den Rasen fallen und die Amseln
des ganzen Stadtviertels herbeilocken. Und obwohl
jede Amsel zwanzig oder dreißig Birnen für sich ver-
tilgen könnte, ohne daß deswegen eine andre zu kurz
käme, ist es ihr wichtiger, die andern von ihren Birnen zu verjagen, als sich in aller Ruhe satt zu essen.
So zänkisch ist dies Volk.
Möglich, daß man dem Alten auch schon auf der
Einkaufsstraße begegnet ist, wie er mit einer Plastik-
tüte vom Kaufhaus da entlangging, aber wer achtet
schon auf so einen. Oder auch im Kaufhaus selbst
unten in der Lebensmittelabteilung, wie er mit dem
Drahtkorb durch die Gänge mit den ausgestellten
Waren geht und hier ein Paket Brot und dort ein
Pfund Butter vom Bord nimmt. Oder noch besser in
der Abteilung, wo die Waschmittel verkauft werden
und wie drei dicke Verkäuferinnen in ihren weißen
Kitteln um ihn herumstehen, die miteinander debat-
tieren, welches Waschmittel für den Alten das prak-
tischere ist, denn davon verstehen sie mehr als er, zumal er die Phantasienamen der Waschmittel immer
wieder durcheinanderbringt. Wegen der drei hand-
festen Frauen bemerkt man natürlich einen so küm-

merlichen Alten nicht. Aber daß er seine kleine Wohnung da drüben selber sauber hält, hat man längst festgestellt. Einmal hat man ihn ein Staubtuch aus dem Fenster ausschlagen sehen, und dann und wann fährt er offenbar mit einem Staubsauger in seinem Zimmer umher. Nur einmal im Monat kommt die Hauswartsfrau aus dem Keller zu ihm und putzt das Fenster und seift den Fensterrahmen und das Sims aus, auf das die Vögel geschissen haben. Was sie sonst noch in der Wohnung macht, in der Küche, im Badezimmer oder wo der Alte schläft, läßt sich von dieser Seite nicht sehen, weil die Räume nach der andern Straße hin liegen. Nur daß die Hauswartsfrau eine rote Strickjacke trägt und ein zorniges Gesicht hat, das sieht man. Wie soll sie auch nicht zornig sein über einen so überflüssigen Alten? Die rote Strickjacke ist der einzige Farbfleck da drüben, darum wird man sie im Gedächtnis behalten.

Nicht etwa, daß der Alte nicht auch nach irgendwelchen Regeln lebte, im Gegenteil, er ist sogar regelmäßiger als all die Frauen mit ihrer Wäsche, die sie auf den Balkon hängen. Man könnte seine Uhr nach ihm stellen. Mittags geht er irgendwohin zum Essen, das ist klar, es gibt ja genug Mittagstische in der Gegend, wo man verhältnismäßig billig essen kann. Vielleicht ist man ihm auch dort einmal begegnet, aber man hat es nicht für nötig gehalten, die Kellnerin zu fragen: Wer ist der alte Herr eigentlich? Er fällt eben nicht auf, wenn nicht zufällig sein Fenster gerade gegenüber wäre, würde man überhaupt nichts von ihm wissen. Wer käme auf die Idee, sich nach ihm zu erkundigen oder gar ihm mittags aufzulauern, um herauszufinden, wohin er mittags zum Essen geht? Nur seine Regelmäßigkeit fällt auf, weil sie eine andre Regelmäßigkeit ist als die all der ordentlichen Leute, die sonst da drüben wohnen. Wozu überhaupt diese seine pedantische Regelmäßigkeit? Der Alte könnte sich doch sein Leben einrichten, wie es ihm paßt, er braucht morgens nicht ins Büro zu hetzen und abends das Fernsehen rechtzeitig anzustellen, da er, wie gesagt, ja keinen Apparat hat. Doch nein, pünktlich morgens um sieben sieht man schon Licht bei ihm, obwohl er so lange im Bett bleiben könnte, wie es ihm behagt. Oder braucht so ein alter Mann nicht mehr viel Schlaf? Pünktlich um sieben Uhr sieht man Licht bei ihm, im Winter bemerkt man das natürlich sofort, Tag für Tag um sieben, auch sonntags, als ob es für den Alten keinen Sonntag gäbe. Zuerst nur indirektes Licht, das wohl aus der Küche oder vom Flur her scheint, aber schon sehr bald kommt er mit einem Tablett oder etwas ähnlichem ins Zimmer, setzt sich an seinen Tisch am Fenster und trinkt dort Kaffee. Es wird bestimmt Kaffee sein und nicht Tee. Und an diesem Tisch sitzt er auch sonst, wenn er nicht gerade zum Essen oder zum Einholen geht oder die zornige Hauswartsfrau ihn vertreibt, da sie den Tisch blank scheuern will. Tag für Tag sitzt er dort all die Jahre und Nacht für Nacht, bis elfeinhalb Uhr nachts wenigstens, denn pünktlich um elfeinhalb geht das Licht bei ihm aus. Was soll diese Pünktlichkeit? Das ist doch geradezu verdächtig. Und was macht er da an seinem Tisch? Liest er oder schreibt er? Man kann doch nicht immer lesen. Und was soll ein alter Mann schon schreiben? Seine paar Erlebnisse von früher interessieren doch keinen Menschen. Langweilt es ihn denn nicht selber, immer nur da an seinem Tisch zu sitzen und zu rauchen? Daß er raucht, kann man unschwer sehen, er hat ein Feuerzeug auf seinem Tisch stehen und die Flamme blitzt oft genug auf. Wozu muß ein alter Mann noch so viel rauchen? Wartet er auf etwas? Worauf wartet er denn und das schon jahrelang?

Was aber mehr als alles auffällt, ist, daß er all die Jahre, zwei oder drei mögen es schon sein, nicht ein einziges Mal Besuch gehabt hat, denn das wäre einem natürlich sofort aufgefallen. Nicht ein einziges Mal, man stelle sich das vor. Immer nur allein an seinem Tisch mit seinen Zigaretten und seiner Tasse Kaffee. Und trotzdem diese unverständliche Pünktlichkeit. Wie hält er das nur aus?

Und wovon lebt er eigentlich? fragt man sich. Hat er Vermögen oder eine Rente oder eine Pension? Denn die Wohnungen da drüben sind nicht billig, das weiß man. Sicher hat der Alte, bevor er dahin zog, einen hohen Baukostenzuschuß zahlen müssen, und noch dazu à fond perdu, wie es genannt wird. Und warum ist er nicht verheiratet, wie es sich gehört? Ist seine Frau gestorben? Oder ist sie ihm weggelaufen, weil es ihr zu langweilig mit ihm war? So etwas kommt vor, und es wäre sogar verständlich. Aber er müßte doch zum mindesten Freunde oder Bekannte von früher her haben, die ihn besuchen oder die er abends besucht, sie können doch unmöglich alle im letzten Krieg gefallen sein. Oder ist er vielleicht nicht aus dieser Stadt? Doch ob er überhaupt Post bekommt außer der üblichen Reklame, läßt sich nicht sagen, man hat ihn nie mit einem Brief in der Hand gesehen, aber das will nichts heißen, denn er kann ja die Gewohnheit haben, die Briefe in der Küche zu lesen, um sie dann gleich zu zerreißen und in den Mülleimer zu werfen, bei ihm muß man mit so etwas rechnen, so einer will nicht, daß etwas übrig bleibt, und selbstverständlich würde die Hauswartsfrau schnüffeln, wenn ein Brief herumliegen bleibt, sie möchte doch gern diesem Heimlichtuer auf die Sprünge kommen, die andern Hausbewohner fragen schon immer, weil ihnen der Alte unheimlich ist. Warum bemüht er sich immer, auf der Treppe leise zu sein, wenn er doch niemals jemand mit nach Haus bringt? Das geht doch nicht mit rechten Dingen zu, und man merkt es ja doch, wenn er die Treppe rauf oder runter geht, da die eine Stufe laut ächzt, das läßt sich gar nicht vermeiden.

Und dann eines Abends nach all den Jahren des Alleinseins hat er doch Besuch, man traut seinen Augen nicht. Ein junger Mann ist bei ihm zu Besuch. Er sitzt ihm gegenüber am Tisch, eine Tasse Kaffee hat der Alte ihm hingestellt, und auch die Zigaretten schiebt er ihm über den Tisch hin. Ein junger Mann? Hat der Alte doch einen Sohn, der aus dem Ausland zurückgekehrt ist? Oder nicht eher einen Enkel? Oder ist es der Sohn oder Enkel eines Freundes? Oder hat er den jungen Mann zufällig im Kaufhaus oder am Mittagstisch getroffen? Oft genügt ja ein Wort oder eine Handbewegung, man erkennt sich daran, und der Alte hat zu ihm gesagt: Komm doch abends zu mir, wenn du Zeit hast, da können wir über alles sprechen. Und nun sprechen sie miteinander, sie sprechen die halbe Nacht durch. Auch der Alte spricht, er hat das Sprechen nicht vergessen, obwohl er all die Jahre die Verkäuferinnen nur nach Waschmitteln gefragt hat und zur Kellnerin, wenn er das Trinkgeld auf den Tisch legte, nur gesagt hat: Es ist gut so. Dabei kann man das Sprechen leicht vergessen. Oder ist der Alte vielleicht selber ein Ausländer, man hat es nur nicht gewußt, und nun freut er sich, mit einem Landsmann endlich einmal wieder in der eigenen Sprache reden zu dürfen?

So jedenfalls könnte man die Dinge, von denen hier

die Rede sein soll, erzählen, das wäre unbedingt glaubhaft. Kein Mensch würde auf den Gedanken kommen zu fragen: Wie konnten Sie denn über die Gärten hinweg hören, worüber die beiden sich unterhielten? Sie hatten doch kein Mikrofon bei denen da drüben eingebaut. Die Frage wäre schon gar zu dumm.

Gewiß, es gäbe noch eine andre Methode des Erzählens, die den Vorzug absoluter Wahrhaftigkeit hätte, weshalb man sie auch nicht einen Kunstgriff nennen darf. Doch ihrer darf man sich nur im äußersten Notfall bedienen, denn Wahrhaftigkeit wirkt peinlich und stößt die Leute vor den Kopf.

Zuweilen kann man nicht einschlafen, das passiert jedem von uns, ganz gleich ob es am Klima liegt oder wegen einer unerledigten Sache. Eben noch war man todmüde, die Augen fielen einem zu, und man hat das Licht ausgeknipst, und nun ist man wieder hellwach. Manche nehmen ein Schlafmittel, aber was entgeht ihnen dadurch? Das Wichtigste entgeht ihnen, und welch eine Kränkung gegen die Besucher ist das. Sie haben den ganzen Tag geduldig vor der Tür gewartet, weil man mit andern Dingen beschäftigt war und sie nicht stören wollten, so rücksichtsvoll sind sie. Aber wie haben sie sich schon auf den Augenblick gefreut, wenn man endlich Zeit für sie hat. Heute nacht wird er sich bestimmt mit uns unterhalten, haben sie einander zugeflüstert. Man kann sie doch nicht enttäuschen, indem man ein Schlafmittel nimmt.

Plötzlich steht denn auch einer von ihnen im Zimmer. Man hat ihn nicht kommen hören, er versteht es, die Tür aufzumachen, ohne daß sie knarrt, wie sie es sonst immer tut. Der Besucher will auf keinen Fall stören, denn es könnte ja sein, daß man doch eingeschlafen ist. Aber man ist hellwach, wie gesagt, man wundert sich nicht über den Besucher, man ist sogar froh, daß jemand da ist, mit dem man sprechen kann, denn es ist quälend, ganz allein dazuliegen und nicht einschlafen zu können. Man rückt schnell im Bett ein wenig zur Seite, damit er nicht noch länger herumzustehen braucht und klopft mit der Hand auf die Bettkante, damit er sich dort hinsetzt, und der Besucher sagt Danke! und setzt sich auch gleich hin.

Doch wie soll man ihn anreden? Man kennt ihn genau, man erkennt ihn sofort wieder, daran liegt es nicht, aber der Name fällt einem nicht ein, und er darf auf keinen Fall merken, daß man seinen Namen vergessen hat, wie beleidigend wäre das für den Gast, der so lange draußen gewartet hat. ›Das ist nett von Ihnen, daß Sie mich endlich einmal besuchen‹, sagt man aus Verlegenheit. Oder hat man sich damals geduzt?

Wie ist es nur möglich, daß einem der Name nicht einfällt! Und dabei kennt man ihn doch, als ob es gestern gewesen wäre. Ein jüngerer Mann, dreißig oder fünfunddreißig vielleicht. Oder war er damals dreißig oder fünfunddreißig, als man seinen Namen noch wußte? Wie lange mag das her sein? Zehn Jahre mindestens, wenn nicht zwölf. Aber nur jetzt nicht nachzählen, man muß so tun, als gäbe es die zehn oder zwölf Jahre gar nicht, dann fällt es nicht auf, und sicher hat man sich auch damals nicht dauernd mit dem Namen angeredet, das tut man ja nicht, im Gegenteil, man vermeidet es, weil es wie eine Beschwörung klingt. Vielleicht ist ja auch der Name von damals nicht mehr gültig. Selbst wenn man sich damals geduzt hat, so macht das nichts, auch einen ehemaligen Schulkameraden redet man ja vorsichtshalber mit Sie an, wenn man ihn nach langer Zeit als

15

Erwachsenen wiedertrifft, die Intimität der Knabenzeit läßt sich nicht ohne weiteres fortsetzen.

Sein Gesicht kann man nicht allzu genau sehen, es ist ja Nacht, und es wird nur indirekt ein wenig beleuchtet. Drüben in den andern Häusern muß jemand spät nach Haus gekommen sein und hat das grelle Oberlicht im Wohnzimmer angedreht. Das gibt auch sonst immer Reflexe auf der Wand gegenüber dem Bett und auf dem Kleiderschrank, etwas gedämpft nur durch die dünne Gardine, die vor dem Fenster hängt. So bleibt das Gesicht des Besuchers nur ganz unbestimmt, und wenn der da drüben sein Licht ausmacht, wird es noch unbestimmter, doch das ist nicht weiter wichtig, man gewöhnt sich an die Dunkelheit, und man weiß ja, wer da bei einem auf der Bettkante sitzt.

›Habe ich Sie auch nicht zu lange warten lassen?‹ fragt man, um höflich zu sein.

›Das macht nichts‹, antwortet er ebenso höflich, und sicher lächelt er dabei.

Man kann ihn doch nicht gut fragen, was er von einem möchte. Das wäre nicht nur taktlos, sondern auch eine Lüge, denn man weiß ja genau, was er möchte. Er möchte, daß man ihn mit seinem Namen anredet.

›Es warten wohl noch andre?‹ fragt man.

›Ja, einige warten.‹

›Auch Frauen?‹

›Frauen? Ja, ein junges Mädchen wartet. Die Gärtnerstochter.‹ Gärtnerstochter? Welche Gärtnerstochter um Himmels willen? Hat man denn jemals etwas mit einer Gärtnerstochter zu tun gehabt? Aber lieber nicht fragen, da er das Mädchen als bekannt voraussetzt, es könnte ihn kränken, wenn man sich ihrer nicht mehr erinnert, und auch das Mädchen könnte es kränken, wenn sie das erfährt, und wer weiß, ob sie da draußen nicht voller Erwartung lauscht, daß man sich endlich ihrer erinnert. Damit muß man rechnen.

›Sehen Sie, es ist mir schon immer so vorgekommen, daß da draußen auf dem Flur jemand wartet. Nehmen Sie es mir bitte nicht übel, daß ich nicht früher davon Notiz genommen habe. Zuerst dachte ich, es wäre ein Einbrecher, der sich über das Oberlicht und den Lichtschacht in die Wohnung geschlichen hat, oder ein neugieriger Nachbar, denn die Nachbarn nebenan sind sehr neugierig, doch wenn man nachsah, war draußen niemand. Es konnte ja auch nur an der Temperatur liegen, das Holz zieht sich dann zusammen oder dehnt sich aus, und die Dielen knacken. Oder der, der vorher hier gewohnt hat, hatte die Gewohnheit, nachts um diese Zeit auf die Toilette zu gehen oder in die Küche, um noch einen Schnaps zu trinken, so etwas behalten alte Dielen lange im Gedächtnis. So etwas kommt vor.‹

›Ja, das kommt vor.‹

›Sehen Sie! Aber warum klopfen sie nicht einfach an, man ist doch kein Unmensch, man würde sofort ›Herein‹ rufen.‹

›Das ist nicht ihre Art.‹

›Trauen sie sich nicht?‹

›Es ist nicht ihre Art, deshalb.‹

›Aber verzeihen Sie, Sie sind doch auch zu mir hereingekommen.‹

›Für mich war es Zeit.‹

›Und die andern?‹

›Sie warten eben, bis es Zeit für sie ist.‹

›Aber sie können sich dabei erkälten. Das Mädchen zum Beispiel, die Gärtnerstochter. Da auf dem Flur zieht es von der Wohnungstür her, besonders bei Ostwind. Das Mädchen könnte Rheuma davon kriegen.‹

›Sie wird sich nicht erkälten, sie ist es gewohnt.‹

›Und was könnte ich ihnen auch bieten, da haben Sie recht. Die da draußen warten, denken vielleicht, hier wäre ein Zuhause für sie, wie man es nennt, aber das gibt es doch schon lange nicht mehr, das gibt es doch nur noch in den Schaufenstern der Möbelläden, davon wird niemand warm. Man zieht bald hierhin, bald dorthin, wie es gerade kommt, davon leben die Wohnungsmakler und Transporteure, und schon bald nach dem Einzug merkt man, daß man schon wieder weiterziehen muß. Das ist schließlich Privatsache, es lohnt sich nicht einmal, darüber zu reden, aber die da draußen auf dem Flur machen sich vielleicht noch Illusionen.‹

›Solche Illusionen machen sie sich nicht.‹

›Sollen wir das Mädchen nicht lieber hereinrufen, die Gärtnerstochter meine ich?‹

›Sie weiß noch zu wenig von sich, sie muß noch warten.‹

›Aber Sie wissen doch wie Mädchen sind, entschuldigen Sie. Sie sind romantisch, wie man es nennt, und nachher sind sie enttäuscht. Man fühlt sich doch verantwortlich.‹

›Ja, das ist es.‹

›Und eines Tages kann es zu spät sein. Man kann zu jeder Minute von einem Auto überfahren werden, dann haben die da draußen umsonst gewartet und was dann?‹

›Sie werden weiter warten, sie sind es gewohnt. Das mit dem Auto spielt keine Rolle, es wird sich schon jemand finden, mit dem sie sich aussprechen können, wie lange sie darauf warten müssen, ist ganz unwichtig.‹

Aussprechen! Das ist das Stichwort. Man bittet den

Besucher, doch etwas näher zu rücken, denn es braucht ja niemand zu hören, und es spricht sich auch leichter alles aus, wenn man die Gewißheit hat, daß niemand zuhört. Die Wand zu den Nachbarn nebenan ist nur dünn, wenn die Frau, die da mit ihrem Mann im Bett liegt, einen reden hört, wird sie sagen: Da hat er sich ein Frauenzimmer mitgebracht. Und der Mann wird im Halbschlaf sagen: Eher einen Rauschgifthändler, und sich auf die andre Seite wälzen. Und die Frau wird noch sagen, bevor sie wieder einschläft: Daß man heute mit solchen Leuten Wand an Wand wohnen muß. Was ist das für ein Leben. Meinst du nicht auch, daß er homosexuell ist? Doch der Mann schnarcht schon wieder.

Man braucht dann nur einfach wiederzuerzählen, wie man sich da ausgesprochen hat, es würde auch nicht den leisesten Zweifel an der Glaubwürdigkeit geben. Auch der Name würde einem im Laufe des Gesprächs wieder einfallen, und die da draußen warten, würden sich freudig zuflüstern: Bald sind wir an der Reihe.

Aber würde es nicht vielleicht allzu glaubwürdig sein, muß noch einmal gefragt werden? Könnten die Menschen nicht vor einer so genauen Wirklichkeit den Mut verlieren? Das darf auf keinen Fall sein. Man muß ihnen die Möglichkeit lassen zu sagen: Ach, das ist ja schon vor zehn oder zwölf Jahren passiert. Oder: Na, da hat sich ja einer allerhand traurige Dinge ausgedacht. Auf die Weise trägt man keine Schuld daran, wenn sie ratlos werden.

II

Darum hat der Herausgeber dieser Notizen sich entschlossen, die Geschichte auf die unglaubhafteste Art zu erzählen, die sich denken läßt, nämlich so wie sie tatsächlich passiert ist.

Den Beweis für die Unglaubhaftigkeit bekam er denn auch sofort. Der Psychiater Dr. K. fragte als erstes: ›Hat dieser Herr Fürst tatsächlich existiert?‹

Auch die Sekretärin in der Redaktion, der der Herausgeber die Notizen zum Abschreiben gegeben hatte, da sie als einzige seine Handschrift entziffern konnte, meinte, als sie die Durchschläge auf den Schreibtisch legte: ›Ein seltsamer Mann.‹ Das war nichts als die höfliche Art der Kritik einer Angestellten an ihrem Vorgesetzten, um damit anzudeuten, daß die Hauptfigur der Geschichte ihr reichlich unglaubhaft vorkäme und mißlungen schiene. So kraß wie Dr. K. wagte sie sich nicht auszudrücken.

Und um es gleich richtigzustellen, Dr. K. ist nicht der Arzt des Herausgebers, der keinen Psychiater braucht oder sich wenigstens einbildet, keinen zu brauchen. Aber man muß es den Psychiatern lassen, daß sie für alles, was sich nicht im Handumdrehen erklären läßt, recht brauchbare Definitionen haben, mit denen man sich erst einmal zufriedengeben kann.

Dr. K. ist im Grunde nur eine Fahrstuhlbekanntschaft des Herausgebers. Er hat seine Praxis zwei Stockwerke tiefer, und so kam es, daß die beiden häufig zusammen hinauffuhren und der Herausgeber ihn zu dem immer mehr zunehmenden Kundenstrom beglückwünschte, der seiner Praxis zudrängte, um sich analysieren zu lassen. ›Die Zeit arbeitet für Sie, Herr Doktor. Das ist ja weit vorteilhafter als die Hongkong-Grippe.‹ Ein Fahrstuhl-Witzchen, nicht mehr.

Doch eines Abends fing der Herausgeber den Doktor ab und gab ihm einen Durchschlag der erwähnten Notizen. ›Bitte, lesen Sie das Zeug doch einmal durch und sagen mir, was von dem Mann zu halten ist.‹

Selbstverständlich schrie er Mord und Zeter, keine Zeit zum Lesen und dergleichen mehr, worauf der Herausgeber ihm mit der gleichen Münze heimzahlte. Er solle sich nicht etwa einbilden, ein Honorar dafür zu bekommen, höchstens ein Abendessen im ›Suppentopf‹. ›Ach so, schon wieder eine Fehlleistung! Der ›Suppentopf‹ hat ja längst dicht gemacht. Schade, es gab da eine großartige Zwiebelsuppe. Na, wir werden schon eine andre Kneipe finden, wo ich Sie auf anständige Weise satt kriege.‹

Das geschah übrigens in Frankfurt, falls jemand das interessiert. Nach allerhand Ziererei nahm Dr. K. den Durchschlag der Notizen an sich und rief den Herausgeber acht Tage später nach Schluß seiner Sprechstunde an. Er fragte, wie es mit dem versprochenen Abendessen wäre, seine Frau sei mit dem Jungen sowieso nach St. Peter-Ording gefahren, wegen der Bronchien des Bengels. Das Frankfurter Klima, Sie verstehen. Und als der Herausgeber dann unten in der Praxis erschien, wurde ihm die Frage gestellt, ob der Mann tatsächlich existiert habe. ›Sicher existiert er noch, wir brauchen nur im Münchener Telefonbuch nachzuschlagen. So einer macht sich nicht ohne Sang und Klang davon. Wenn er inzwischen gestorben wäre, hätte man das bestimmt bemerkt. Er gehört zu den Auserwählten, bei denen es nicht ohne fünf oder sechs riesige Todesanzeigen in der Zeitung abgeht, eine ganze Seite voll zur Freude jeder Redaktion, vorneweg die Witwe, die ihn nie vergessen wird, und dann all die Aufsichtsräte, die ihm ewig dankbar sein wollen. Ein wahres Glück, daß sich die Dankbarkeit von der Steuer abschreiben läßt.‹

›Soso, er existiert also wirklich.‹

›Glauben Sie etwa, daß ich mir so einen Kerl ausgedacht hätte? Da überschätzen Sie mich gewaltig.‹

›Und warum haben Sie sich diese Notizen gemacht?‹

›Weil mir der Kerl so unsympathisch war.‹

›Aha!‹

›Was soll das Aha? Hören Sie mal zu, Doktor, hier geht es nicht darum, mich zu analysieren, den Spaß behalten Sie bitte für sich. Aber gehen wir lieber erst zum Essen, hier in diesen sterilen Räumen beginne ich sonst noch, an meiner eigenen Existenz zu zweifeln.‹

Im Laufe des Abends gab Dr. K. dann doch noch eine annehmbare Erklärung von sich, die hier vorweggenommen werden soll. Selbstverständlich mit vielen Wenn und Aber, zum Beispiel: Wenn der Mann also wirklich existiert hat, oder: Vorausgesetzt, daß er so war, wie Sie ihn schildern, und dergleichen Vorbehalte mehr. Vor allem betonte Dr. K. immer wieder, daß er nicht als Fachmann spräche, sondern sich absichtlich laienhaft ausdrücke.

›Wie sah der Mann denn aus? Davon findet sich kein Wort in Ihren Notizen.‹

›Mein Gott, soll ich mich auch noch mit seinem Aussehen abgeben? Wie ein Manager sah er aus, genügt das nicht? Ein Manager mit Bauchansatz, und das war er ja auch.‹

›Gut, lassen wir das. Der Typus, wie Sie ihn schildern, ist nicht so selten, wie Sie denken, wir sehen uns ihm fast täglich gegenüber. Nur so kraß wie Sie ihn darstellen, findet er sich selten. Oder um es anders auszudrücken: so bewußt spielt kaum einer die Rolle, in die er sich geflüchtet hat. Das wird es auch sein, weshalb er Ihnen so unsympathisch war, er gibt sich nicht einmal die Mühe, die Rolle glaubhaft zu spielen, das hat Sie natürlich beleidigt. Nein, lassen Sie mich ausreden, es geht hier nicht um Sympathie oder nicht. Er gehört zu den Vielen, denen die Fähigkeit versagt ist, oder sagen wir verkümmert, da sie sich scheuen, die Fähigkeit zu benutzen, selber und unter persönlichem Risiko etwas zu erleben, und die sich damit gegen ihren Tod versündigen. Entschuldigen Sie, das klingt pathetisch, ich drücke mich Ihretwegen so aus. Man spürt aus Ihren Notizen — mein Kompliment übrigens — die entsetzliche Angst des Mannes vor der Strafe, die ihn für sein mehr oder weniger bewußtes Versagen treffen wird. Darum hält er sich an das, was andre erlebt haben, jedenfalls so wie er es verstanden hat, und schlägt Ihnen vor, ein Drehbuch oder einen Film daraus zu machen. Das ist natürlich auch nur Schwindel, er glaubt nicht einmal selber daran, wenn ich Sie richtig verstehe. Wie kommt es übrigens, daß Sie sich jetzt nach all den Jahren wieder mit diesen Notizen befassen?‹

›Sie sind mir beim Aufräumen in die Hände gefallen.‹

›Aha, beim Aufräumen.‹

›Kein Aha, Doktor. Nehmen Sie lieber noch einen Schnaps. Oder ist Aufräumen auch schon eine psychiatrische Vokabel geworden?‹

›Jedenfalls wollte der Mann Sie beunruhigen, das ist ihm anscheinend gelungen, denn darauf hatte er es angelegt, um sich seine Existenz zu beweisen. Lassen wir ihm die sechs Todesanzeigen, er hat doch sonst nichts.‹

Das alles kam erst nach dem Essen beim Kaffee zur Sprache. Es hörte sich ganz plausibel an. Die Phrase ›gegen den Tod versündigt‹ imponierte dem Herausgeber sogar. Ein Hoch auf die Psychiater!

Doch vorher hatte der Herausgeber seinem Gast die Situation erzählen müssen, in der die Notizen entstanden waren. Die Sache passierte nämlich in einem Sanatorium. Das riecht nun wirklich nach einem literarischen Trick, denn vor einigen Jahrzehnten war es ja Mode, Romane im Sanatorium spielen zu lassen. Aber es läßt sich nichts daran ändern, es passierte tatsächlich im Sommer 1980 im Sanatorium des Luftkurortes Bad T. im Schwarzwald. Bad wohl nur, weil es da auch warme Quellen gibt, die schon die Römer entdeckt hatten, die darin sehr findig gewesen sein müssen. Das T. stimmt nicht. Man muß sich vor Verleumdungsklagen in acht nehmen, aber all diese Bäder und modischen Sanatorien gleichen sich ja sowieso aufs Haar.

Dr. K. fragte sofort: ›Was hatten Sie denn da verloren?‹

›Das mögen Sie wohl fragen. Ein kleiner Schaden, nicht der Rede wert und nichts, was in Ihr Gebiet fällt. Die Versicherung hatte mich großzügigerweise für drei Wochen hingeschickt, denn für mich wäre der Laden viel zu teuer gewesen. Klar, ich gehörte da nicht hin, selten habe ich mich so gelangweilt. Vielleicht gehört das zur Therapie, aber was mich angeht, so habe ich hinterher sechs Monate giftigster Großstadtluft in Frankfurt gebraucht, um mich wieder für einen einigermaßen vernünftigen Menschen zu halten. Doch genug von mir.

Der Mann war mir schon gleich am ersten Tag im Speisesaal unangenehm aufgefallen. Zum Beispiel die Art, wie er an seinem Tisch die erste Rolle spielte, wie er nach der Bedienung schrie und mit dem Personal familiär tat. Vermutlich gab er reichliche Trinkgelder. Und ebenso abends, wenn er im sogenannten Rauchzimmer mit andern Männern Karten spielte, immer hörte man nur seine Stimme, es war zum Auswachsen. Einmal, als ich massiert wurde, mußte ich mit anhören, wie er in der Nachbarkabine dem Masseur unanständige Witze erzählte oder sich welche von seinem Masseur erzählen ließ. Das Übliche, könnte man sagen, aber es machte mir den Mann nicht gerade sympathischer.

In einem Sanatorium sind die Leute aus ihrem gewohnten Milieu gerissen und benehmen sich anders als sonst, auf jeden Fall unvorsichtiger, als sie sonst sein würden. Man weiß ziemlich schnell übereinander Bescheid, schon aus Langeweile beschäftigt man sich mit den andren, es gibt kaum ein Mittel, sich dagegen zu schützen. Nachher schreiben sich dann die Leute noch ein paar Ansichtskarten, bis sie endlich merken, daß sie sich überhaupt nichts zu sagen haben.

Wie gesagt, ich hielt den Mann für einen Manager, ganz gleich was man darunter versteht, ja, geradezu für den Prototyp eines Managers, und als ich erfuhr, daß er Werbefachmann sei, war mir das nur eine Bestätigung. Umgekehrt war es für ihn nicht schwer herauszufinden, daß ich mit Literatur zu tun hatte, man brauchte sich notfalls nur im Büro des Sanatoriums zu erkundigen, und sicher wird der Mann das getan haben, da ihn beunruhigte, daß ich mich zurückhielt.

Ganz gleich, was er sich unter Literatur vorstellte, jedenfalls kam er eines Abends, ohne daß ich einen Anlaß dazu gegeben hätte, mit einem Whiskyglas in der Hand ins sogenannte Schreibzimmer, wohin ich mich nach dem Essen zurückgezogen hatte und mich mit einem altmodischen Roman, den ich in der sogenannten Bibliothek gefunden hatte, langweilte, und redete einfach darauf los. ›Sie sind doch Schriftsteller‹, begann er mir nichts dir nichts. Das war die übliche Flegelei. Schriftsteller ist im günstigsten Fall ein Kuriosum für unbeschäftigte Frauen, ein Zeitvertreib für arbeitsscheue Leute, und was kommt schon dabei heraus. Ein pflichtgetreuer Mann mit einem anständigen Beruf braucht so etwas nicht ernst zu nehmen. Wozu also viel Umstände mit so einem Kerl machen?

Es hätte meinerseits keinen Sinn gehabt, ihn über meinen Beruf aufzuklären; er hätte jede Berichtigung beiseite gewinkt und mir nicht einmal zugehört. ›Ob Sie es glauben oder nicht‹, fuhr er einfach fort, ›ich habe auch einmal ein Drehbuch schreiben wollen, vor zehn Jahren oder so. Ja, es ist schon zehn Jahre her. Ich darf das gar nicht laut sagen, ich würde mir schaden, man würde mich für einen Spinner halten, aber Sie als Schriftsteller muß das doch interessieren.‹ Und ohne mich erst zu fragen, setzte er sich einfach an meinen Tisch.

Er stellte sich dann auch noch vor, aber erst als er schon saß und in einer hochfahrenden Weise, weil er natürlich voraussetzte, daß jeder ihn kannte. Er war Inhaber oder Chef der Firma ›Fürst-Werbung G.m.b.H.‹. Den Namen sehe ich seitdem manchmal rechts unten in der Ecke auf großen Plakaten für Waschmittel oder Zigaretten in den U-Bahn-Stationen. Mit andern Worten, er war ein Werbefachmann, und eins muß man ihm lassen, er verstand sein Geschäft. Wenn man bedenkt, daß er es fertig brachte, mich, der sich ins sogenannte Schreibzimmer verkrochen hatte, um nichts von dem Lärm der Kartenspieler hören zu müssen, so festzunageln, daß ich ihm mehrere Nächte zuhörte, kann man sich gut vorstellen, mit welcher Bravour er einen Unternehmer zu überreden weiß, ihm die Werbung für den Artikel anzuvertrauen, der an den Mann gebracht werden soll. Es sprudelte nur so aus ihm heraus.

›Was? Sie wollen doch nicht etwa schon zu Bett gehen?‹ rief er, weil ich aufgestanden war. ›Erlauben Sie, das werden Sie sich doch nicht selber antun. Kommen Sie, trinken Sie ein Glas Whisky mit mir. Whisky ist gut für die Koronargefäße, wie die Dinger heißen, und deswegen sind wir ja hier. Irmgard, he Irmgard, bringen Sie uns doch noch einen Whisky. Für Nummer 312. Und sagen Sie dem Doktor nichts davon.‹

Im Handumdrehen erfuhr ich, daß er schon seit etlichen Jahren jeden Sommer in dies Sanatorium kam, um sich die Koronargefäße von den Ärzten ausputzen zu lassen, wie er es nannte. ›Dafür bezahlen wir den Brüdern ja unser gutes Geld, für all diese Armbäder und Unterwassermassagen. Armbäder, daß ich nicht lache! Mit was für Kinderkram lassen wir uns das Geld aus der Tasche ziehen.‹ Und auch, daß er Frau und Kind unterdessen nach Antibes geschickt hatte, erfuhr ich. Natürlich mußte es Antibes sein, was denn sonst.

›Setzen Sie sich doch um Himmels willen hin, Mann. Das Drehbuch wird Sie interessieren, das garantiere ich Ihnen. Es läßt sich bestimmt etwas daraus machen, oder ich will Hans heißen. Das ist doch Ihr Metier oder wie man es bei Ihnen nennt. Ja, stellen Sie sich vor, Sie kommen nicht nur mit blankgeputzten Koronargefäßen aus diesem Laden, sondern auch noch mit einer Idee für ein Drehbuch, sozusagen als Zugabeartikel. Ich überlasse Ihnen das Thema. Wirklich ein Jammer um so ein Thema, aber mir fehlt es an Zeit dafür, wie Sie sich wohl denken können. Allein der Titel! Denn der Titel stand für mich von

27

vornherein fest. *Die gestohlene Melodie*, was sagen Sie dazu? Der Titel allein ist Gold wert. Ich überlasse ihn Ihnen. Um das Urheberrecht brauchen Sie sich keine Gedanken zu machen. Also bitte!‹

Da ich immer noch wegzugehen beabsichtigte, um dem Geschwätz und der Angeberei zu entgehen, machte ich törichterweise eine rein literarische Bemerkung. Ich versuchte dem aufdringlichen Mann darzulegen, daß es meiner Erfahrung nach ein großer Fehler sei, wenn jemand den Titel eher hätte als das Buch, weil man sich dann nach dem Titel wie nach einem Wegweiser richte und damit dem Buch, den Situationen und den Figuren jede selbständige Entwicklungsmöglichkeit raube. Oder so ähnlich, was man bei so einer Gelegenheit zu sagen pflegt. Nichts war alberner, als solche zweifelhaften fachmännischen Weisheiten zu äußern. Damit gab ich mich diesem Herrn Fürst erst recht in die Hand. Er winkte denn auch das Argument verächtlich beiseite.

›Das mag bei Ihnen so sein, aber ich halte es für unpraktisch. Bei uns ist das anders, und ein Film, wenn Sie mir gestatten, ist doch schließlich eine Sache, die sich verkaufen lassen muß und Geld einbringen soll. Oder? Bei uns muß man zuerst den Titel oder die Schlagzeile haben, und dazu gehört Inspiration. Ganz gleich für welchen Artikel. Kein Mensch verlangt von Ihnen, daß Sie die Margarine vorher ausprobieren, ob sie Ihnen auch schmeckt. Mir würde sie so oder so nicht schmecken. Die Zeile muß so sein, daß die Leute denken, es handelt sich um Liebe oder Glück oder Natur oder Ferien oder wonach sie sich sonst sehnen, meinetwegen auch nur um Gesundheit, dann kaufen die Leute das Zeug wie wild. *Gestohlene Melodie* läßt sich leider nicht dafür verwenden. *Melodie* ist zwar gut, das zieht immer und macht die

Leute sofort weich, aber *gestohlen*, das geht nicht, der Hersteller würde Protest erheben und die Leute würde es mißtrauisch machen, sie denken dann womöglich an irgendwelchen Ersatz. Ja, Psychologie muß man in den Fingerspitzen haben, wenn man es zu etwas bringen will. Doch für einen Film, ich bitte Sie. Klar, es klingt wie romantischer Quatsch, aber gerade deshalb. Menschenskind, haben Sie eine Ahnung, wie die Leute auf Romantik fliegen. Es wagt nur keiner zuzugeben, aber gerade deshalb rennen sie ins Kino, im Kino ist es dunkel, und da sieht es keiner. Und das wollen Sie nicht ausnutzen?

Denken Sie doch nur an diese Sanatoriumsgangster hier mit ihren Armbädern. Es soll uns doch niemand erzählen, daß es einen gesund macht, wenn man die Arme in eine Waschschüssel mit heißem Wasser steckt. Obendrein kann jeder das zu Haus billiger haben. Armbäder, das ist auch nur so eine Schlagzeile, die uns konfus machen soll. Na, von mir aus, ich habe Verständnis für solche Tricks. Und was meinen Sie, mit der *Gestohlenen Melodie* habe ich indirekt schon recht guten Erfolg gehabt, das darf ich wohl sagen, obwohl das Drehbuch nie geschrieben wurde.

Mann Gottes, setzen Sie sich doch endlich hin und trinken einen Whisky mit mir. Schlafen? Na schön, das mag ganz gesund sein, aber wenn den Herren Medizinern nichts Besseres einfällt ... Gottlob warnt mich mein gesunder Instinkt immer rechtzeitig vor Schwindel. Erst heute vormittag hatte ich Gelegenheit, den Herren wegen ihres gepriesenen Schlafes meine Meinung zu sagen. Der Kerl fing an zu stottern und zog sich auf seine Fremdworte zurück. Nicht mit mir, Herr Doktor! Doch was ich sagen wollte, schließlich ist es mir mit der *Gestohlenen Melodie* auch nicht anders gegangen. Noch gerade rechtzeitig, sozusagen in der letzten Sekunde entdeckte ich, auf welcher Seite das Brot für mich gebuttert war. Die Sekunde hat allerdings eine halbe Nacht gedauert, damals brauchte es noch Zeit bei mir, ich war noch nicht gewitzt genug. Eine halbe Nacht, stellen Sie sich das vor, aber das ist keine Schande, ich war zehn Jahre jünger. Eine halbe Nacht habe ich mir von diesem Burschen da in Hamburg die komischsten Dinge erzählen lassen, und alles wegen der *Gestohlenen Melodie.*

Komisch, ich kann mich nicht an seinen Namen erinnern. Sie können mich auf den Kopf stellen und schütteln, der Name fällt nicht heraus. Dabei habe ich sonst ein untrügliches Namensgedächtnis, das braucht man in meinem Beruf. Schön, es ist zehn Jahre her, aber trotzdem. Doch ganz gleich, der Name tut nichts zur Sache. Was war er denn schon? Ein kleiner Pressefotograf, nichts Besonderes, der noch dazu Pech gehabt hatte. Du lieber Himmel, wie oft ich das hören muß, daß einer nur deshalb nichts geworden ist, weil er Pech gehabt hat. Als ob ich etwas dafür könnte, daß ich kein Pech gehabt habe.

Eine halbe Nacht! Nachdem ich vor lauter Übermüdung die Augen kaum mehr offen halten konnte und von all dem phantastischen Unsinn, den der Mensch mir erzählte, schon kaum mehr etwas begriff, sagte ich mir beim Weggehen oder als ich endlich wieder auf der Straße war: Das hat doch alles nur Sinn, wenn man aus dem Unsinn ein Geschäft macht. Da liegt nämlich der Hase im Pfeffer, entschuldigen Sie. Der romantischste Quatsch hört sofort auf, Quatsch zu sein. Das bringt einem niemand in der Schule bei, die Kerle hüten sich, das zu verraten, weil sie selbst das Geschäft machen wollen. So muß man allein darauf kommen, in der letzten Sekunde sozusagen und wie leicht kann man seine Chance verpassen. Ich kann ein Lied davon singen. Na, wie ist es mit dem Whisky?‹

Aus kindischem Trotz bestellte ich eine Flasche Apollinaris, nur um nicht von dem Mann eingeladen zu werden, aber ich blieb sitzen, und ich blieb auch die folgenden sieben Abende bis zu meiner Abreise sitzen, denn was mir da erzählt wurde, ließ sich natürlich nicht in einer Nacht erzählen. Der Mann kam jeden Abend, als ob es so zwischen uns vereinbart wäre, mit seinem Whisky zu mir in die sogenannte Schreibstube und sagte: ›Ja, wo waren wir stehengeblieben?‹ Und was meine Nachgiebigkeit betrifft, für die Sie sich ja so sehr zu interessieren scheinen, mein lieber Doktor K., so gebe ich zu, daß sie mit der Langeweile des Sanatoriums allein nicht erklärt ist, zum mindesten ist sie nicht der Grund, warum ich mir jedesmal hinterher in meinem Zimmer diese Notizen machte. Seien wir ehrlich, was er mir erzählte, fesselte mich trotz seiner albernen und entstellenden Erzählweise, trotz des lächerlichen Vorwands, mir damit das Thema für einen Film zu liefern. Denn daß sich kein Film daraus machen ließ, wird der Mann selber gewußt haben. Er war ja kein Dummkopf, im Gegenteil, er verfügte über eine flinke Manager-Intelligenz. Aber trotzdem oder gerade deswegen fesselte mich die Welt, die dahinter sehr unbestimmt und so flüchtig wie ein Wolkenschatten wahrnehmbar wurde, oder um im Jargon dieses Herrn Fürst zu sprechen, der Quatsch, aus dem er sich bemühte, ein Geschäft zu machen. Genügt das?‹

›Hatten Sie den Eindruck‹, fragte Dr. K. noch, ›daß der Mann sich das alles ausgedacht hatte? Denn das müssen Sie als Literat besser beurteilen können als ich.‹

›Nein, die Hauptsache jedenfalls nicht, ich meine die nächtliche Unterhaltung mit dem andern, dessen Namen er angeblich vergessen hat. Es gibt da Kleinigkeiten, die dagegen sprechen. Kleinigkeiten lassen sich nicht erfinden, die muß man erlebt haben. Denken Sie nur an die Sache mit dem Kühlschrank oder an den Gummibaum. Und selbst wenn ihm das alles nur von dem andren erzählt worden ist, so muß er so daran teilgenommen haben, als ob er selber dabei gewesen wäre. Das würde sogar für den Mann sprechen. Was er jedoch im Laufe von zehn Jahren dazuerfunden hat, läßt sich kaum sagen. Bleibt die Frage, warum er sich überhaupt zehn Jahre lang damit beschäftigt hat, und zwar so intensiv, daß ihm die Dinge sehr gegenwärtig waren. Aber das gehört schon in Ihr Gebiet, Doktor. Auch der Traum, den er in der Nacht davor gehabt haben will und der angeblich der Anlaß war, weshalb er mich mit seinen Bekenntnissen oder Lügen überfiel, muß doch ein gefundenes Fressen für Sie sein. Als Literat, wie Sie mich betiteln, weiß man nichts mit Träumen anzufangen, wir sind mehr für das Wachsein. Was möchten Sie denn sonst noch gern wissen? Was für einen Anzug der Mann anhatte? Ob er eine Brille trug? Die Augenfarbe? Wie groß er ungefähr war? Wie alt? Warten wir doch auf seine Todesanzeige. Er wird übrigens drei oder vier Jahre älter als ich gewesen sein, also um fünfundvierzig herum, damals im Sanatorium, meine ich. Doch das ist nur eine Schätzung nach meinen Notizen, das heißt nach Geschehnissen, die sich zehn Jahre früher ereignet hatten. Das Datum 1970 dürfte meiner Meinung nach stimmen, dafür gibt es mancherlei Anhaltspunkte in den Notizen.‹

Soweit die Besprechung mit Dr. K. Der Herausgeber hatte sich zu entscheiden, ob er seine Notizen der

Verständlichkeit halber nicht besser redigieren sollte. Dieser Herr Fürst wußte die Dinge allerdings recht zeitnah und bildhaft darzustellen, das muß man ihm lassen; es hängt wohl mit seinem Reklameberuf zusammen, aber damit ist wenig geholfen. War es nicht erforderlich, etwas mehr zeitliche und geographische Logik in das alles hineinzubringen?

Was dieser Herr Fürst erzählte, war ihm von einem andren erzählt worden. Das wäre nicht weiter schlimm, daß jemand nur Erzähltes erzählt, damit kann man sich leicht abfinden. Unüberwindlich werden die Schwierigkeiten jedoch dadurch, daß der, von dem dieser Herr Fürst das alles hatte, größtenteils auch nur erzählte, was ihm erzählt worden war, und zwar von einem, der kurz vorher gestorben war. Und inwieweit dieser Tote, den man nebenbei als Hauptfigur bezeichnen könnte, auch nur wieder Erzähltes erzählte, läßt sich kaum mehr feststellen. Es handelt sich also um einen Bericht aus dritter oder vierter Hand, das ist es, was ihn so unglaubhaft macht. Vor allem gerät dadurch das Zeitelement völlig durcheinander. Wenn man nicht, wie der Herausgeber, diesem Herrn Fürst gegenüber gesessen hat, fragt man sich dauernd: Wer spricht da eigentlich? Was soll das? Wann ist das nun wieder passiert?

Schön, wir haben das Datum 1970, aber das erklärt höchstens die Stimmung dessen, was erzählt wird. Daß die Zeit um 1970 literarisch, oder sagen wir getrost menschlich besonders unergiebig war, wissen wir, auch die Gründe dafür glauben wir heute zu kennen. Dieser Herr Fürst muß um 1970 Anfang der dreißig gewesen sein, er gehört zu derselben Generation wie der Herausgeber. Das Jahrzehnt davor, in dem wir jung waren, war ein Jahrzehnt der Unzufriedenheit mit den Zuständen und des Versuchs, die

Welt zu verändern. Jedoch um 1970 stellte es sich heraus, daß wir den Verfall mit den Mitteln des Verfalls bekämpft hatten, oder besser ausgedrückt und um jede Wertung zu vermeiden, den Apparat mit den Methoden des Apparats. Klar, daß der Apparat die Schlacht gewinnen mußte, er schluckte alle Utopien ohne Verdauungsbeschwerden und wurde noch mächtiger dadurch. So blieb der geschlagenen Generation kein Ausweg mehr, sie mußte sich anpassen oder verzweifeln. So weit so gut, doch es hilft uns wenig, was die Notizen angeht. Was dieser Herr Fürst erzählt oder der, der es ihm erzählt hat, muß, wenn man sich die Mühe macht nachzurechnen, weit über die sechziger Jahre zurückreichen, ja, es kommen hin und wieder Passagen vor, die sozusagen außerhalb jeder historischen Zeit spielen, man könnte sie Märchen nennen. Doch wie kommt ein Werbefachmann dazu?

Genauso großzügig springt der Erzähler mit dem geographischen Element um. Der Kern der Geschichte spielt angeblich in Hamburg. Angeblich, obwohl dieser Herr Fürst durch Nennung von Straßen und Plätzen die Angelegenheit glaubhaft zu lokalisieren trachtet, aber trotzdem hat man den Eindruck, daß dies Hamburg vielleicht nie existiert hat. Andre Teile der Geschichte spielen in Frankfurt, die erwähnten Straßen und Stadtteile stimmen, das kann der Herausgeber bestätigen. Wieder andre, und nicht einmal unwichtige Kapitel, in nicht genannten Städten im Rheinland, man ist da nur auf Vermutungen angewiesen und erzählerisch liegt sogar ein gewisser Reiz darin. Aber was soll man dazu sagen, daß man sich unversehens in einen Ort namens Davis versetzt sieht und an einer Bridge-Party teilnehmen muß, die dort auf der Porch eines Hauses stattfindet? Wer hat je von Davis gehört? Der Herausgeber bekennt ganz offen, daß er erst im Atlas nachschlagen mußte, um sich zu überzeugen, daß es dieses Davis tatsächlich gibt. Eine kleine Universitätsstadt fünfzig oder hundert Kilometer nördlich von Oakland, Kalifornien. Dieser Herr Fürst ist bestimmt nie dort gewesen, das steht fest. Und ausdenken konnte er sich so eine Stadt auch nicht. Es muß ihm also jemand davon erzählt haben.

Am meisten verwirrt jedoch, daß alle Augenblicke neue Figuren eingeführt werden, ohne daß sich der Erzähler die Mühe gibt, ihr Auftreten zu motivieren. Sie kommen von irgendwoher, von diesem Herrn Fürst aus dem Nichts herbeigewinkt, und stehen plötzlich am Rande der Geschehnisse und nehmen von dort aus an der Handlung teil. Wie sich dieser Herr Fürst das in einem Film denkt, ist nicht einzusehen, aber an den Film glaubte er ja selber nicht. Soweit er den Figuren einen Namen gibt, kann man sich wenigstens daran halten, aber nur zu oft wird nicht einmal ein Name mitgeliefert. Bei der Gärtnerstochter, die bereits erwähnt wurde, nimmt man das noch hin, sie huscht ja mit ihrem kleinen Schicksal nur vorbei, doch wo haben andre Figuren ihre Namen verloren? Zum Beispiel dieser Musikstudent aus Freiburg, der, wie behauptet wird, der Handlung eine entscheidende Wandlung gibt. Und was sollen wir mit einem Mister Ich anfangen, auf den dauernd Bezug genommen wird und der sogar eine Art Tagebuch schreibt? Für Dr. K. war das natürlich Wasser auf seine Mühle, doch der Herausgeber konnte ihm nur versichern, daß dieser Herr Fürst so etwas auf keinen Fall erfunden haben könnte, denn niemand kam sich weniger überflüssig vor als er, das machte ihn so unsympathisch.

Und ausgerechnet den Namen dessen, der ihm das alles erzählt haben soll, will dieser Herr Fürst verges sen haben? Das nimmt man ihm in der Tat nicht ab, denn er macht doch sonst recht bestimmte Angaben über ihn, über seine Wohnung und seinen Beruf, so daß man sich ohne Mühe nach ihm erkundigen könnte, wenn einem daran liegt. Doch diesem Herrn Fürst schien offenbar nichts daran zu liegen, er sprach von ihm immer nur als ›der Andre‹. Für jeden Redakteur wäre es ein leichtes gewesen, des besseren Verständnisses halber einen Namen dafür einzusetzen; man hätte ihn etwa Herrn Anders nennen können und niemand hätte sich etwas dabei gedacht, der Name kommt ja oft vor. Aber schon das schien dem Herausgeber eine Verfälschung, und so müssen wir uns damit abfinden, den Andren nur als Schemen wahrzunehmen, wie er hinter der Tüllgardine des Fensters steht und auf den Hinterhof blickt.

Und so wurde trotz der kitschigen Symbolik, die darin mitschwingt, als Titel ›Die gestohlene Melodie‹ beibehalten, obwohl die Melodie, die angeblich gestohlen sein soll, im Laufe der Geschichte immer nur sehr beiläufig anklingt, vielleicht weil dieser Herr Fürst völlig unmusikalisch war.

Genug der redaktionellen Entschuldigungen. Mit Philologie ist in diesem Falle noch weniger geholfen als mit Psychiatrie. Lassen wir diesen Herrn Fürst endlich selber reden, so wie der Herausgeber es damals in seinen nächtlichen Notizen festzuhalten versucht hat. Dazu bietet sich das Treppenabsatz-Kapitel, wie man es überschreiben könnte, wie von selber an.

III

Da hockte ich also oben auf dem Treppenabsatz und wartete, daß der Kerl endlich nach Haus käme. Verzeihen Sie, Kerl ist nicht die richtige Bezeichnung, ich sage das nur, weil ich seinen Namen vergessen habe. Wie ausgelöscht! Mag sein, daß mir der Name schon damals gleichgültig war und ich ihn mir deshalb nicht gemerkt habe. Es war auch kein Schild an der Wohnungstür, nicht einmal eine Visitenkarte, denn dann hätte ich den Namen bestimmt im Gedächtnis behalten. Vielleicht wollte er nicht gefunden werden, denn ein Heimlichtuer war er. Doch es kann auch sein, daß er einfach noch nicht dazu gekommen war, sich Visitenkarten machen zu lassen. Er wohnte da ja, das fällt mir jetzt wieder ein, erst seit vierzehn Tagen oder drei Wochen. Man könnte übrigens Sprieder fragen, falls der Name für Ihr Drehbuch wichtig ist. Sprieder wohnte ja nebenan und kannte ihn besser. Sprieder? Na, den Graphiker meine ich, Albert Sprieder. Sie müssen doch schon von ihm gehört haben. Er macht auch Buchumschläge. Neulich war eine Ausstellung von ihm, in Wuppertal glaube ich oder da irgendwo, ich las es zufällig in der Zeitung. Er scheint also seinen Weg gemacht zu haben, das freut mich für ihn, denn bei diesen Künstlern weiß man ja nie ... Ich besitze eine Graphik von ihm, eine Radierung, wie man es wohl nennt, er hat sie mir damals geschenkt. Das Bild hängt bei mir im Büro. Zu Hause konnte ich es nicht lassen, meine Frau rümpfte jedesmal die Nase, wenn sie es sah. Was willst du bloß mit dem langweiligen Bild, hieß es, nur Häuser und Fenster und sonst nichts. Es stimmt, aus Menschen machte sich Sprieder nichts, Häuser und Fenster genügten ihm, Menschen stören nur, wie er sagte. Darum nahm ich das Bild mit ins Büro, man ist doch anhänglich. Vielleicht nützt ihm das sogar, das sollte mich freuen, denn der eine oder andre Kunde ist schon vor dem Bild stehen geblieben. Wie gesagt, er lebt also noch, er muß ungefähr in meinem Alter sein. Es sollte mich nicht wundern, wenn er jetzt noch da oben hauste, das sähe ihm ähnlich. Er hatte da seine Werkstatt, wie er es nannte, doch er schlief da auch. Aber vielleicht hat er inzwischen die Tochter von diesem Passavent geheiratet. Olivia hieß sie, stellen Sie sich das vor. Für das Drehbuch ein pikanter Name. Sie wollte ihn damals nicht heiraten, sie hatte die Nase voll von ihrem ersten Versuch. Na, das ist nicht meine Sache.

Doch ein Kerl war er nicht, der auf den ich da wartete, im Gegenteil sehr höflich. Fast zu höflich, wenn Sie verstehen, was ich damit meine. Wissen Sie, einer von denen, die absichtlich leise sprechen oder vielmehr ohne jede Betonung, um einem nicht mit ihrer Meinung zu nahe zu treten. Oder als ob jemand neben oder hinter ihnen stände, der zuhörte. Ja, wenn ich es recht überlege, drehte er sich manchmal um, um nachzusehen. Sehr lästig, man mußte sich erst daran gewöhnen. Dabei hätte ich es ihm nicht einmal übelnehmen können, wenn er mich grob angefahren hätte. Er wußte ja nichts von mir und daß ich da oben auf ihn wartete, und wer läßt sich schon gern überraschen, wenn man abends nach Haus kommt und friedlich zu Bett gehen will. Statt dessen entschuldigte er sich, daß er mich so lange hatte warten lassen. Stellen Sie sich das vor. Ich fiel wie aus allen Wolken.

Ich schildere Ihnen das alles so genau, damit Sie sich für Ihren Film ein Bild von der Szene machen können. Aber fragen Sie mich bitte nicht, warum ich da eine Stunde, ja mehr als eine Stunde, eher zwei Stunden auf einen Unbekannten wartete. Meinetwegen können Sie mich für etwas verrückt halten, doch, doch, tun Sie das ruhig. Oder zum mindesten für würdelos, das ist das richtige Wort dafür. Ich könnte mich selber nachträglich dafür ohrfeigen. Na, lassen wir das.

Hin und wieder drückte ich auf den Knopf des Treppenhauslichtes, doch der Hausbesitzer des alten Kastens hatte es sich billig gemacht. Da oben im fünften Stock hing nur eine winzige Birne, fünfundzwanzig Watt und noch dazu verstaubt. Ursprünglich müssen es Bodenräume gewesen sein, man hatte sie dann nach dem Kriege, als Zimmer knapp waren, in zwei Wohnungen umgebaut, aber sich nicht viel Mühe dabei gegeben. So etwas Wohnung zu nennen, ist eine Unverschämtheit, doch in Notzeiten lassen sich die Leute alles andrehen. Selbst die Treppe hatte man so gelassen, wie sie vorher war. Sie war viel schmaler und schäbiger als in den andern Stockwerken. Die Stufen knarrten wie wild, und das alte Holzgeländer wackelte bedenklich. Die Tür zu Srieders Werkstatt hatte man eine Stufe höher legen müssen. Das erste Mal, als ich bei ihm war, denn ich hatte öfter mit ihm zu tun, wäre ich beim Weggehen beinahe auf die Nase gefallen, weil ich die blöde Stufe vergessen hatte. Daraufhin malte Srieder innen an die Tür ›Achtung Stufe!‹ mit roter Farbe, auf Schönheit kam es ihm nicht an. Hinter der Tür nämlich mußte man noch eine alte Holzstiege, eine richtige Bodentreppe, sechs Stufen oder so hinaufsteigen, um in seinen Raum zu gelangen. Man hatte ihm sogar eine Dusche hineingebaut, eine von diesen Blechkisten mit einem Vorhang aus Kunststoff, wie man sie manchmal in Kleinstadt-Hotels findet, die sich modernisieren wollen. Das Blech donnert jedesmal, wenn man darauftritt, um sich zu duschen. Dem Sprieder machte das alles nichts aus, Platz genug für seine Arbeitstische hatte er ja, das war ihm die Hauptsache, und vermutlich war die Miete auch billig.

Ich hatte mich auf die Stufe zu seiner Tür gesetzt. Natürlich rauchte ich. Die Asche streifte ich am Geländer in den Treppenhausschacht ab, auch die Stummel warf ich da hinunter, ich wollte doch dem Sprieder nicht seinen kleinen Treppenabsatz beschmutzen. An der andern Tür stand kein Name, das sagte ich schon, der Mann bekommt wohl keine Post. Den Namen, der vorher daran gestanden hatte, hatte ich nämlich behalten. Passavent hieß er. Ich habe ihn nur einmal bei Sprieder gesehen, das muß Zufall gewesen sein, oder es lag an der Zeiteinteilung, denn der Alte saß da öfters beim Sprieder herum, wie der mir dann erzählte. Auch das eine Mal sagte der Alte nichts, er saß da neben dem Arbeitstisch beim Fenster, ohne sich zu rühren, und ich achtete nicht weiter auf ihn, ich hielt ihn für einen Kunden. Ein älterer Herr. Wie alt mag er gewesen sein? Etwas über sechzig, nehme ich an. An sich spielt es keine Rolle, ich erwähne es nur wegen Ihres Films, damit Sie den richtigen Schauspieler dafür aussuchen.

Paul Passavent hatte auf dem ovalen Emailleschild gestanden, einem altmodischen Ding. An der Tür war noch der ovale Fleck zu sehen und die beiden Löcher für die Schrauben, so etwas fällt einem ins Auge, wenn man wartet und nichts zu tun hat. Vielleicht sogar Dr. Paul Passavent, darauf kann ich nicht schwören. Der Alte soll Lehrer gewesen sein, Studienrat, wie man es nennt, oder auch Oberstudienrat, ganz gleich. Passavent ist ein Frankfurter Name, wenn ich nicht irre, Leute, die vor ein paar hundert

Jahren wegen ihrer Religion oder dergleichen aus Frankreich vertrieben wurden. Das kommt ja immer wieder vor, die Welt lernt nichts dazu.

Das ovale Emailleschild war mir nämlich schon vorher aufgefallen, weil ein Stück von der Emaille abgesprungen war. Komisch, daß einem so etwas auffällt. Die Stelle war ganz rostig. Sprieder erzählte mir nachher auch, wie es zu der abgesprungenen Stelle gekommen sei. Der Alte — das heißt, so alt war er nicht, man hatte ihn vor der Zeit pensioniert, deshalb —, dieser Passavent hatte vorher in Frankfurt gelebt, in einem Vorort, der Rödelheim heißt, es soll ihn da jetzt noch geben. Ach so, Sie wohnen ja in Frankfurt, entschuldigen Sie. Um so besser, dann muß Sie das ja interessieren. Ich selbst bin natürlich zu den Messezeiten in Frankfurt, ich wohne dann immer im Hessischen Hof, das ist praktisch, weil das Messegelände gleich gegenüber liegt. Aber nach Rödelheim bin ich nie gekommen.

Dies altmodische Emailleschild hing draußen am Pfosten der Gartentür. Eines Tages hatten irgendwelche Bengel mit Steinen danach geschmissen, nicht weil sie den Pauker ärgern wollten, sondern nur so, weil das weiße Schild ein gutes Ziel abgab, um danach zu schmeißen. So war es zu der abgesprungenen Stelle gekommen. Das alles muß der Alte dem Sprieder erzählt haben, und der hatte es mir am Nachmittag erzählt. Das kam so.

Der Alte war ja vor zwei oder drei Wochen gestorben, davon wußte ich nichts, denn was ging es mich an. An einem Herzinfarkt, mitten auf der Straße. Na, darum sind wir ja hier in diesem Sanatorium, damit uns so etwas nicht passiert. Das Emailleschild hatten sie gleich von der Tür abgeschroben, doch glauben Sie nur ja nicht, daß sie das alte Ding in den Mülleimer warfen. Sprieder hatte es aufgehoben, um damit seine Blätter und Drucke zu beschweren, damit sie sich nicht aufrollten. Dazu brauchte er immer eine Unmenge Beschwerer, Lineale und Aschbecher und sogar eine Versteinerung mit einem Lindenblatt. Die stammte aus Salzburg, vom Untersberg, wie Sprieder sagte. Ich habe keine Ahnung, was er in Salzburg zu suchen hatte. Da hatte ich also am Nachmittag, als ich beim Sprieder war, um etwas mit ihm zu besprechen, etwas Berufliches, das ovale Schild herumliegen sehen und mich natürlich gewundert. So kam eins zum andern. Ohne das dumme Schild wäre vielleicht alles ganz anders gekommen, doch wozu sich den Kopf darüber zerbrechen.

Aber was meinen Sie, wäre dies Schild mit der abgesprungenen Stelle nicht ein guter Trick für Ihren Film? Man könnte es gleich zu Anfang mit der Kamera streifen. Die Leute werden sich fragen, was hat das komische Schild zu bedeuten, doch der Name wird ihnen im Gedächtnis bleiben. Aber das ist Ihre Sache, ich will Sie um Gottes willen nicht beeinflussen.

Der alte Passavent hat nämlich etwas mit der gestohlenen Melodie zu tun, darum ist er wichtig, warten Sie nur ab. Und diese Olivia, seine Tochter, auch. Sie nannte sich wieder Passavent. Vorher hatte sie Heumeister geheißen, doch nicht lange, nur ein halbes Jahr oder so, sie hatte sich schnell wieder scheiden lassen. Auch dieser Heumeister hat mit der Melodie zu tun, er soll sogar der gewesen sein, der sie gestohlen hat, wenn das überhaupt stimmt. Da würde ich sehr zur Vorsicht raten, sonst haben Sie einen Beleidigungsprozeß am Hals. Der Kerl lebt in Hannover, falls er noch lebt, er soll da beim Rundfunk beschäftigt sein.

Sie sehen, wie das alles ineinander verfilzt ist. Man denkt, man hat es mit einem einzelnen zu tun, mit dem, auf den ich auf dem Treppenabsatz wartete, und auf einmal sind es weiß der Teufel wie viele, immer mehr drängen sich vor und wollen mitreden. Wenn man nicht aufpaßt, nimmt das kein Ende.

Aber die Tochter des alten Passavent habe ich einmal kennengelernt, beim Sprieder natürlich. Sie war Haus- oder Wohnungsmaklerin, eine energische junge Dame und sehr elegant gekleidet. Mich beehrte sie mit einem kleinen Kopfnicken, und das war schon fast zuviel. Sie hatte die Hausverwaltung des alten Kastens, in dem Sprieder und ihr Vater wohnten, unter sich, das heißt die Vermietung, denn der Hauswart hauste im Keller unter dem Torbogen. Sie brauste beim Sprieder herein, schimpfte über den Schmutz und gab ihm Anweisungen wegen ihres Vaters. Sprieder stand stramm und sagte immer nur ›sehr wohl, Madame‹, um sie zu ärgern, und so brauste sie wieder davon. Übrigens duzten sie sich. Sprieder war in sie verliebt oder tat wenigstens so. Ich war einmal da, als er mit ihr telefonierte wegen irgendeiner Verabredung. Am Schluß fragte er: ›Na, und wann heiraten wir?‹ Da knallte sie den Hörer auf ihrer Seite auf, das war zu hören, und Sprieder grinste. Kurz, sie hatte wohl die Nase voll.

Und wie still es da im Treppenhaus war, Sie machen sich keine Vorstellung, dagegen ist es hier im Sanatorium laut. In den andern Stockwerken gab es nämlich nur Büros, deshalb; die Reinmachefrauen kommen ja immer erst morgens. Auch darum war ich rechtzeitig wiedergekommen und wartete lieber da oben, denn es konnte ja sein, daß man unten die Haustür zusperrte und eine Türschnarre gab es nicht. Dann hätte ich mich am nächsten Tag noch einmal auf die Beine machen müssen, und daraus wäre bestimmt nichts geworden. So dringlich war mir die Sache damals. Schütteln Sie ruhig den Kopf, ich nehme Ihnen das nicht übel.

Es muß an Hamburg gelegen haben, heute glaube ich das sagen zu dürfen. Ja, es passierte in Hamburg, entschuldigen Sie, daß ich das nicht gleich erwähnt habe. Sie sind doch nicht etwa Hamburger? Na, dann seien Sie froh. Ich auch nicht, ich bin da nur zur Schule gegangen und so weiter und habe mich dann noch zwanzig Jahre dort vergeblich abgequält. Ich bin in Elbing geboren, wir sind bei Kriegsende auf der Flucht nach Hamburg geraten, ich war sechs oder sieben Jahre alt. In Hamburg hat niemand etwas verloren, der es zu was bringen will, lassen Sie sich das gesagt sein, ich weiß Bescheid. Sehen Sie doch mich an, ich bin damals aus Hamburg weggezogen, nach München und im letzten Augenblick sozusagen, und sofort ging es aufwärts. In Hamburg nämlich befällt es Sie wie eine Lähmung, es muß da in der Luft liegen, eine schleichende Krankheit oder eine Art Verwesungsgeruch. Das Schlimme ist, Sie merken zuerst nichts davon, Sie denken sogar, was für eine hübsche Stadt mit ihrem Hafen und ihrer Alster, und die Reisegesellschaften fahren in ihren Autobussen herum und bestaunen das alles. Raffiniert! Aber lassen Sie sich bloß nichts erzählen, eines schönen Tages sind Sie gelähmt und erledigt.

Ich muß damals ziemlich am Ende gewesen sein, wenn ich es auch nicht wußte, aber das wird der Grund gewesen sein. Nun ja, das ist keine Schande, jeder ist wohl einmal irgendwie am Ende und dann heißt es aufgepaßt. Ich meine das nicht etwa finanziell, in der Beziehung ging es mir leidlich. Ich hatte einen Posten bei einer Werbefirma, kein großes Unternehmen, sie ist inzwischen eingegangen; das war vorauszusehen, zu konservativ, verstehen Sie. Der Mann hieß Kransky, er stammte aus Westpreußen. Immerhin, ich habe da manches gelernt, vor allem habe ich gelernt, wie man es nicht machen darf, und das hat mir sehr genützt. Auch mit Trickfilmen für Reklamezwecke hatte ich mich abgegeben, da sehen Sie, daß ich nicht aus heiterem Himmel auf die Idee mit dem Drehbuch kam.

Auf diese Weise war ich auch mit dem Sprieder bekannt, das heißt, kennengelernt hatte ich ihn schon vorher. Ich bin nach dem Abitur auf die Kunsthochschule gegangen, wo er den Studenten beibrachte, wie man radiert und wieviel Schwefelsäure man zum Ätzen der Platten braucht. Er verstand sein Handwerk, alle Achtung, aber mir fehlte es an Geduld oder meinetwegen an Begabung. Man braucht ja nicht alles zu können, es genügt, wenn man eine Ahnung hat, wie es gemacht wird, dann kann man sich die richtigen Leute dafür aussuchen. Dem Sprieder hatte ich schon hin und wieder einen Auftrag zugeschanzt, Plakate und Illustrationen und Entwürfe für Verpakkungen. Auch einen Trickfilm hatte er für uns gezeichnet, für eine Brauerei. Nein halt, es war für ein Puddingpulver, das Zeug gibt es heute noch. Er hatte gute Ideen, darum war ich öfters bei ihm, und außerdem verdiente er daran, wenn auch nicht übermäßig viel.

Wie gesagt, am Finanziellen lag es eigentlich nicht. Doch ganz gleich, Hauptsache, daß man sich nicht unterkriegen läßt. Und was hatte ich schon alles durchprobiert, du lieber Himmel. Nicht nur die Kunsthochschule, auch Theaterwissenschaft hatte ich studiert und noch mehr solche windschiefen Sachen. Jetzt hinterher kann ich sagen, daß es gar nicht so

dumm von mir war, in das alles einmal hineinge-
schaut zu haben, so leicht kann mir keiner etwas vormachen. Aber damals taumelte ich von einem zum
andern, bis es mir eines Tages zum Halse heraushing.
Es lag wohl auch an den Zeiten. Ich weiß nicht, was
Sie in jenen Jahren gemacht haben, wahrscheinlich
ist es Ihnen nicht viel anders gegangen. Man hatte
allerhand schöne Vorstellungen, wie es besser werden
soll, man erhob großes Geschrei und zog mit Trans-
parenten durch die Straßen und die Fernsehfritzen
freuten sich, daß es etwas zu fotografieren gab, doch
nachts, wenn man sich das Hemd über den Kopf zog,
hatte man nichts als einen blauen Striemen auf dem
Buckel, weil man einen Schlag mit dem Gummiknüppel erwischt hatte. Ja, auch das ist mir passiert,
und ich hielt mich für einen Helden. Sogar in einer
Kommune habe ich drei Monate gehaust, Sie werden
das sicher für ein Märchen halten, wenn Sie mich
hier so vor sich sitzen sehen. Länger als drei Monate
habe ich es da nicht ausgehalten, das Durcheinander
war mir denn doch zu groß. Bin ich etwa dafür da,
den Babys von andern den Hintern zu putzen? Ja,
eines Tages ist man am Ende. Man fragt sich: Wozu
das Ganze? Das hat doch alles keinen Sinn, das lohnt
doch nicht. Nichts, was man anfaßt, macht einem
mehr Spaß. Und dazu noch Hamburg. Und da kam
mir die Idee mit dem Drehbuch wie eine Erleuch-
tung. Schreib ein Drehbuch, sagte ich mir, und du
bist aus allem heraus. Das ist sozusagen deine letzte
Chance.
Nachmittags war ich wieder einmal beim Sprieder
gewesen, um irgendeinen kleinen Auftrag mit ihm
zu besprechen oder auch nur so, weil ich nicht wußte
wohin mit mir. Nachmittags war er fast immer in
seiner Werkstatt, er brauchte nur morgens Stunden

zu geben in der Kunsthochschule. Und da hatte ich auf dem Haufen Blätter, die auf einem seiner Arbeitstische lagen, das ovale Emailleschild gesehen. Passavent? Ist das nicht der von nebenan? Er ist vor drei Wochen gestorben, sagte Sprieder. Herzinfarkt. Jetzt wohnt der junge Mann da, der Pressefotograf, der den alten Passavent vor einiger Zeit wegen der gestohlenen Melodie aufgesucht hat.

Gestohlene Melodie! Das zündete mit einem Schlag bei mir, das war der Titel. Was für eine gestohlene Melodie? fragte ich. Aber Sprieder konnte oder wollte mir keine Auskunft geben. Er war sowieso etwas mundfaul, er zeichnete lieber. Da müssen Sie sich schon bei dem jungen Mann selber erkundigen, sagte er, ich bin ganz unmusikalisch. Ein netter Kerl, er hat auch was los. Mir hat er auf Anhieb einen Fingerzeig für ein verpfuschtes Bild gegeben. Abends ist er fast immer zu Hause, er hat jetzt eine Stellung in der Staatsbibliothek, fotokopieren von alten Handschriften und dergleichen.

Daß Sprieder dem andern die Stellung, die gerade frei war, durch seine Beziehungen verschafft hatte, erwähnte er nicht, auch nicht, daß er ihn nach dem Tode des alten Passavent in der Wohnung nebenan untergebracht hatte. Da er mit der Tochter befreundet war, war das natürlich nicht weiter schwer gewesen. Sprieder redete lieber ein Wort zuwenig als zuviel, so war er nun einmal.

Der Andre, der jetzt nebenan wohnte, war von auswärts gekommen, aus Düsseldorf glaube ich, jedenfalls irgendeine Stadt da im Rheinland. Schon vor zwei Monaten, er hatte vorher ein möbliertes Zimmer im Durchschnitt gehabt. Lachen Sie nicht, so eine Straße gibt es tatsächlich in Hamburg, in der Nähe der Universität. Das alles erfuhr ich erst später. Da

der neue Mieter ein festes Gehalt bei der Staatsbibliothek bezog, brauchte sich diese Olivia ja keine Sorge
wegen der Miete zu machen. Sie hatte ihm sogar die
Gardinen und die wenigen alten Möbel ihres Vaters
überlassen, die er aus Frankfurt mitgebracht hatte,
ganz umsonst, soweit ich verstanden habe, weil sie
keinen Gebrauch dafür hatte. Die Klamotten waren
auch so wenig wert, daß kein Trödler sich die Mühe
gemacht hätte, sie abzutransportieren. Das Bett wenigstens war dasselbe, in dem der alte Passavent geschlafen hatte.

Das muß ein komischer Kauz gewesen sein, man
sollte es nicht für möglich halten, daß es so etwas
heute noch gibt. So einer wie aus einem alten Buch
von vor hundert Jahren. Es wird nicht leicht sein,
einen Schauspieler dafür zu finden, der die Rolle
spielt, aber wir kommen leider nicht um ihn herum,
er ist wichtig für die Geschichte, auch wenn er damals
schon drei Wochen tot war, doch ohne ihn läßt sich
die Sache mit der gestohlenen Melodie überhaupt
nicht zur Sprache bringen. Er soll nämlich den Text
zu der Melodie gemacht haben, obwohl sein Name
nicht auf der Schallplatte steht. Ja, eine Schallplatte
davon gibt es, aber alles der Reihe nach.

Sie werden es für einen faulen Witz halten, und mir
ging es auch so, als ich hörte, der Alte unterhielte
sich laut mit seinen Hemden. Ja, mit seinen Hemden,
ich lüge nicht. In Ihrem Film werden Sie das kaum
bringen können, die Leute werden denken, daß sie
auf den Arm genommen werden sollen und wütend
das Kino verlassen. Wenn es sich noch um Reklame
für ein Waschmittel handelte, dann könnte man unter Umständen die Hemden fröhlich drauflosreden
lassen, weil sie sich so sauber fühlen, das wäre denk-
bar. Es waren natürlich Nylonhemden, und der Alte

wusch sie selber, dagegen ist nichts zu sagen, das haben wir ja alle gelernt.

Als ich nachher mit Sprieder über diese Hemden sprach, denn bevor ich endgültig nach München verschwand, war ich noch ein paarmal bei ihm, meinte er: Warum denn nicht? Warum soll man sich nicht mit seinen Hemden unterhalten, wenn sonst niemand da ist? Ich unterhalte mich ja auch mit meinen Bildern und schreie sie manchmal laut an. Das war nun wieder typisch Sprieder. Den Andren, der mir zuerst etwas von den Hemden erzählte, konnte ich nicht gut danach fragen; ich durfte nicht einmal zeigen, daß mir das denn doch reichlich seltsam vorkam, ich hätte ihn aus dem Konzept gebracht.

Überhaupt muß der Alte es mit den Hemden gehabt haben. Auch als ihm die Geschichte mit Pascal passierte, hingen draußen im Garten oder auf dem Schulhof Hemden auf der Leine und wehten und gestikulierten da herum. Es müssen die Hemden von dem Pedell der Schule gewesen sein, in der der Alte unterrichtete. Eine unglaublich komische Geschichte, man hat den Alten deswegen vor der Zeit pensioniert, gesundheitshalber, wie es höflicherweise hieß. Doch davon später, ich will Sie jetzt nicht konfus damit machen. In Ihrem Drehbuch würde ich an Ihrer Stelle diese Geschichte mit Pascal erst ganz zum Schluß bringen, sozusagen als Leckerbissen.

Zu den Hemden, das heißt zu denen, die zum Abtropfen auf der Leine über der Badewanne hingen, und die Tür zu dem winzigen Badezimmer, das man dort eingebaut hatte, stand immer offen, das habe ich selber gesehen, der Andre, der jetzt da wohnte, hatte alles so gelassen — zu den Hemden soll der Alte zum Beispiel gesagt haben: Was lacht ihr schon wieder, ihr Racker? Daß ihr euch nicht über den armen Mister Ich lustig macht, wenn er da seine Ephemeriden schreibt. Aber die Hemden lachten sich halbtot und schlenkerten dabei mit den nassen Ärmeln.

Mister Ich? Davon wollte ich eigentlich gar nicht sprechen, es ist mir so herausgerutscht, entschuldigen Sie, man schämt sich, ein Wort darüber zu verlieren. Dieser Mister Ich war eine reine Erfindung, es gab ihn gar nicht. Schließlich hat man doch Augen im Kopf, auch wenn ich damals am Ende war oder wie man es sonst nennen will, doch in dem Zimmer gab es keinen Mister Ich, obwohl dauernd so getan wurde, als ob es einen gäbe, und ich bin doch mehrere Stunden in dem Zimmer gewesen. Kein Mister Ich weit und breit, Sie können sich drehen und wenden, wie Sie wollen. In Ihrem Film ließe sich das technisch natürlich ohne Schwierigkeiten darstellen, der Alte, wie er sich mit seinen Hemden unterhält, und zugleich sitzt dieser Mister Ich da am Tisch und schreibt seine Ephemeriden. Doch wozu sich mit solchem Unsinn abgeben, ich halte es nicht einmal für witzig.

Die Ephemeriden dagegen gab es tatsächlich, ein ganzer Stoß Papiere, mit der Hand geschrieben, hundertzweiunddreißig Seiten, denn die letzte Seite lag obenauf, und zu allem Überfluß noch mit Daten. Auf so eine ausgefallene Idee kann auch nur ein Oberlehrer kommen, jeder einigermaßen normale Mensch würde so etwas Erinnerungen oder meinetwegen Tagebuch nennen, wenn er es schon für nötig hält, solchen Blödsinn niederzuschreiben, aber so ein Mister Ich tut es natürlich nicht, ohne das Zeug Ephemeriden zu nennen.

Ich habe das Zeug nicht gelesen, obwohl der Andre mir die Papiere über den Tisch hinschob und sie mir sogar mitgeben sollte. Ich habe die Blätter nur so durch meine Finger laufen lassen, weil ich nervös war und um Interesse zu heucheln, dabei ist mir der eine oder andre Satz ins Auge gefallen. Die letzte Eintragung, schon unten auf dem letzten Drittel der obersten Seite, ist mir natürlich vor allem im Gedächtnis geblieben, sie lautete:

›Ein Existenzbeweis. Wenn man über den Zebrastreifen geht, halten die Autos.‹

Schöner Existenzbeweis! Für eine Haftpflicht- oder Unfallversicherung vielleicht zu verwenden. Na, das genügt wohl, um diese Ephemeriden zu charakterisieren. Wie gesagt, der Andre wollte sie mir zur Durchsicht mitgeben, weil es mir Ideen zu dem Drehbuch verschaffen könnte. Nein, herzlichen Dank! Er selber hatte den Stoß Papiere von Sprieder bekommen und dieser von der Tochter des alten Passavent, dieser Olivia. Sie hatte die Papiere wohl nach dem Tode ihres Vaters gefunden, und da sie nichts damit anzufangen wußte, gab sie sie ihrem Freund Sprieder, der auch nicht damit zurechtkam und es dem Andren weitergab, der prüfen sollte, ob es sich lohne, das Zeug zu fotokopieren. Ich habe den Stoß Papiere auf dem Tisch liegen lassen, als ich wegging, absichtlich, und zum Glück hatte der Andre inzwischen seinen Vorschlag vergessen, sonst hätte er sie mir womöglich noch im letzten Moment unter den Arm geschoben. Schade, wenn ich hätte wissen können, daß ich Ihnen hier eines Tages im Sanatorium begegnen würde, um über das Drehbuch mit Ihnen zu sprechen, wäre es doch vielleicht richtiger gewesen, die blöden Ephemeriden mitzunehmen. Nur um Ihnen eine Vorstellung von der verrückten Situation zu geben.
Wie gesagt, der alte Passavent muß ein Witzbold gewesen sein, dagegen wäre nichts zu sagen, aber daß es ihm gelang, diesen seinen Mister Ich als lebendige

Person vorzutäuschen, mit der man rechnen mußte, das ist denn doch ein starkes Stück. Der Andre jedenfalls, der jetzt in dem Zimmer wohnte, blickte sich dauernd um, als ob wir zu laut redeten und den verdammten Mister Ich damit störten, den es doch gar nicht gab. Oder zum Beispiel wie dieser Mister Ich jeden Vormittag in das kleine Café in der Gerhofstraße ging und da mit ein paar andren Pensionierten Kaffee trank. Das kleine Café übrigens dürfen Sie sich auf keinen Fall für Ihr Drehbuch entgehen lassen, das wird stimmungsvolle Aufnahmen ergeben. Doch von diesem Mister Ich hieß es, daß er plötzlich aufstand und nach Hause raste, um etwas in seine Ephemeriden einzutragen. Selbst ich war von all dem Geschwätz so verwirrt, daß ich mich nicht schämte, nachher Sprieder zu fragen, ob dieser Mister Ich nicht auch gestorben sei. Der? Der ist zählebig, hieß es nur. Typisch Sprieder. Er machte sich natürlich über mich lustig. Na, soll er.

Es ist ja auch lächerlich genug. Da sucht man einen Fremden auf, um einige Auskünfte über die gestohlene Melodie von ihm zu erhalten, das einfachste von der Welt, sollte man glauben, ein paar sachliche Hinweise genügen, und statt dessen muß man sich mit einem Mister Ich herumschlagen. Und wenn es sich wenigstens noch um ihn allein handelte, aber nicht genug damit, auch eine Gärtnerstochter trippelt da sozusagen mir nichts dir nichts durchs Zimmer, als ob das ihr gutes Recht wäre. Warten Sie, das arme Mädchen hatte sogar einen Namen, Elfriede glaube ich, achtzehn oder neunzehn, was weiß ich, und Verkäuferin in einem Kaufhaus, wenn ich nicht irre. Soll sie von mir aus verkaufen, wo sie will, soll sie von mir aus Elfriede heißen, denn vielleicht hieß sie auch anders, aber leider hat sie etwas mit der gestohlenen

Melodie zu tun. Sie hat sich nämlich aufhängen wollen, nun ja, so was kommt in dem Alter vor, aus purer Eifersucht, hieß es, doch diese Olivia, die Tochter des alten Passavent, hat das alles schnell wieder in Ordnung gebracht und das Mädchen sogar bei sich angestellt. Eine energische Dame, das sagte ich schon. Für diese Elfriede wird sich in Ihrem Film leicht eine Schauspielerin finden lassen. Solche kleinen Dinger mit ihren angespannten Gesichtchen laufen ja zu Dutzenden auf der Straße herum und sind todunglücklich. Man möchte immer zu ihnen sagen: Laß doch fünf gerade sein, Kind, sonst kriegst du zu früh Falten.

Wirklich, Sprieder hätte mich warnen müssen. Denn wie konnte ich ahnen, als ich da auf dem Treppenabsatz wartete, daß eine Unmenge von ganz uninteressanten Figuren sich zu Wort melden würden, nur weil das Stichwort ›Gestohlene Melodie‹ gefallen war? Sie tauchten einfach auf, weiß der Teufel woher, und redeten mit. So als ob sie selber aus einem alten Film stammten, aus einem überflüssigen, meine ich, den man längst vergessen hat, weil er nichts taugte. Sprieder hätte mich warnen können, doch abgesehen davon, daß er mundfaul war, war ihm das alles wahrscheinlich schon so selbstverständlich, daß er es nicht mehr für nötig hielt, mit mir vorher davon zu reden. Der Alte saß ja oft bei ihm herum, und obwohl sie beide nicht viel sprachen, wird Sprieder im Laufe der Zeit sozusagen tropfenweise das meiste erfahren haben. Und dazu noch die Tochter, die alle Augenblicke aufkreuzte, um nach ihrem Vater zu sehen.

Wissen Sie, wie es zu dem Namen Olivia gekommen ist? Olivia Passavent, das war jetzt ihr Firmenname, ganz eindrucksvoll, möchte ich als Fachmann sagen, so etwas bleibt im Gedächtnis. Sie mochte den Namen nicht, aber Sprieder mochte ihn gern. Der Name war nämlich auch nur ein Witz von dem alten Passavent, sogar ein politischer Witz, könnte man sagen. Das Mädchen war 1939 geboren, als die Idioten gerade wieder mit einem Krieg anfingen. Ausgerechnet an dem Tage waren sie dabei, Danzig zu erobern, und bei Danzig gibt es ein Nest oder einen Vorort, den sie auch eroberten, und der hieß Oliva. Außer denen, die da aus der Gegend stammen, hatte noch niemand etwas davon gehört, auch der alte Passavent nicht, obwohl er doch Studienrat war. Als er im Radio den Namen hörte, sagte er sich: Nennen wir das Mädchen doch einfach Olivia. Ganz gleich ob sie später einen olivfarbenen Teint kriegt, der Name ist nicht häufig. Der Standesbeamte fragte denn auch gleich: Muß es nicht Oliva heißen? Denn morgens hatte in der Zeitung eine dicke Überschrift mit Oliva gestanden. Doch der junge Vater erklärte ihm, daß der Name Olivia an einen Krieg vor vielen tausend Jahren erinnere, auch damals hätte es viele tote Helden gegeben, die dürfe man auf keinen Fall vergessen. Was sollte der Beamte machen? Schließlich war dieser Passavent Lehrer und verstand mehr davon, und außerdem war es Vorschrift, den Kindern Namen von toten Helden zu geben.

Die andre Tochter — ja, es gibt noch eine, aber um die brauchen wir uns nicht zu kümmern, sie hat nichts mit der gestohlenen Melodie zu tun, und Olivia ist die ältere — die andre wurde Henriette getauft, weil die Mutter es so wollte, wegen einer Erbtante glaube ich. Jetzt wird sie Hattie genannt, weil sie nach Davis geheiratet hat. Auch die Mutter, die Frau des Alten, ist dann nach Davis gezogen und spielt da jetzt Bridge auf der Veranda oder auf der

Porch, wie sie es in Davis nennen. Soll sie, dies verfluchte Davis geht uns überhaupt nichts an, zu verfilmen wird es da kaum etwas geben. Olivia ist einmal hinübergeflogen, um ihre Mutter zu besuchen, aber schleunigst wieder zurückgeflogen.

Der alte Passavent dachte nicht im entferntesten daran, auch nach Davis zu ziehen, Gott allein weiß, wo es liegt. Am Bridgespielen hatte er keinen Spaß, so blieb er einfach in Frankfurt und mietete sich da ein Zimmer, in der Nähe der Seilerstraße glaube ich. Gibt es so eine Straße in Frankfurt? Na sehen Sie, die Sache hat also Hand und Fuß. Pensioniert war er ja sowieso wegen der Geschichte mit Pascal, also kam es nicht darauf an, wo er wohnte. Und erst vor drei Jahren hatte Olivia ihn nach Hamburg geholt, um sich besser um ihn kümmern zu können. Wie gesagt, manchmal kam sie mittags angebraust, wenn in ihrem Büro nichts los war, und nahm die Gardinen bei ihrem Vater ab, spülte sie in der Badewanne und wenn sie abgetropft waren, hängte sie sie wieder auf. Dabei schimpfte sie die ganze Zeit mit ihrem Vater. ›Was sitzt du da auf deinem Bett wie ein Zuchthäusler, der auf seine Hinrichtung wartet?‹ oder so ähnlich. Es war so ihre Art, sie meinte es nicht bös. Das wäre übrigens etwas für Ihren Film, ich meine, wie der Alte da auf seinem Bett hockt.

IV

Verzeihen Sie die Abschweifung. Die Gardinen und dieses Davis da irgendwo in Kalifornien samt der Bridge spielenden Dame ist nichts als Zeitverschwendung. Aber wenn man da fast zwei Stunden im leeren Treppenhaus sitzt und auf jemand wartet, geht einem natürlich allerhand durch den Kopf. Halten wir uns an die Fakten, denn das Wichtigste für Ihr Drehbuch habe ich noch nicht erwähnt.

Das alte Haus, in dem Sprieder und der Andre wohnten, stand nämlich in den Kolonnaden, auf der linken Seite, wenn Sie vom Jungfernstieg kommen. Es steht immer noch da, es ist kaum zu fassen. Da mitten in der City gehört ein modernes Bürohaus hin, der Grund und Boden muß Gold wert sein, mein Gott, die Rendite. Statt dessen lassen die Hamburger den alten Kasten da stehen, so einen aus dem vorigen Jahrhundert, aus den Gründerjahren, mit Säulen an den Fenstern und muskulösen Männern und Weibern, die die Balkons tragen, alles so unpraktisch wie möglich. Wenn ich allein an die verrotteten Installationen denke, und noch dazu ohne Fahrstuhl, stellen Sie sich das vor. Was verspricht sich denn jemand von einem Büro, zu dem der Kunde drei oder vier Treppen hinaufklettern muß und oben ganz aus der Puste ankommt? So lassen sich heute keine Geschäfte mehr machen, das weiß doch jedes Kind. Und dabei wird immer behauptet, die Hamburger seien kommerziell eingestellt. Aber sie haben Pech gehabt, der alte Kasten ist aus Versehen stehen geblieben, als Hamburg im Krieg zerstört wurde. Für Ihren Film ist das vielleicht sogar ganz amüsant, das gibt der Sache Kolorit.

Überhaupt die Kolonnaden, diese Straße müssen Sie sich unbedingt vorher ansehen, eine Einbahnstraße schräg von der Alster bis zum Stephansplatz, eng und altmodisch. Den Namen hat sie von den Säulen auf der andern Straßenseite. Da stehen nämlich die Häuser auf Säulen und darunter sind Arkaden, so daß die Damen bei Regen da ohne naß zu werden vor den Schaufenstern stehen bleiben und sich die Klei-

der und Pelzmäntel ansehen können. Insofern ganz
praktisch, doch viel zu eng bei dem heutigen Verkehr
und außerdem dunkel. Ohne kräftige Scheinwerfer
werden Sie da nicht filmen können.

Aber das ist die andre Straßenseite, das alte Haus, in
dem ich wartete, liegt gegenüber von den Arkaden.
Man muß da erst durch einen hohen Torbogen gehen
— so ein Torbogen wird sich in Ihrem Film gar nicht
schlecht machen —, ein Torbogen mit Kopfsteinpflaster, dann kommt man auf den Hinterhof mit Garagen und Tankstelle und einer Reparaturwerkstatt.
Wenigstens der Hinterhof wird für moderne Zwecke
verwendet. Rechterhand allerdings war eine Art Handelsschule, die heute wohl nicht mehr da sein wird,
aber sonst nur Fenster von Büros oder Wohnungen,
vier oder fünf Stockwerke und meistens nicht erleuch-
tet, nur ein Fenster immer, an dem die alte Frau saß.
Ich habe das selber von der Wohnung des alten Passavent gesehen, denn die lag ja nach dem Hof hinaus.
Von der alten Frau da lassen Sie mich jetzt lieber
nicht sprechen. Du lieber Himmel, wohin führt es,
wenn man sich mit der Vergangenheit einläßt. Obwohl die Alte sich unter Umständen filmisch verwerten läßt, das bliebe zu erwägen. Auch von der geteerten Brandmauer wollen wir vorläufig nicht reden, eine Brandmauer mit Mauerhaken für das Ge-
rüst. Der alte Passavent war nämlich von diesen Haken fasziniert. Das wird wohl mit der komischen Geschichte zusammenhängen, die ihm mit Pascal passiert war. Aber nochmals, hüten wir uns vor zu viel
Vergangenheit, sonst verlieren wir den Zweck aus
den Augen.

Nur dies noch, das hätte ich beinahe vergessen. Über
den Garagentüren da auf dem Hof hingen nämlich
Pferdeköpfe aus Gips, ob Sie es glauben oder nicht.

Ich traute meinen Augen nicht, als ich das zum erstenmal sah. Nicht einmal die Pferdeköpfe hatten die Hamburger abgeschlagen, das war ihnen wohl schon zuviel Mühe. Vorher, daß heißt lange vor unsrer Zeit, ist da nämlich ein Pferdestall gewesen, ein Pferdestall mitten in der Stadt, ich bitte Sie, daran allein läßt sich ausrechnen, wie alt das Gebäude war. Ein Tattersall, wie sie es früher nannten, man muß schon im Lexikon nachsehen, wenn man wissen will, was das bedeutet. Und vorne zur Straße hin, gleich links neben dem Torbogen, soll eine Sattlerei gewesen sein, ein Schaufenster mit Sätteln, Geschirr und was man sonst noch zum Reiten braucht. Der alte Sattler, ein Groß- oder Urgroßvater, lebte noch im Keller in der Hauswartswohnung, sein Sohn ist Flickschuster. Und den Hund der Leute habe ich auch über mich ergehen lassen. Er kläffte mich jedesmal an, wenn ich Sprieder besuchte und durch den Torbogen ging. Timo hieß der Köter.

Doch genug, beginnen wir endlich mit dem Film. Das heißt, ich überlasse es selbstverständlich Ihnen, ob Sie damit anfangen wollen. Ich hatte ja nachmittags schon bei dem Andren geklingelt und geklopft, und als niemand öffnete, war ich erst einmal weggegangen, um etwas zu essen und auch, weil ich nicht wollte, daß Sprieder es merkte, wie ich da wartete und wie wichtig es mir war. Daß er an dem Abend nicht zu Haus war, wußte ich, ich hatte gehört, wie er sich am Telefon mit jemand verabredete, vermutlich wieder mit seiner Olivia.

Also endlich kam der, auf den ich wartete. Auf die Uhr habe ich nicht gesehen. Ich hörte, wie unten jemand die Haustür aufschloß und die Treppen heraufkam. Das konnte nur er sein. Auch das Treppenhauslicht hatte er unten eingeschaltet.

Ich stand schnell auf und als er auf der dritten oder auch schon auf der vierten Treppe war, bewegte ich mich da oben etwas, ich scharrte mit den Füßen oder stieß ans Geländer, damit er es hörte, denn er sollte sich nicht erschrecken. Denn wenn man nachts nach Haus kommt und ist müde und noch dazu in einem so einsamen Treppenhaus, kann man einen Herzschlag vor Schreck kriegen, wenn da plötzlich ein Fremder vor der Wohnungstür steht. Ja sicher beugte ich mich auch über das Geländer, um nachzusehen, ob er es auch wirklich war. Ich kannte ihn zwar nicht von Ansehen, aber es hätte ja Sprieder sein können und wie peinlich wäre das gewesen? Einen Moment schien es mir auch, als ob zwei Leute die Treppe heraufkämen, stellen Sie sich das in meiner Lage vor. Es konnte ja sein, daß er sich jemand mitbrachte, den er getroffen hatte; von seinen Gewohnheiten wußte ich ja nichts. Doch es war eine Täuschung, es wird an den alten Treppen gelegen haben, die ächzten und sich gleich wieder beruhigten. Der Mann kam allein herauf, ganz leicht und ohne Atembeschwerden. Er war ja auch nicht alt, höchstens zwei oder drei Jahre älter als ich, das sagte ich wohl schon, jedenfalls nicht alt. Im Gegenteil, er sah eher jünger aus als er war.

Er erschrak auch nicht im geringsten, als er mich da oben auf seinem Treppenabsatz entdeckte. Ich kam nicht einmal dazu, mich vorzustellen und ihm zu erklären, warum ich da wartete. Er wunderte sich überhaupt nicht, mich dort zu finden. Den Türschlüssel hatte er in der Hand behalten, doch als er mich sah, steckte er das Schlüsselbund in die Tasche seines Regenmantels, blieb auf der drittvorletzten Stufe stehen und sagte: ›Hoffentlich haben Sie nicht zu lange warten müssen. Kommen Sie.‹ Dazu lächelte er höfllich, als ob es an ihm wäre, sich zu entschuldigen.

Mir blieb die Spucke weg, entschuldigen Sie, aber es wäre Ihnen wohl kaum anders gegangen. Träumte ich oder was? Und dazu noch die schäbige Beleuchtung da oben auf der Bodentreppe. Wie Sie das in Ihrem Drehbuch darstellen wollen, kann ich Ihnen auch nicht sagen. Und das alles wegen einer gestohlenen Melodie. Na, irgendeinen Kunstgriff werden Sie schon finden, das ist Ihre Sache. Jedenfalls war nicht er der Erschrockene, auf den ich da zwei Stunden gewartet hatte, sondern ich. Soll man meinetwegen von mir denken: Der Mann spinnt ja. Im Film nehmen das die Leute in Kauf. Der Schauspieler, den Sie dafür aussuchen, muß sich eben richtig in die Situation hineindenken. Natürlich sage ich mir heute, ich hätte einfach weggehen sollen. Danke, das reicht mir, oder so ähnlich. Aber dazu kam ich gar nicht. Der Fremde blieb da grinsend stehen und machte keinerlei Anstalten, die letzten drei Stufen heraufzukommen. Er sagte, als ob es das Selbstverständlichste von der Welt wäre: ›Kommen Sie.‹ Er trat sogar einen Schritt beiseite, um mich vorbeizulassen. Wollte er mich etwa nicht in sein Zimmer lassen? Aber soweit kam ich gar nicht, so etwas zu denken.

Warten Sie, es kommt noch viel besser. Ich hätte gleich damit anfangen sollen, damit Sie eine richtige Vorstellung von der Szene bekommen, doch Sie dürfen nicht vergessen, daß das alles schon zehn Jahre her ist und damals war ich ein andrer, nicht so schlagfertig, wenn Sie wollen. Als er mich da oben zögern sah, weil ich kein einziges Wort über die Lippen kriegte, sagte er, immer noch lächelnd und wie um mir etwas Angenehmes zu sagen: ›Herr Dr. Passavent meinte immer, das wäre alles nur ein Vorwand, und ich sollte nicht damit rechnen, daß man Sie schicken würde, aber ich habe trotzdem damit gerechnet. Kommen Sie.‹

Haben Sie Worte? Schicken? Wer bitte soll mich denn geschickt haben? Ich habe mich selber geschickt, nimm das gefälligst zur Kenntnis, mein Lieber. Und Vorwand? Was für ein Vorwand? Soll das eine Beleidigung sein? Und was habe ich mit seinem Dr. Passavent zu schaffen, der außerdem längst tot ist? Mit wem verwechselte mich der Kerl?

Doch ich muß noch einmal auf die Beleuchtung da oben zurückkommen. So schlecht kann sie nicht gewesen sein oder meine Augen hatten sich daran gewöhnt. Ich sah sein Gesicht deutlich genug vor mir, wie er da auf der Treppenstufe stand, so deutlich, daß ich ihn heute sofort wiedererkennen würde, obwohl ich seinen Namen vergessen habe. Total vergessen! Aber das Gesicht! Unter Hunderttausenden würde mir das Gesicht sofort auffallen. Nicht wegen irgendwelchen besonderen Kennzeichen, wie es im Paß heißt, sondern eben nur als Gesicht, das man nicht wieder vergißt. Doch vielleicht lag das auch nur an der unmöglichen Situation. Vielleicht log er das ja nur, das mit seinem Vorwand und dem Schicken, weil er mich nicht in sein Zimmer lassen wollte. Das mit dem Schlüsselbund, das er in die Tasche steckte, war ja geradezu ein Wink mit dem Zaunpfahl. Hatte er jemand bei sich versteckt? Vielleicht ein Mädchen? Ich hatte allerdings nichts gehört, die ganzen zwei Stunden hatte sich in seiner Wohnung nichts gerührt, und das hätte man bestimmt draußen hören müssen. Aber es kann ja sein, daß das Mädchen die ganze Zeit im Bett lag und schlief. Auf solche Gedanken kommt man doch unbedingt, Ihnen wäre es auch nicht anders ergangen.

Also, was das Gesicht angeht... Sicher werden Sie sich schon gefragt haben, wieso ich gerade heute dazu komme, an dies Gesicht zu denken und Ihnen davon zu erzählen, und noch dazu in diesem Sanatorium. Nicht nur weil Sie Schriftsteller sind und sich als Fachmann vielleicht für solche Dinge interessieren. Mein Gott, da könnte ich Ihnen aus meinem Beruf ganz andre Dinge erzählen, die mehr Hand und Fuß haben. Doch meinetwegen. Aber was ich Ihnen jetzt verrate, gehört auf keinen Fall in Ihr Drehbuch. Das müssen Sie mir schwören. Auch wenn nur ein Schauspieler meine Rolle spielt, wäre das denn doch gar zu beschämend für mich.

Ob Sie es mir glauben oder nicht, ich habe nämlich letzte Nacht das Gesicht gesehen, genau so deutlich wie damals vor zehn Jahren auf der Treppe bei der schlechten Beleuchtung, ein Irrtum ist ganz ausgeschlossen. Im Traum natürlich und im Traum kommt es wohl auf die Beleuchtung nicht an. Dem Doktor habe ich von dem Traum und dem Gesicht nichts erzählt, das geht ihn nichts an, und er sucht womöglich noch irgend etwas Unanständiges dahinter, aber meine Meinung habe ich ihm gesagt, darauf können Sie sich verlassen. Ihr mit euren Armbädern und all dem Unfug, habe ich gesagt, und dabei kommt nichts heraus, als daß ein ausgewachsener Mann aus dem Bett fällt. Und was meinen Sie, was dem Doktor als einziges einfällt? Er fragt mich, was ich denn gestern abend gegessen habe. Er braucht sich doch nur in seiner Küche nach dem Menü zu erkundigen. Und dann horcht er mir das Herz ab und hat die Stirn, mir ein Schlafmittel anzubieten. Mir, der noch nie ein Schlafmittel nötig gehabt hat. Komme ich etwa in ein teures Sanatorium, um Schlafmittel zu nehmen? Das ist denn doch die Höhe. Außerdem handelt es sich nicht um Schlafen, Herr Doktor, geschlafen habe ich fest genug, das kann ich Ihnen versichern, sondern darum, daß ich aus dem Bett gefallen bin. Wenn das der ganze Erfolg Ihrer Armbäder ist, dann ... das lasse ich mir nicht bieten.

Nochmals, das gehört nicht in Ihr Drehbuch. Klar, ich habe geträumt, das tut wohl jeder mal, das läßt sich nicht ganz vermeiden. Meine Frau erzählt mir manchmal von ihren Träumen, aber unsereinem fehlt es an der Zeit für so etwas. Man dreht sich auf die andre Seite und schläft weiter, damit ist der Fall erledigt. Nur daß ich diesmal dabei aus dem Bett gefallen bin. Eine Affenschande! Beinahe hätte ich mir den Schwanzknochen dabei gebrochen, mit solcher Wucht fiel ich aus dem Bett. Es muß einen gehörigen Krach gegeben haben; der in dem Zimmer unter mir wird sich gewundert haben. Wirklich, ein schönes Sanatorium!

Ich liege da also im Bett, aber es ist nicht mein Bett, sondern eine Couch, und ich liege auch nicht richtig darin, sondern quer. Die Füße hatte ich schon draußen auf dem Fußboden, auch die Decke muß ich schon irgendwann beiseite geworfen haben, denn nachher, als ich aufwachte, hatte ich einen ganz kalten Bauch. Weiß der Teufel, wie ich da auf die Couch geraten war, ich hatte da nichts zu suchen, doch im Traum wundert man sich ja nicht über solche Ungereimtheiten, man nimmt sie einfach hin. Ich liege mit dem Körper über die ganze Breite der Couch, ich liege deshalb so komisch da, weil ich weiß, daß ich so schnell wie möglich aufstehen muß, ich kann da auf keinen Fall liegen bleiben, wie peinlich wäre das, denn ich habe da nichts verloren. Darum hatte ich ja auch schon die Füße draußen auf dem Fußboden, aber was glauben Sie, mehr will mir nicht gelingen, trotz aller Anstrengung. Und wie ich mich anstrenge, daran liegt es nicht, ich war hinterher völlig aus der Puste von der Anstrengung. Ich gebe mir entsetzliche Mühe, es ist nicht zu schildern, ich lasse nicht locker, immer wieder versuche ich mich aufzurichten, und immer wieder falle ich kraftlos zurück. Kaum daß ich einen Zentimeter zum Rand der Couch vorgerutscht bin, muß ich es vor Erschöpfung schon wieder aufgeben. Wie gelähmt. Das wünsche ich meinem ärgsten Feinde nicht. Und niemand kommt auf die Idee, mir zu helfen.

Man könnte einfach liegen bleiben, denken Sie wahrscheinlich, bis man wieder zu Kräften kommt, doch das geht leider nicht, die Couch steht nämlich in einem großen Raum, in einer Art Salon oder was weiß ich, und ich bin nicht allein. Es findet da eine Party statt oder eine Geburtstagsfeier oder was sonst, und eine Menge Leute laufen an der Couch vorbei, auch viele Frauen, stellen Sie sich das bitte vor. Links ist nämlich ein Balkonfenster, die Gardinen wehen ins Zimmer, und die Frauen treten manchmal auf den Balkon hinaus, unterhalten sich da, und wenn sie zurückkommen, nehmen sie überhaupt keine Notiz von mir, so als ob ich gar nicht da wäre. Auch die Kinder nicht, denn es laufen auch Kinder zwischen den Erwachsenen herum und kreischen vor Vergnügen. Hin und wieder wirft sich eins vor Übermut neben mir auf die Couch, so wie Kinder das tun, und trudelt dann wieder hinunter, aber ohne mich zu bemerken. Ist das nicht seltsam? Denn Kinder sind doch neugierig und merken alles. Wären Sie da vielleicht liegen geblieben wie eine vergessene Sache, auf die niemand mehr achtet? Nein, so schnell wie möglich verschwinden. Darum gebe ich mir ja auch die wahnsinnige Mühe aufzustehen, doch ich falle immer wieder wie gelähmt zurück. Welch eine Qual! Das kann sich keiner vorstellen. Nur weg aus dieser verfluchten Party.

Ja, und da sehe ich ihn. Ja, ihn! Den, von dem wir die ganze Zeit sprechen. Denselben, der damals auf der drittvorletzten Treppenstufe stehen blieb. Dasselbe Gesicht, er ist nicht einmal älter geworden, ich erkenne ihn sofort, obwohl ich die ganzen zehn Jahre nicht an ihn gedacht hatte, wozu auch, ich hatte schließlich andres zu tun, und habe ja sogar seinen Namen vergessen, falls ich den überhaupt je kannte. Aber kein Zweifel, er ist es. Ich wundere mich nicht einmal, was er auf der blöden Party zwischen all den Unbekannten zu suchen hat. Und er hat mich offenbar auch erkannt.

Er steht nämlich im Nebenzimmer. Mir gegenüber ist ein Durchgang mit einer aufgezogenen Portiere. Allzuviel kann man von der Couch aus nicht sehen, doch er steht gleich vorne hinter dem Durchgang und ist mit irgend etwas beschäftigt. Ich glaube, es muß da ein Tisch mit Gläsern und Getränken gestanden haben, die Gäste gingen alle Augenblicke da hin und holten sich etwas, und er hatte wohl das Amt übernommen, ihnen die Gläser vollzuschenken. Das ist nur eine Annahme, sehen kann ich es nicht. Ich sehe nur, daß er da zu tun hat, und ich sehe, daß er es ist. Und wie gesagt, auch er hat mich erkannt. Er blickt manchmal kurz über die Schulter zu mir hin, er ist der einzige von der ganzen Gesellschaft, der mich wahrnimmt und da auf der Couch liegen sieht, aber leider hat er zuviel mit seinen Getränken zu tun.

Ich mache ihm auch Zeichen. Ich winke ihm mit der Hand oder versuche es wenigstens, und sicher hat er es auch gesehen, aber was meinen Sie, die Hand weht ganz kraftlos durch die Luft wie ein Blatt Papier und fällt mir wieder in den Schoß. Trotzdem gebe ich es

65

nicht auf, schließlich bin ich ja nicht tot, und wenn auch die Anstrengung umsonst ist, mühe ich mich weiter ab, bis zum Rand der Couch vorzurücken. Ich sage mir, wenn du erst stehst, ist alles gut, du kannst dich unter die Gesellschaft mischen und wieder alles mitmachen. Doch alles vergebens. Ich weiß nicht, wie lange das gedauert hat. Halten Sie einen solchen Zustand einmal aus, dann vergeht Ihnen das Lachen.

Na, um es kurz zu machen, denn in Ihr Drehbuch gehört das ja sowieso nicht, schließlich hat der Andre da mit seinen Getränken wohl einen freien Moment und kommt zu mir herüber an die Couch. Ich habe mich also gottlob nicht getäuscht, er hat mich gesehen und hat gesehen, daß ich ihm mit der Hand zuwinkte und um Hilfe bat. Ich bin natürlich heilfroh, ich fasse wieder Hoffnung und sage zu ihm: Reichen Sie mir doch bitte Ihre Hände und ziehen mich hoch. Es ist bestimmt nicht schwer, wenn ich erst auf meinen beiden Füßen stehe, geht alles von selber. Bestimmt! Und er streckt mir auch gleich seine beiden Hände entgegen, um mir aufzuhelfen, ja, ein verständnisvoller Mensch, da läßt sich nichts sagen. Er steht auch so nahe bei der Couch, daß er eigentlich meine Knie berühren müßte, jedenfalls sind die Hände, die er mir hinstreckt, so nahe vor meinem Gesicht, daß es keine Schwierigkeit sein kann, sie zu packen und mich an ihnen hochzuziehen. Wirklich, an ihm liegt es nicht, es wäre unrecht, das zu behaupten. Ich fühle mich auch schon gerettet, aber nun kommt etwas, das allem die Krone aufsetzt. Wer das nicht selber erlebt hat, macht sich keinen Begriff davon.

Wie ich meine Arme hebe, und leicht wird mir das nicht, das dürfen Sie mir glauben, sie sind wie Blei, wie ich sie hebe, um nach seinen Händen zu greifen, da greife ich an ihnen vorbei ins Leere. Das kann doch nicht sein, und an der Entfernung kann es auch nicht liegen, seine Hände sind mir direkt vor Augen, er steht da ganz ruhig und wartet, daß ich sie greife, so hilfsbereit ist er. Es kann doch kein Kunststück sein, seine Hände zu berühren. Was soll er von mir denken? Ich gebe den Versuch keineswegs auf, denn ich will mich doch nicht noch mehr blamieren, und vielleicht sehen sich ja die andern Gäste das Schauspiel an und lachen sich eins. Ein paarmal hebe ich meine Arme, aber immer dasselbe: da wo ich mit seinen Händen zusammentreffen müßte, fahre ich jedesmal daran vorbei, als ob da nichts wäre. Ich sehe, wie meine Arme da vor mir wie große schlappe Weißwürste herumwedeln, und meine Hände hängen wie Lappen daran, doch nichts zu wollen, ich wedle nur im Leeren herum und treffe seine Hände nicht, die er mir geduldig entgegenstreckt.

Das hält kein Mensch lange aus, da bin ich aufgewacht. Und wo finde ich mich? Ich bin vor Schreck aus dem Bett gefallen und liege da ganz außer Atem, das Herz klopft mir bis zum Halse, ja, auf dem Bettvorleger finde ich mich wieder. Ein ausgewachsener Mann mit Frau und Kind und einer Firma von einigem Ansehen. Können Sie nun begreifen, daß einem davon der Appetit vergeht? Ich war heute morgen drauf und dran, meine Koffer zu packen.

Na, Schwamm drüber! Vergessen wir das so schnell wie möglich, auch Sie bitte. Für Ihren Film ist einzig und allein interessant, daß ich diesen Menschen, an den ich überhaupt nicht mehr gedacht habe, nach zehn Jahren sofort wiedererkannt habe, wenn auch nur in einem dummen Traum. Doch wenn Sie wollen, war diese Szene da oben auf dem Treppenabsatz, und dazu die magere Beleuchtung von der Fünfundzwanzig-Watt-Birne, auch wie eine Art Traum, jedenfalls nachträglich kommt es einem so vor, obwohl ich damals nicht träumte. Aber das Gesicht, das scheint mir wichtig. Das Gesicht des Andren, als er da auf der drittvorletzten Stufe steht und zu mir sagt: ›Kommen Sie!‹ Darauf muß Ihr Regisseur oder Ihr Kameramann achten, auf das Gesicht meine ich. Wie das zu machen ist, kann ich Ihnen nicht sagen, das ist Ihre Sache.

›Kommen Sie?‹ Ja, einfach so und dazu das Gesicht. Erst als ich keine Anstalten mache, meinen Platz zu verlassen, hält er es für nötig hinzuzufügen: ›Sie haben doch sicher noch nicht gegessen.‹ Da hört sich doch alles auf. Als ob ich des Essens wegen da oben die ganze Zeit auf ihn gewartet hätte.

Auch nachher kam er noch etliche Male auf die Esserei zurück. Offenbar wollte er mich so schnell wie möglich wieder los werden, aus purer Heimlichtuerei, wenn Sie mich fragen, obwohl es da in seinem Zimmer nicht das geringste zu verheimlichen gab. Er forderte mich immer wieder auf, mit ihm in den Dammtor-Bahnhof zu gehen, in das Bahnhofsrestaurant. ›Kommen Sie, es sind ja nur ein paar Schritte von hier, keine fünf Minuten, und da hört uns niemand zu.‹ Wer sollte uns denn da auf dem Treppenabsatz oder in seinem geliebten Zimmer zuhören, können Sie mir das verraten? In einem völlig leeren Bürohaus noch dazu. Denn Sprieder war ja nicht da, das wußte ich, und er wußte es auch. Und von mir aus hätte Sprieder und wer sonst noch Spaß daran gehabt hätte, gern zuhören können, es handelte sich ja nicht um eine Verschwörung. Doch er ließ nicht davon ab, mir die Gaststätten im Dammtor-Bahnhof aufs wärmste zu empfehlen. Er gehe immer von der Staatsbibliothek in den Bahnhof, um da den Abend zu verbringen. Auch essen könne man da billig am Würstchenstand; Herr Dr. Passavent habe das auch oft getan. Es sei wirklich gemütlich da, versicherte er mir, nur Leute, die auf ihren Zug warten oder worauf auch sonst, und dann Studenten, die ihre Notizen vergleichen und auch Liebespaare, lauter Menschen, die genug mit sich selber zu tun haben. Da hört einem bestimmt niemand zu. Herr Dr. Passavent hat es jahrelang ausprobiert. Und das Geld für den Kaffee legen Sie am besten gleich auf den Tisch, wenn der Ober die Tasse bringt, dann sind Sie ungebunden und können fortgehen, wann Sie wollen.

Als ob ich den Dammtor-Bahnhof nicht genausogut kannte wie er, ja, besser sogar, denn er war ja erst seit ein paar Wochen in Hamburg. Und was ging mich der alte Passavent an? Schon daß der Mensch immer von Herrn Dr. Passavent sprach, brachte mich auf die Palme. Wenn er mir damit imponieren wollte . . ., doch das wollte er gar nicht, es war nichts als eine dumme Gewohnheit von ihm, oder aus Hochachtung vor dem Toten meinetwegen, wie man es nennt. Doch ein Gutes hatte seine lächerliche Pedanterie wenigstens, ich gewann da auf dem Treppenabsatz endlich meine Fassung wieder. Hatte ich mir etwa da den Hintern platt gesessen, um mich von dem Kerl in den Dammtor-Bahnhof schleppen zu lassen?

Es gelang mir endlich ihn zu unterbrechen.

›Ich möchte doch nur über die gestohlene Melodie mit Ihnen sprechen.‹

›Ja, ich weiß.‹

›Sie wissen?‹

›Weshalb sollten Sie denn sonst hier sein.‹

›Hat Sprieder mit Ihnen schon darüber gesprochen?‹

›Sprieder?‹ fragte er nun seinerseits erstaunt. Selbstverständlich sagte er ›Herr Sprieder‹, es war zum

Auswachsen, und blickte besorgt zu der Sprioderschen Tür hin. ›Ich habe Herrn Sprieder schon zwei oder drei Tage nicht gesehen. Ich will ihm nicht noch mehr zur Last fallen, er hat schon genug für mich getan. Kommen Sie bitte, wir stören ihn sonst, falls er schon zu Haus sein sollte.‹

›Er ist nicht da, verlassen Sie sich darauf. Ich warte hier doch schon fast zwei Stunden auf Sie.‹

›Sie hätten gleich in den Dammtor-Bahnhof kommen sollen.‹

›Wie hätte ich Sie denn da erkennen können?‹

›Sie haben mich doch jetzt auch erkannt.‹

›Menschenskind, wer soll denn sonst hier heraufkommen, wenn er hier nicht wohnt. Sprieder hat nachmittags über Sie gesprochen und mir geraten, mich wegen des Drehbuchs mit Ihnen in Verbindung zu setzen.‹

›Wegen welchen Drehbuchs?‹

Damit hatte ich ihn. Jetzt kommt alles darauf an, den Kerl bei der Stange zu halten, sagte ich mir, denn das Wort Drehbuch hatte ihn offensichtlich so überrascht, daß er seinen geliebten Dammtor-Bahnhof ganz vergaß. Das einzig Richtige in so einem Fall ist, einfach weiterzureden und dem andern keine Ausweichmöglichkeit zu lassen. In neun von zehn Fällen haben Sie damit Erfolg, glauben Sie mir, ich habe darin Erfahrung. Der andre gibt schließlich nach und Sie gehen mit einem Vertrag unter dem Arm weg. So redete ich denn darauf los.

›Ich will Sie selbstverständlich gern daran beteiligen, an dem Film, meine ich, wenn etwas daraus wird. Wir können das auch gleich schriftlich vereinbaren, wenn Sie wollen, das ist nur recht und billig. Denn Sprieder — oder meinetwegen Herr Sprieder — sagte mir, daß er nichts davon wüßte und daß ihn das nichts anginge. Sie kennen ihn ja, er redet nicht mehr als unbedingt nötig. Kurz, ich sollte alles mit Ihnen abmachen. Wenn wir Glück haben, läßt sich allerhand damit verdienen und über Geld ist wohl noch niemand traurig geworden, nicht wahr. Doch wenn Sie der einzige sind, wie Sprieder meint — oder meinetwegen Herr Sprieder —, der etwas Genaueres über die gestohlene Melodie weiß, brauche ich ein paar Anhaltspunkte von Ihnen. Ein bißchen Wieso und Warum kann nie schaden. Was sich davon verwenden läßt, können wir dann immer noch überlegen, das lassen Sie nur meine Sorge sein. Ich habe schon ein paar Werbefilme fabriziert, ich kenne mich aus und weiß, was wirkt. Ihr Titel allein ist Gold wert, doch etwas Fleisch braucht man, ein klein wenig mehr Drum und Dran. Zur Not läßt sich das auch erfinden, bei dem Titel dürfte das nicht schwerfallen, aber weshalb sollen wir uns unnötig den Kopf zerbrechen, wenn Sie schon fix und fertige Ideen haben. Sprieder hat mich zu Ihnen geschickt, ganz recht, Sie haben ja gleich vermutet, daß mich jemand geschickt hat. Er hat sich wahrscheinlich revanchieren wollen, denn ich habe ihm schon ein paar kleine Geschäfte zugeschustert, nichts Großartiges, doch immerhin, eine Hand wäscht die andre.‹

Damit hatte ich ihn an der Angel. Es war ein reiner Glücksfall, denn wie konnte ich wissen, daß er zu den dankbaren Typen gehörte. Hätte ich gleich damit angefangen, dann hätten wir nicht so lange auf dem Treppenabsatz herumzulungern brauchen. Er zappelte noch etwas und blickte hilfesuchend auf Sprieders Tür, ob der ihn nicht von der Dankbarkeit befreien würde, doch es half ihm alles nichts, da war kein Sprieder, und so kam er denn zögernd die drei letzten Stufen herauf.

Vor seiner Tür blieb der verdammte Bursche doch noch wieder stehen. ›Und wenn Sie enttäuscht sind, was dann?‹

›Keine Bange, bei dem Titel gibt es keine Enttäuschung.‹

›Herr Dr. Passavent hat mich damals gleich ausgelacht und gesagt: Das ist doch nur ein Vorwand. Laß dir doch nichts erzählen, Enkel.‹

Bester Mann, was ist denn nicht Vorwand, dachte ich, Hauptsache, daß sich etwas daraus machen läßt. Aber ich hütete mich, das laut zu sagen, er hätte sich womöglich von der Angel losgerissen. So blieb ihm nichts übrig, als die Schlüssel aus der Tasche zu holen.

›Vielleicht findet sich in den Ephemeriden von Mister Ich etwas, was Sie brauchen können‹, meinte er, als er den Schlüssel ins Loch steckte. Nur her mit dem Zeug, mein Lieber, wir werden es schon verdauen, selbst astrologische Tabellen.

Na endlich! Aber bis zuletzt zögerte er, fast hätte ich ihm einen Schubs gegeben. Als die Tür schon einen Spalt offen stand, horchte er hinein, so kam es mir vor, und sagte dann: ›Lassen Sie mich bitte vorangehen.‹

Geh du nur voran, an Höflichkeit liegt mir nichts. Und da ging auch das Treppenhauslicht gerade wieder aus, so daß wir im Dunkeln standen. Das gab ihm wohl den Rest, endlich stieß er seine Tür auf.

V

Ging er deshalb voran, weil er einen Kerl, den er Mister Ich nannte, bei sich versteckt hatte und ihm ein Zeichen geben wollte? Er machte nicht einmal Licht in dem kleinen Flur, der so winzig war, daß zwei

Menschen da nicht nebeneinander stehen konnten. Erst nachher merkte ich, daß es da gar kein Licht gab und daß man die schmale Tür zum Badezimmer offen stehen lassen mußte, um von dem Licht über dem Waschtisch den Flur zu beleuchten.

Er sagte noch einmal: ›Lassen Sie mich bitte vorangehen. Und Vorsicht da mit dem Türgriff. Herr Dr. Passavent hat sich einmal die Jackentasche daran aufgerissen. Er hat die Jacke zum Kunststopfer bringen müssen.‹

Auch im Zimmer machte er nicht gleich Licht, und das war ebenfalls nicht möglich, wie ich später sah. Es gab da keine Deckenbeleuchtung, die man von der Tür aus anknipsen konnte, die Drähte der elektrischen Leitung hingen nackt aus der Decke heraus. Auf Bequemlichkeit legte der Bewohner offenbar keinen Wert. In dem ziemlich großen Raum konnte man wenigstens etwas sehen, die Gardinen vor den beiden Fenstern waren vom Hof leicht angestrahlt, wohl von der Kugellampe auf der Tanksäule da unten, glaube ich. Unser Freund ging auch gleich zum Fenster, blieb da unbeweglich hinter der Gardine stehen und blickte hinaus, obwohl es da nicht das geringste zu sehen gab. Das muß eine Gewohnheit gewesen sein, die er von dem alten Passavent übernommen hatte, denn auch der soll stundenlang am Fenster gestanden haben, ohne daß draußen etwas los war, auch früher schon, als er noch in Frankfurt oder diesem Rödelheim mit seiner Frau und seinen Töchtern zusammenwohnte, und als er noch Studienrat war. Es gibt da sogar eine sehr komische Geschichte, warten Sie nur ab. Gottlob fehlt es nicht an allerhand komischen Geschichten, die Ihren Film etwas kurzweiliger machen werden. Übrigens gäbe das keine schlechte Aufnahme, der Schatten dieses Mannes vor

der matt angestrahlten Gardine, was meinen Sie? Die
Leute im Kino werden sich fragen: Was sieht er da
draußen wohl Interessantes? Aber vorher passierte
mir selbst etwas Komisches.

Ich war vorsichtshalber mitten im Zimmer stehengeblieben und wartete, daß er endlich Licht machte.
Natürlich sah ich mich um, soweit man überhaupt
etwas sehen konnte, das ist klar, ich wollte nicht un-
vorbereitet von jemandem angefallen werden, der
sich da vielleicht versteckt hatte, bei solchen Heim-
lichtuern muß man mit allem rechnen. Und plötzlich
erschrak ich maßlos, sicher habe ich einen Luftsprung
vor Schreck gemacht, das hätten Sie auch getan.
Gleich links neben mir war ein ziemlich lautes Geräusch, so als ob jemand im Dunkeln gegen einen
Stuhl oder gegen ein Tischbein gestoßen wäre und
den Tisch dabei verrückt hätte. Aha, da ist also doch
jemand, der sich nicht zeigen will. Nun heißt es aufgepaßt. Doch wie alles in jener Nacht hatte auch das
Geräusch einen ganz gewöhnlichen Grund. Hinterher kann man darüber lachen.

Der Andre hatte gemerkt, daß ich mich erschreckt
hatte, er sagte: ›Entschuldigen Sie, der Kühlschrank
muß enteist werden, dann läuft er leiser. Ich werde
das gleich am nächsten Sonntag tun.‹ Doch wenn Sie
meinen, daß er es für nötig hielt, sich umzusehen,
als er das sagte, oder gar Licht zu machen, dann irren
Sie sehr. Er sagte das wie zu sich selbst und blieb da
am Fenster stehen.

Nun gut, es war also ein vorsintflutlicher Kühlschrank, im Laufe der Nacht hörte ich ihn dann noch
oft genug anspringen. Vermutlich hatte er das Ding
auch vom alten Passavent übernommen. Der Kühlschrank stand in einem kleinen fensterlosen Raum
links, schon mehr ein Verschlag. Auch ein arg ange-

schlagenes Abwaschbecken gab es da und darunter einen grünen Plastikeimer mit einem Putzlappen. Auf dem Kühlschrank stand eine zweiflammige Kochplatte. Das alles entdeckte ich natürlich erst nachher, als er Licht gemacht hatte und Kaffee für uns kochte. Aber jedenfalls brauchte ich keine Angst zu haben, daß sich da noch jemand versteckt hätte, dafür war gar kein Platz.

Und nun noch die zweite Überraschung, wenn auch nicht so schlimm, um davor zu erschrecken. Aus den Überraschungen kam man in jener Nacht nicht heraus. Der Andre, der da unbeweglich bei seiner Gardine stand und auf den Hof blickte, sagte nach einer Weile ... wie lange er dazu brauchte, um den Mund aufzumachen, läßt sich jetzt nicht mehr sagen. Inzwischen heulte der Kühlschrank, dabei verliert man jedes Zeitgefühl, es kommt einem wie eine Ewigkeit vor ... er sagte, und das sollte wohl eine Art Entschuldigung sein: ›Sie ist es gewohnt, daß ich nicht gleich Licht mache. Manchmal gehe ich sogar zu Bett, ohne erst Licht zu machen. Aber sie wird sich natürlich Ihretwegen Gedanken machen, weil sie Sie nicht weggehen gesehen hat, weiß sie, daß Sie hier auf mich gewartet haben und daß wir jetzt zusammen sind.‹

›Wer?‹ fragte ich, wobei Sie nicht vergessen dürfen, daß er ohne alle Betonung sprach, als ob er mir nichts Neues mitteile. Und da soll einer nicht erschrecken?

›Die alte Frau da an ihrem Fenster, wer denn sonst. Ich überlege nämlich gerade, das heißt, wenn Sie wirklich ein Drehbuch schreiben wollen, ob es nicht richtig wäre, wenn Sie den Film aus der Blickrichtung der alten Frau da gegenüber drehen. Ich bin ja auch einmal Fotograf gewesen, ich weiß nicht, ob Herr Sprieder Ihnen das gesagt hat.‹

Da war nun zur Abwechslung einmal eine angenehme Überraschung. Nicht die Frau da am Fenster, die geht uns nichts an, man geniert sich, sie überhaupt zu erwähnen. Mag sie von mir aus alt und gelähmt sein, herzliches Beileid, aber soll sie doch in ein Pflegeheim gehen, dazu sind solche Institutionen da, und wofür zahlen wir denn Steuern? Nein, die angenehme Überraschung war nicht die Alte, Gott hab sie selig, sondern daß der Andre sich über den Film den Kopf zerbrach. Ich meinte schon, er hätte die Sache längst vergessen und hätte sogar mich vergessen, und auf einmal fängt er von sich aus davon an. Er gab sogar noch einige fachmännische Erklärungen dazu ab. ›Was sich fotografieren läßt, ist ja immer dasselbe und so alltäglich, daß man sich langweilt, nur wenn man eine neue Blickrichtung findet, wird es wieder lebendig. Und von der Frau da gegenüber läßt sich bestimmt manches sehr viel genauer wahrnehmen als von hier, der Hof, der Durchgang durch den Torbogen, das Kommen und Gehen, denn sie sitzt ja immer da. Auch die Brandmauer mit all den Wandhaken. Der Teer wird allerdings das Scheinwerferlicht reflektieren, da müßte man aufpassen. Die geteerte Mauer mit den Wandhaken gehört unbedingt dazu. Herr Dr. Passavent hat immer wieder versucht, die Haken zu zählen, aber es kam jedesmal eine andre Zahl dabei heraus.‹

Will der Kerl mich etwa durch den Kakao ziehen? Eine ganz gewöhnliche Teermauer mit ein paar verrosteten Haken gehört unbedingt in den Film? Unbedingt? Womöglich gehört dann auch der Wasserkasten über dem Klosett in den Film, und noch dazu unbedingt. Von diesem lächerlichen Wasserkasten hatte ich schon vorher gehört, von Sprieder glaube ich, es war so ein ständiger Witz bei ihm, wenn er seine Olivia ärgern wollte. Wissen Sie, so ein Wasserkasten aus Großvaters Zeiten, so einer, der über dem Klosett hing und bei dem man an einer Kette ziehen mußte. Jedesmal wenn man aufzog, dann sprühte es einem von oben aufs Haupt. Die Tochter des Alten, diese Olivia, soll immer mächtig mit ihrem Vater geschimpft haben, weil es ihre Frisur ruinierte oder was weiß ich. Vielleicht war dieser sprühende Wasserkasten sogar der letzte Grund, weshalb sie ihren Vater nach Hamburg lotste.

Ja, das muß noch in Frankfurt gewesen sein, man bringt diese idiotischen Kleinigkeiten durcheinander. Und zwar nicht in dem Haus in Rödelheim oder wie der Stadtteil sonst heißt, wo der Alte gewohnt hatte, bevor seine Frau mit Sack und Pack nach Davis ausrückte, um da Bridge zu spielen. Ich hoffe wenigstens, daß sie da in ihrem Haus anständige Wasserkästen gehabt haben. Sondern in dem Zimmer, das der Alte dann ein paar Jahre bewohnte.

Sie kennen ja Frankfurt besser als ich, na und natürlich Ihre berühmte Straße da, die Zeil. Ich habe mir nur so im Vorbeifahren ein Bild davon gemacht. Ich mußte zum Zoo wegen irgendeiner Versammlung. Ihre berühmte Zeil ist ja zu Anfang recht annehmbar, lauter moderne Kaufhäuser und dergleichen, nichts dagegen zu sagen. Aber glauben Sie nur ja nicht, daß der Alte sich eine Wohnung im modernen Teil der Straße gemietet hatte, sondern am andern Ende, wo die Straße ganz schäbig wird. Bei der Seilerstraße, wenn ich mich recht erinnere. Lauter kleine, verdächtige Trödelläden und wohl auch eine Gegend für Strichmädchen, so sah es da wenigstens aus, denn am frühen Nachmittag war noch kein Betrieb. Und die Häuser mindestens so alt wie das da in den Kolonnaden in Hamburg. Kein Wunder, daß die sanitären Anlagen nicht mehr funktionierten. Der Alte muß eine Vorliebe für zweifelhafte Gegenden gehabt haben.

Vergessen wir den Wasserkasten. Und die blöde Mauer mit den Haken auch. Und wenn Sie Strichmädchen für Ihren Film brauchen, um der Sache etwas Atmosphäre zu geben, dann sind wir nicht auf Frankfurt angewiesen, die lassen sich auch in Hamburg finden. Selbst in dem Torbogen da, wenn auch nicht gerade Strichmädchen, doch immerhin solche Dinger, die alles mitmachen. Dauernd war da eine Knutscherei im Gange, dafür war die Durchfahrt wie geschaffen, besonders nachts, wenn der Köter, dieser Timo, in seinem Korb lag und nicht durch sein Gekläffe störte. Und damit sind wir schon wieder bei der alten Frau an ihrem Fenster, es läßt sich nicht vermeiden. Der Alten entging natürlich nichts von dem, was in der Durchfahrt passierte. Sie soll dann gesagt haben: Treibt es nicht zu wild, ihr Kätzchen, das verdirbt den Teint. Das wurde mir brühwarm auf die Nase gebunden, doch woher sie wußten, daß die Alte so etwas sagte, verschwiegen sie mir wohlweislich. Welch eine blühende Phantasie! Darum erzähle ich Ihnen den Unsinn.

Ich war längst zu dem Andren ans Fenster getreten, mir ging es ja allein darum, daß er überhaupt von dem Film redete, dafür nahm ich den übrigen Quatsch in Kauf. Und tatsächlich, da in dem Haus gegenüber, rechts von uns, war nur ein einziges Fenster matt beleuchtet. Im zweiten Stock über dem Schild der Handelsschule. Mit einiger Anstrengung konnte man auch eine Person erkennen, die da unbeweglich am Fenster saß, ein dickes fahles Gesicht mit weißem Haar, ganz gleich ob Mann oder Frau, aber es war ja immer nur von einer Frau die Rede. Die

Fenster in den beiden Stockwerken darüber waren alle dunkel und in der Handelsschule natürlich auch. Allzu hoch war das Haus nicht, auch nur so ein alter Kasten von anno dazumal, ein Hinterhaus, wie man es früher nannte, dort brachte man die armen Leute unter und gab sich mit der Architektur nicht weiter Mühe. Und dahinter nur moderne Hochhäuser, nur Fensterreihen bis oben und selbstverständlich, denn da waren nur Büros, wie es sich gehört, teure Büros da mitten in der City, darauf können sie Gift nehmen.

Bei den vielen dunklen Fenstern fällt mir doch wieder Sprieder ein, verzeihen Sie, mit seiner Besessenheit für Häuser und Fenster. Seine sogenannte Werkstatt da auf dem Boden lag allerdings nach vorne hinaus, nach den Kolonnaden, doch er wird öfters bei dem Alten gewesen sein, schon wegen seiner Olivia, und all die Fenster, die er von da aus sah, werden ihn vielleicht angeregt haben. Auf die alte Frau da an ihrem Fenster hat man ihn bestimmt aufmerksam gemacht, denn er soll gleich gesagt haben: So etwas läßt sich nicht malen. Da haben Sie es. Mir empfiehlt man das alte Weib für den Film und Sprieder hat so viel gesunden Menschenverstand, daß er gleich sieht, die Alte taugt nichts für ein Bild. Allerdings hatte er ein Vorurteil gegen menschliche Figuren auf seinen Graphiken, er behauptete schlankweg, daß Menschen auf Bildern nichts zu suchen hätten und nur stören. Der Andre hatte ihm einmal einen Vorschlag gemacht. Er hatte in einem der Fenster gesehen, ganz gleich ob in dem Haus auf der andern Seite des Hofes oder von Sprieders Werkstatt aus, wie eine Frau Spaghetti aus dem Kochtopf auf den Teller füllte, der vor einem kleinen Mädchen stand, das gerade aus der Schule nach Haus gekommen war. Die Frau mußte den Arm mit dem Kochlöffel ganz hoch heben, da sie die Spaghetti lang gelassen hatte, und daran war gleich zu erkennen, daß sie eine Italienerin war. Der Andre, der ja früher Fotograf gewesen war und einen Blick für so etwas hatte, rief: Welch eine schöne Bewegung! Doch der gute Sprieder soll nur gebrummt haben: Für eine Spaghettireklame vielleicht. Typisch Sprieder. Doch so als Füllsel läßt sich die Szene vielleicht für Ihren Film verwenden, deshalb erwähne ich sie.

Einmal soll sich sogar Sprieder beifällig zu so einem Vorschlag geäußert haben. Der Andre, oder es kann auch der alte Passavent gewesen sein, das spielt keine Rolle, hatte drüben entdeckt, daß sich da eine Frau oder ein Mädchen im obersten Stockwerk des Hauses am Fensterkreuz erhängt hatte. Man kann sich gut vorstellen, wie aufgeregt er war, er wollte die Unfall·station anrufen und da er selber kein Telefon hatte, mußte er Sprieder heraustrommeln. Doch es war gar keine Frau, es war ein Kleid oder ein Kostüm, das sie zum Lüften ans Fenster gehängt hatte. Diesmal meinte Sprieder: Das Kleid läßt sich verwenden. Ein Witzbold!

Auch andre wunderten sich, warum er immer nur Häuser und Fenster malte. Zum Beispiel seine Olivia. Einmal, als ihm die Fragerei zuviel wurde, kritzelte er schnell zwei Figuren in eines seiner Blätter. Oben an einem der Fenster eine Frau an der Schreibmaschine und unten auf der Straße ein Männchen mit einem riesigen Blumenstrauß. Da hast du, was du willst. Das da oben bist du, wie du einen Mietkontrakt ausschreibst, und der Knabe da unten, der dir einen Heiratsantrag machen will, wer ist das wohl? Das Bild habe ich selber bei Sprieder gesehen. Er hatte es mit Heftzwecken an die Wand gepinnt, um seine Olivia zu ärgern.

Der alte Passavent muß der einzige gewesen sein, der damit einverstanden war, daß nur Häuser und Fenster gemalt wurden ganz ohne Menschen.

Nur so kommt man vielleicht dahinter, soll er gesagt haben, was so ein Haus wirklich ist und was da vorgeht und was es denkt, wenn es endlich allein sein darf. Den ganzen Tag das Herumlaufen auf den Korridoren, das Fahrstuhlgeräusch, das Schreibmaschinengeklapper, die ewige Telefoniererei, die Wasserspülung, das muß ja entsetzlich für das arme Haus sein. Immer nur rücksichtslos benutzt zu werden, wie kann es da zu sich selber kommen. Kein Wunder, wenn es manchmal denkt: Das halte ich nicht mehr aus, ich breche lieber zusammen. Doch vielleicht tut es ihm um irgend etwas leid, was wissen wir denn davon, und es gibt sich noch einmal Mühe, sich nichts anmerken zu lassen. Und dann abends, wenn der Hauswart die letzte Runde gemacht hat, um nachzusehen, ob auch alle Fenster geschlossen sind, damit es nicht hineinregnet, wenn der Fahrstuhl abgestellt und die Heizung kleingedreht ist, dann kann so ein armes Haus wieder aufatmen. Zuerst wohl nur vorsichtig und mehr zur Probe, denn es könnte sich ja jemand versteckt haben, um zu stehlen, mit so etwas muß man bei den Menschen immer rechnen. War da nicht ein Geräusch? Nein, nur ein Wasserhahn, der tropft, die Sekretärin hat es immer so eilig fortzukommen und dreht den Wasserhahn nicht richtig ab. Aber den kann man ruhig tropfen lassen, das stört nicht, man kann endlich seine Gedanken treppauf-treppab laufen lassen und durch die langen Korridore. Welch ein Leben mag dann in dem Haus sein? Was wissen wir davon? Vielleicht sprechen die Häuser auch miteinander und tauschen ihre Erfahrungen aus. Oder sie plustern sich voreinander auf.

Ich bin größer als du, gib du nur nicht an, und das andre Haus sagt: Ich bin aber viel moderner. Oder so ähnlich. Nichts weiß unsereiner davon, die Hälfte von allem entgeht einem.

Übrigens, da fällt mir ein, der alte Passavent muß einmal in so ein nächtliches Haus geraten sein, ganz aus Versehen, wie er behauptete, denn er hatte zwar eine Vorladung bekommen, aber den Termin verwechselt. Mir hat es natürlich der Andre erzählt, ich habe keine Ahnung mehr, aus welchem Anlaß. Du lieber Himmel, Sie machen sich keinen Begriff, was mir da alles im Laufe der Nacht ohne jeden Anlaß erzählt wurde, man mußte eine unmenschliche Geduld aufbringen. Doch selbst wenn der Alte sich das nur ausgedacht hatte, die Anekdote scheint mir unter Umständen ganz brauchbar für Ihr Drehbuch. Im Kino nehmen die Leute es ja nicht so genau und fragen sich bei jeder Kleinigkeit, ob so etwas wirklich passiert sein kann. Wenn es sich um einen Film um den alten Passavent handelte, könnte man das sogar als Einleitungsszene nehmen. Sie sehen, daß ich darüber nachgedacht habe.

Das muß noch in Frankfurt gewesen sein, wahrscheinlich während der letzten Frankfurter Zeit. Eine Vorladung? Bitte fragen Sie mich nicht, wer dem Alten eine Vorladung geschickt haben soll. Vielleicht das Finanzamt, aber das ist doch ganz gleichgültig. Und aus Versehen, das nimmt ihm auch keiner ab. Wer gerät denn nachts aus Versehen in ein fremdes Bürohaus? Aber das lassen Sie am besten den Alten selber erzählen, Sie brauchen dann nur mit der Kamera hinterherzulaufen.

Das Haus muß furchtbar verärgert gewesen sein, behauptete der Alte, ich bin nicht einmal dazu gekommen, mich richtig bei ihm zu entschuldigen. Aber warum war denn auch die Haustür nicht abgeschlossen, wie es sich nachts gehört? Vielleicht klemmte das Schloß oder war nicht eingeschnappt. Das Haus hielt auch sofort den Atem an. So leise kann man nämlich nicht sein, daß ein Haus es nicht sofort merkt, wenn da jemand, der da nichts zu suchen hat, in ihm herumläuft. Es hielt wie gesagt den Atem an, es stellte sich tot. Der Fahrstuhl war sicher abgestellt, doch ich hätte ihn sowieso nicht benutzt, so viel Anstand hatte ich denn doch. Aber meine Schritte hörte man leider, unten auf den Steinfliesen und oben auf dem Linoleum, auf dem Linoleum sogar noch mehr, die Schuhsohlen quietschten darauf, ich konnte mich anstellen wie ich wollte. Ich ging die Treppen hinauf und auf jedem Stockwerk durch die kilometerlangen Korridore. Es war ein sehr großes Haus, eine Behörde, nehme ich an. Die Vorladung hielt ich vorsichtshalber offen in der Hand, für den Fall, daß mir jemand begegnete und damit ich nicht gleich von ihm angeschnauzt würde. Einmal verlor ich sie aus der Hand, doch zum Glück war da keine Zugluft auf den Gängen, so daß ich das Papier gleich wieder aufheben konnte. Aber welch ein Schreck! Als ob mir jemand die Vorladung aus der Hand gerissen hätte. Ein Wunder, daß man nicht vor Schreck tot umfällt. Dann hätten mich die Reinmachefrauen beim Bohnern des Linoleums da am nächsten Morgen gefunden. Ich gehe also all die endlosen Gänge entlang, erst im Erdgeschoß, denn im Keller hatte ich nichts verloren, das ist klar, man bekommt keine Vorladung für den Keller, und dann im ersten Stock, dann im zweiten und so weiter. Diese Korridore nahmen kein Ende. Tagsüber scheinen sie einem nicht so lang wegen des Betriebes, der dort herrscht, aber nachts! Hier und da steht eine Tür offen, vielleicht um den Raum etwas zu lüften. Man sieht die Schreibtische und Schreibmaschinen und die Gestelle mit den Aktenordnern und Kartotheken. Tagsüber kann man hineingehen und sich erkundigen. Natürlich wird man angeschnauzt. Der Beamte hat gerade an die nächste Gehaltserhöhung gedacht oder er hat sich morgens beim Frühstück mit seiner Frau gestritten, das ist verständlich. Und die Mädchen haben auch andre Dinge im Kopf, das nächste Wochenende und was sie sich beim Sommerschlußverkauf anschaffen wollen. Das ist alles in Ordnung, dafür läßt man sich gern anschnauzen, aber nachts, wenn alles leer ist und der Sommerschlußverkauf schon gar nicht mehr zählt, kommt man sich ganz verloren vor.

Und wie müde einen das vergebliche Herumschleichen macht. Auf einem der Gänge war eine Art Vorplatz, etwas breiter als der Korridor, auch eine Bank und ein paar Stühle stehen da, damit die Kundschaft da wartet und nicht alle auf einmal ins Zimmer drängen, das macht die Beamten nervös. Warten Sie gefälligst, bis Sie aufgerufen werden, heißt es, das ist immer so. Sogar Aschenbecher hatte man an der Wand angebracht, damit die Leute die Zigarettenstummel nicht einfach hinschmeißen und es dann Brandflecke im Linoleum gibt. Alles sehr ordentlich, darum denke ich, du kannst dich hier ebensogut hinsetzen und warten, bis sie dich aufrufen. Selbst wenn man ein wenig einnickt, wird man schon aufwachen, denn sie schreien den Namen meistens ziemlich laut. Es ist sogar peinlich, denn was geht die andren, die da warten, mein Name an.

Aber daraus wird nichts. Gerade als ich mich hinsetzen will, berührt mich eine kühle Hand hinten am Nacken und streift mir noch den Kiefer entlang, ganz leicht nur, aber ich hätte am liebsten aufgeschrien:

Nein! Nein! Nein! Doch es kam mir kein Laut aus der Kehle, und das war noch gut, denn wer darf in einem so leeren Gebäude schreien, das wäre entsetzlich. Ich fiel vor Schreck auf den Sitz und die Hand hörte sofort auf mich zu streicheln. Die Vorladung war mir natürlich wieder hingeflogen, sie lag da weiß zu meinen Füßen, ich behielt sie im Auge, denn es hätte ja sein können, daß dieselbe Hand, die mich gestreift hatte, die Vorladung aufnahm. Lange Zeit beobachtete ich sie, dabei kam ich wieder etwas zu Atem, und da nichts geschah, bückte ich mich selber danach und nahm sie an mich. Dabei blickte ich mich ganz vorsichtig um, Zentimeter für Zentimeter.

In einem Kübel hinter der Bank stand ein Gummibaum und eins von den üblen fleischigen Blättern hatte mich gestreift. Wer rechnet denn mit einem Gummibaum in so einem Gebäude? Hatte man ihn etwa aus Schikane dahingestellt? Oder was? Dabei kann man sich ja zu Tode erschrecken. Na, ich nehme meine Wanderung durch die Korridore wieder auf, natürlich passe ich auf, daß mir so etwas nicht noch einmal passiert, und im obersten Stock kommt es denn auch zu einem ganz unerwarteten Abschluß. Eine Tür ist da nur angelehnt, ich stoße sie vorsichtig auf, und sie knarrt auch nicht, die Angeln sind gut geölt. Und wen muß ich da finden? Meinen guten Mister Ich. Er sitzt da am Tisch und schreibt wie wild in seinen Ephemeriden. Er blickt nicht einmal auf, so vertieft ist er in seine Schreiberei. Na, von mir aus, ich bin das bei ihm gewohnt. Ich lege ihm die Vorladung auf den Tisch, er schielt nicht einmal hin, sondern schreibt einfach weiter. Es könnte Vorladungen vom Himmel regnen, das würde ihn nicht von seinen Ephemeriden abbringen. Doch das ist schon nicht mehr meine Sache, Mister Ich, machen Sie mit der

Vorladung, was Sie wollen. Die Strafe sei dein, spricht die Behörde. Mich jedenfalls sollen die Reinmachefrauen hier nicht finden. Ich habe dann dem Drängen meiner Olivia nachgegeben und bin nach Hamburg gezogen. Warum denn nicht, wenn es dem Kind Freude macht.

Was meinen Sie? Großartig? Die leeren Gänge, der Gummibaum und die Vorladung, die ihm aus der Hand fällt? Freut mich, wenn ich Ihnen damit eine Anregung gegeben habe, freut mich wirklich. Ich sagte Ihnen ja schon, daß die Geschichte auch mir filmisch geeignet schien, sonst wäre sie mir wohl kaum zehn Jahre lang im Gedächtnis geblieben. Wo Sie den obskuren Mister Ich herzaubern wollen, weiß ich allerdings nicht. Am besten, Sie erfinden statt dessen etwas andres, das sollte nicht schwerfallen.

Doch zurück zu den Tatsachen. Oder zu unserm Thema. Was die beiden, der Alte und der Andre, eine Vorladung nannten, gehört nämlich doch irgendwie zum Thema. Nicht die, die der Alte da auf dem Gang aus der Hand verlor, die ist höchstens ein Farbfleck für Ihren Film, sondern eine andre Vorladung, die mit der gestohlenen Melodie zu tun hat. Oder vielmehr so: der Andre soll angeblich ohne Vorladung losgegangen sein, das machte man ihm zum Vorwurf und so geriet er in Quarantäne, wie sie es nannten. Ja, Quarantäne, davon erzähle ich Ihnen noch, werden Sie nur nicht konfus. Erst in dieser sogenannten Quarantänestation erfuhr der junge Mann etwas von einer gestohlenen Melodie und bekam sozusagen den Auftrag, ihr nachzuforschen. Der Alte machte sich zwar gleich darüber lustig, er behauptete, das sei nur ein Vorwand. Laß dir doch von denen nichts vormachen, Enkel, soll er gesagt haben, sie wollten dich doch nur wieder loswerden.

Enkel? Habe ich das noch nicht gesagt? Dann verzeihen Sie bitte, das hätte ich gleich zu Anfang erwähnen sollen. Da sehen Sie selber, was für ein Durcheinander das ist. Der Alte hat nämlich den Andern vom ersten Moment an geduzt und mit Enkel angeredet, ob Sie es glauben oder nicht. Gleich nebenan in der Büschstraße vor dem Laden, wo die Kartoffelpuffer gebraten werden. Die Büschstraße ist eine kleine Querstraße der Kolonnaden und den Laden gab es da auch, die Straße roch immer nach dem Bratfett. Soweit stimmt die Sache also, aber daß mich jemand, den ich noch nie im Leben gesehen habe — denn die beiden dachten ja gar nicht daran miteinander verwandt zu sein — daß mich ein Wildfremder einfach mit Enkel anredet, herzlichen Dank! Bin ich verrückt oder der andre? Daraus sehen Sie, was für komische Typen die beiden waren.

Aber alles der Reihe nach. Von einer Vorladung war sogar in den albernen Ephemeriden des Mister Ich die Rede. Der Andre hatte sie mir ja zum Durchblättern auf den Tisch gelegt, während er für uns Kaffee kochte, so sehr muß die Angelegenheit sie beschäftigt haben. Es fand sich da irgendwo der Satz:

Keine größere Beleidigung für sie, als
wenn man ohne Vorladung zu ihnen kommt.
Das bringt ihr ganzes System durcheinander.

Oder so ähnlich. Ich kann den Unsinn natürlich nicht wörtlich zitieren. Wenn uns wenigstens noch gesagt würde, von wem wir mit einer Vorladung zu rechnen haben, aber das war den beiden so gleichgültig, daß sie kein Wort darüber verloren.

Leider muß ich noch einmal auf die Alte da an ihrem Fenster zurückkommen. Sie war natürlich nur ein Vorwand, um mich dieses Begriffs zu bedienen, den der Alte so schätzte, aber ich nahm sie vorläufig in Kauf ohne aufzumucken, um den Andern bei der Stange zu halten. Nicht wegen der Blickrichtung, du lieber Himmel, in was für einer Welt leben die, wenn sie das eine Blickrichtung nennen. Junge Mädchen können Sie zu Dutzenden herumspringen lassen, aber eine alte Frau, das zieht nicht. Selbst als Werbung für eine Altersversicherung läßt sich mit einer alten Frau nichts anfangen, der Agent würde damit nicht eine einzige Police verkaufen. Dagegen junge Mädchen! Um so vergnügter werden sie herumspringen, wenn sie versichert sind.

Nein, sondern um den alten Passavent zu charakterisieren. Vielleicht sollte man deshalb die Alte da an ihrem Fenster doch kurz mit der Kamera streifen. Er verkündete nämlich schlankweg, sie habe da schon von Anbeginn gesessen, und der Andre redete ihm das nach, er glaubte ihm alles aufs Wort, der Enkel. Mit Anbeginn meinte er, seit das Haus erbaut wurde, also rund gerechnet seit achtzig oder neunzig Jahren. Ohne großspurige Worte wie Anbeginn ging es nun mal bei den beiden nicht ab. Der alte Passavent pflegte dem Weib da an ihrem Fenster zuzunicken, wenn er fortging oder wiederkam, gesprochen hat er, soweit ich verstanden habe, nie mit ihr. Von dem Fenster aus entging ihr natürlich nichts, was auf dem Hof vorging, sie hätte über das Kommen und Gehen Buch führen können. Mich hat sie wahrscheinlich auch gesehen, anders war es gar nicht möglich, nur daß ich nichts davon ahnte, ich hatte Besseres zu tun, als zu den Fenstern hinaufzublicken, ob man mich von da beobachtete. Und wenn die Alte da wirklich von Anbeginn gesessen hat, dann wird sie auch die Pferde und die Herrschaften, die damals durch den Torbogen ritten, gesehen haben, so wie jetzt die

Autos, die in die Garagen oder zur Tankstelle fuhren.

Und auch der Köter gehört dann zu ihrer Blickrichtung, bitte lachen Sie mich nicht aus. Das Biest steckt sozusagen unter einer Decke mit ihr. Ein übler Kläffer! Er trieb sich da immer beim Prellstein neben der Durchfahrt herum und bellte jeden an, der es wagte, durch den Torbogen zu gehen. Auch mich natürlich, bis ich auf dem Hof war, dann trottete er zufrieden zu seinem Prellstein in den Kolonnaden zurück. Ein Rauhhaardackel, wie sie genannt werden, ob rasserein steht nicht zur Debatte. Timo hieß er, das sagte ich schon, eine Abkürzung von Timotheus, ist das nicht zum Totlachen. Sprieder stand sich gut mit ihm, er wurde nicht von ihm angekläfft.

Doch um Sprieder geht es ja nicht. Weshalb ich den Köter überhaupt erwähne, man schämt sich fast, ist doch nur, weil so viel Wesens von ihm gemacht wurde, von dem Andren und vom alten Passavent natürlich. Sie wurden nicht angekläfft. Wie es mit dieser Olivia war, kann ich nicht sagen. Ich habe sie ja nur in Sprieders Werkstatt gesehen. Die beiden nahmen das Biest wegen seiner Kläfferei sogar in Schutz. Er ist schlechter Laune, hieß es, weil er wegen des Verkehrs nicht über die Straße laufen kann, wenn drüben in den Arkaden ein andrer Hund sich erlaubt, sein Bein an einer der Säulen zu heben. Das muß man verstehen. Haben Sie Worte? Das muß man verstehen, wie? Es hätte nur noch gefehlt, daß man mir weisgemacht hätte, der Hund wäre genau wie die Alte am Fenster auch schon seit Anbeginn dagewesen, in jener Nacht wäre ich nicht darüber erstaunt gewesen. Tatsache aber ist, daß dieser Timo — welch ein Name! — den Alten nie angekläfft haben soll, im Gegenteil, er begleitete ihn schwanzwedelnd über den Hof bis zur Haustür, wo der Alte ihn klopfte und zu seinem Prellstein zurückschickte. Es würde mich nicht wundern, wenn man mir versichert hätte, daß auch der Köter der Alten da oben an ihrem Fenster jedesmal zunickte.

Auch der Andre wurde nicht angebellt, und damit sind wir endlich bei einer Szene, die meiner bescheidenen Meinung nach unbedingt in Ihr Drehbuch gehört, entschuldigen Sie die Bemerkung. Ob mit Hund oder nicht, müssen Sie entscheiden, doch zur Not wird sich wohl irgendein Köter dafür abrichten lassen, es braucht ja kein Rauhhaardackel zu sein, jeder Köter reicht dafür aus. Wozu sich auf eine bestimmte Rasse versteifen.

Den Andren hatte nämlich der Hund gleich freundlich begrüßt, als er zum erstenmal in den Kolonnaden aufkreuzte und nach der Hausnummer suchte, die man ihm gesagt hatte. Er war ja fremd in Hamburg, er war erst am Morgen angekommen und sein Gepäck, falls er welches bei sich hatte, viel wird es nicht gewesen sein, hatte er bei der Aufbewahrung im Hauptbahnhof gelassen. Praktischer wäre es für ihn gewesen, bis zum Dammtor-Bahnhof durchzufahren, aber er kannte sich ja in Hamburg noch nicht aus. Er war an dem Morgen von Hannover gekommen. Das sind wenigstens handfeste Tatsachen, an die wir uns halten können, wenn wir über all den unsinnigen Phantastereien nicht den Boden unter den Füßen verlieren wollen.

Der Köter, dieser Timo, und immer vorausgesetzt, daß es keine Fabel ist, die sie sich nachher ausgedacht hatten, soll nämlich gleich freundlich zu dem fremden jungen Mann gekommen sein, als ob er ihn führen und den Hauseingang zeigen wolle, und er hat ihn dann auch durch den Torbogen und über den

Hof begleitet wie einen alten Bekannten. Haben diese Leute etwa einen besonderen Geruch an sich? Oder verfügen sie über eine Geheimsprache, die die Hunde verstehen? Eine verrückte Idee, verzeihen Sie, doch so ungefähr wurde es von dem Alten und dem Andren hingestellt. Jedenfalls, und darauf kommt es für Ihr Drehbuch an, wird der Alten da oben an ihrem Fenster und mit ihrer berühmten Blickrichtung natürlich gleich aufgefallen sein, daß der Kläffer da freundlich mit einem Fremden über den Hof kommt. Und da soll sie dem Andren ein Zeichen mit dem Kopf gemacht haben, wurde erzählt. Daß der Andre zu ihr hinaufsah, kann man verstehen, denn er war ja fremd und wollte sich orientieren, aber er begriff das Zeichen verkehrt, das die Alte ihm machte. Sie wollte ihm damit nur andeuten, daß der alte Passavent jetzt nicht zu Haus wäre. Fragen Sie mich nicht, woher sie denn gleich gewußt haben soll, daß der junge Mann da unten zum alten Passavent wollte, es gab ja genug Büros in dem Haus. Das ist nur eine von den vielen Ungereimtheiten, die einem vorgesetzt wurden. So oder so, jedenfalls verstand der Andre das Zeichen falsch und kletterte die fünf Treppen hinauf und klingelte bei dem alten Passavent. Und das alles, halten Sie sich fest, wegen einer gestohlenen Melodie. Darum sagte ich Ihnen, daß die Szene unbedingt in Ihren Film gehört.

Daß der Alte um die Zeit nie zu Haus war, stimmt, doch wie sollte der Andre das wissen. Der Alte pflegte um die Zeit in dem kleinen Café in der Gerhofstraße mit den Pensionierten zusammenzusitzen, das war eine feste Gewohnheit von ihm, außer sonntags, was er sonntags in den Stunden machte, weiß ich nicht, denn sonntags war das Café natürlich geschlossen. Aber mit den Sonntagen haben wir ja alle unsere

Not. Kurz und gut, und damit haben wir wieder eine Tatsache, an die wir uns halten können: Sprieder hörte das Klingeln nebenan und kam aus seiner Werkstatt, um nach dem Rechten zu sehen. Es kann auch sein, daß seine Olivia inzwischen schon mit ihm telefoniert hatte, doch das ist ziemlich unwichtig. Jedenfalls lernten sich die beiden, die ja vorher nichts voneinander gewußt hatten, auf die Weise kennen, und es wurde gleich eine dicke Freundschaft daraus, und das nur wegen eines Geländers auf einem der Bilder von Sprieder, die Geschichte erzähle ich Ihnen noch, erinnern Sie mich bitte daran.

Die Adresse da in den Kolonnaden hatte der Andre nämlich von dieser Olivia erfahren. Er selber war mit dem Frühzug von Hannover gekommen, wo er am Abend vorher bei diesem Heumeister gewesen war, dem ehemaligen Mann dieser Olivia, um sich bei ihm nach der Melodie zu erkundigen. Dieser Heumeister hatte ihm angeblich keine Auskunft geben können und ihn nach Hamburg zu seiner früheren Frau geschickt. So hängt das alles zusammen. ›Ich war sehr müde‹, erzählte mir der Andre, ›aus Sparsamkeit hatte ich kein Hotelzimmer in Hannover genommen, sondern nur im Wartesaal übernachtet!‹ Trotzdem war er gleich nach der Ankunft in Hamburg zu der Tochter Passavents gegangen, und zwar in ihr Büro, die Adresse hatte er entweder von diesem Heumeister oder aus dem Telefonbuch. Das Büro war in der Bleichenbrücke, das ist eine Straße da mitten in der Stadt, und inzwischen war es wohl auch soweit, daß die Büros offen waren. Diese Olivia schmiß ihn aber raus. Sie habe Besseres zu tun, als sich um Melodien ihres ehemaligen Mannes zu kümmern. Immerhin gab sie ihm wenigstens die Adresse ihres Vaters in den Kolonnaden.

Diese Vorgeschichte muß man leider kennen. Sie müssen sich selber herausklauben, was sich davon für Ihren Film verwenden läßt. Außerdem stehen wir immer noch hinter der Gardine am Fenster und blicken wie ein paar Idioten auf den Hof und auf das Fenster der Alten. Wenn das alte Weib sich wenigstens noch bewegt hätte, sie hätte ja stricken können oder eine Tasse Tee schlürfen, irgendein kleines Lebenszeichen, aber nein, sie konnte ebensogut eine Einbildung sein und nur, weil der alte Passavent und der Andre so viel von ihr redeten, hielt man sie für Wirklichkeit. Endlich hatte ich genug davon. Hatte ich etwa wegen der Alten da drüben mit ihrer Blickrichtung zwei Stunden auf der Treppe gewartet?

›Aber was hat denn die alte Frau mit der gestohlenen Melodie zu tun?‹ fragte ich ihn. Eine vernünftige, zweckdienliche Frage, das müssen Sie zugeben, und sie brachte die Angelegenheit auch in Gang, das darf man wohl sagen, wenn auch auf andre Weise, als ich gedacht hatte. In der verrückten Nacht lief eben alles anders, als zu erwarten war.

›Das kann man nicht wissen‹, meinte er mit seiner tonlosen Stimme und als ob er Angst hätte, die Alte könnte es hören. ›Vielleicht kennt sie die Melodie von früher her, das kann gut sein. Aber einen Plattenspieler hat sie bestimmt nicht, das würden wir bemerkt haben. Und wer soll ihr auch die Platte auflegen?‹

›Eine Platte?‹

›Wir hätten es auch sicher gehört, denn nachts hört man hier alles, auch bei geschlossenem Fenster.‹

›Es gibt also eine Platte von der Melodie?‹

›Herr Heumeister, der frühere Mann von Frau Passavent, hat viel damit verdient, die Platte ist ein großer Erfolg. Herr Dr. Passavent wollte nichts daran

verdienen, obwohl er den Text zu der Melodie vorge-
schlagen hatte, aber nicht einmal sein Name durfte
auf der Platte genannt werden, denn er hatte den
Text nur übersetzt, er stammt von William Blake,
und das steht auch auf der Platte. Ein klein wenig
verändert hat Herr Dr. Passavent den Text, er hat
ihn aus der dritten in die erste Person transponiert,
wahrscheinlich auf Wunsch von Herrn Heumeister,
weil es zugkräftiger war. Herrn Dr. Passavent wird
das sicher nicht angenehm gewesen sein, deshalb
steht auf der Platte auch: Text nach William Blake.‹
›Und was ist daran gestohlen, an der Melodie meine
ich?‹
›Die Melodie ist keine Erfindung von Herrn Heumeister, das ist wahr, er hat sie nur gehört und auf-
geschrieben. Aber wenn niemand sich meldet und
beweisen kann, daß die Melodie sein Eigentum sei,
kann man eigentlich nicht von *gestohlen* reden. Und
es wird sich bestimmt niemand von denen melden,
deren Melodie es schon immer gewesen ist, das glaube ich sagen zu dürfen. Ich habe ja nur den Auftrag
erhalten nachzuforschen, wieso Herr Heumeister
überhaupt an die Melodie herangekommen ist, darum bin ich nach Hamburg gekommen, und ich dachte, daß man Sie deswegen geschickt hätte, damit ich
Ihnen das Ergebnis berichte. Ich habe darauf gewartet, daß man jemanden schickt. Es war gar nicht so
schwer herauszufinden, das heißt ohne Herrn Dr.
Passavent wäre es mir wohl nicht gelungen. Herr
Heumeister hat nämlich die Melodie von einem alten Gärtner gehört und hat sie sich gleich aufge-
schrieben. Das ist ja sein Beruf, er liefert dem Rundfunk die Musik, wenn welche für ein Hör- oder
Fernsehspiel gebraucht wird. Er nimmt dazu alte
Musik, die ja die meisten Leute sowieso nicht kennen,

von Pachelbel oder Vivaldi und auch von Bach und Mozart und wie sie alle heißen und wie sie sich gerade für das Stück, das sie im Rundfunk geben, eignet. Er ist sehr geschickt darin und braucht nicht selber etwas zu erfinden. Und ich glaube auch, daß sehr viel Musik für diesen Zweck gebraucht wird. Er sagte, früher sei es auch nicht anders gewesen, man hätte es nicht so genau damit genommen, und das mag ja sein, ich verstehe nichts davon. Nur von der Melodie, zu der Herr Dr. Passavent den Text vorschlug, behauptete er, daß sie seine Erfindung sei, darüber ließ er nicht mit sich reden. Aber er log, das merkte ich gleich, so etwas merkt man. Er log sehr geschickt, aber trotzdem. Doch ich sagte nichts. Es waren ja auch noch andre Leute da, die ihm alles glaubten. Auf dem Sofa lag eine Rothaarige und war schon etwas betrunken. Darum sagte ich nichts, ich verabschiedete mich und fuhr am nächsten Morgen nach Hamburg.

Das mit der Melodie und woher er sie hat, ist ganz einfach. Ich habe es nicht von Herrn Dr. Passavent, obwohl er es natürlich wußte, aber er wollte wohl Herrn Heumeister nicht schaden, deshalb machte er sich über mich lustig, wenn ich ihn danach fragte. Ich habe es von seiner Tochter, von Frau Passavent, und auch sie sprach erst davon, als beinahe das Unglück mit der Tochter des Gärtners passiert wäre. Herr Sprieder war dabei, als Frau Passavent es mir erzählte. Sie war wütend. Und damit ein für allemal Schluß, sagte sie, ich will nie wieder etwas davon hören. Sie war wütend wegen des Unglücks der Gärtnerstochter. Ich sei schuld daran mit meiner dummen Nachfragerei.

Sie wohnte nämlich in dem halben Jahr, als sie mit Herrn Heumeister verheiratet war, in Ohlsdorf, das

Haus lag mit der Hinterfront direkt am Friedhofsgitter. Und unten hatte sich ein alter Friedhofsgärtner während der Mittagspause oder um sich auszuruhen, denn er muß schon sehr krank gewesen sein, auf einen der Grabsteine gesetzt und summte oder sang die Melodie leise vor sich hin. Das ist alles, und Frau Passavent lügt bestimmt nicht. Sie hat nämlich die Melodie auch von der Küche aus gehört, darum weiß sie Bescheid, aber sie behielt es für sich, sie hat nie etwas davon verraten, daß sie die Melodie kannte, als ihr Mann sie dann etwas zurecht gestutzt hatte und sie als seine Erfindung ausgab. Ich hatte es längst aufgegeben, mich über die Schwindeleien meines Mannes aufzuregen, sagte sie. Nicht einmal ihrem Vater hat sie es verraten, sie war zu verärgert über ihren Mann und wollte nichts mehr davon wissen. Auch daß ihr Vater dann den Text von William Blake vorschlug, als Herr Heumeister ihm die Melodie vorspielte, war ihr gleichgültig. Ja, das ist alles. So ist es zu der Platte gekommen.‹

›Gibt es sie denn noch zu kaufen?‹

›Warum denn nicht? Sie liegt in allen Schaufenstern von den Musikalienhandlungen der ganzen Welt herum. Wußten Sie das denn nicht?‹

›Woher sollte ich das wissen?‹

›Ja, kennen Sie die Melodie denn nicht?‹

›Woher soll ich sie denn kennen?‹

›Aber wie wollen Sie einen Film daraus machen, wenn Sie die Melodie nicht kennen?‹

Was sagen Sie nun? Ich stand dumm da, ja wirklich, ich war der Dumme. Da glaubt man einen zugkräftigen Titel zu haben, mit dem sich etwas anfangen läßt, und dabei gibt es die Melodie bereits und Hinz und Kunz können sie kaufen. Doch der allergrößte Witz ist, daß ich die Melodie längst kannte, sogar bis zum Überdruß. Ich hatte sie bei irgendwelchen Mädchen oder auf Gesellschaften gehört, auf sogenannten Atelierfesten, denn die Mädchen waren ganz wild auf die Platte und die Melodie, aber was ging mich das an und wie sollte ich ahnen, daß es sich um diese Melodie handelte, als Sprieder davon sprach, dieser mundfaule Kerl. Aber eins müssen Sie zugeben, das ist wenigstens ein Trost: die Szene, wie dieser Heumeister da oben an seinem Tisch beim offenen Fenster sitzt und die Ohren spitzt und unten hockt der alte Gärtner auf dem Grabstein und summt die Melodie vor sich hin, und am Küchenfenster nebenan horcht die junge Frau, die sollten Sie sich für Ihren Film nicht entgehen lassen, darin steckt alles, was man sich nur wünschen kann. Auch wenn es sich bei Ihrem Film im Grunde gar nicht um diesen Heumeister handelt.

Er muß übrigens ein verteufelter Kerl gewesen sein. Das heißt, vielleicht lebt er ja noch, seien Sie darum lieber vorsichtig. Ein Kerl mit Fingerspitzengefühl, einer der spürte, was in der Luft lag. Die Leute hatten nämlich damals, sicher erinnern Sie sich noch, die Jazz- und Beat-Musik satt, all den Krach, der zwanzig Jahre lang Mode gewesen war, und sehnten sich nach Romantik und Sentimentalitäten, nur daß niemand es zugab. Und da kommt dieser Heumeister als erster mit seiner Melodie — woher er sie hat, ist völlig nebensächlich — und schöpft den Rahm von der Milch. Das ist genial, wenn Sie mich fragen. Die Mädchen fingen an zu heulen, wenn sie die Platte hörten. Und dazu läßt er das Lied noch von dieser Lilly Warnholtz mit ihrer tiefen Altstimme singen. Ist Ihnen der Name noch ein Begriff? Das Frauenzimmer war damals eine bekannte Chansonnette. Keine Ahnung, was aus ihr geworden ist. Wenn die

Person da sang: ›Geh hin und liebe!‹ und auch auf Englisch sang sie es: ›Go love!‹ und so weiter, dann blieb kein Auge trocken, ich habe das x-mal miterlebt. Die Platte heißt ja auch so, einfach ›Geh hin und liebe!‹. Das ist nicht zu überbieten. Ich halte mich für einen erfahrenen Werbefachmann, aber das ist mit einem Wort genial. Ich habe mir schon überlegt, ob sich der Slogan nicht gelegentlich brauchen läßt, für ein Brautausstattungsgeschäft zum Beispiel. Oder für ein Nachthemd. Nein, für ein Nachthemd ist es zu deutlich. Na, wir werden mal sehen.

Die Platte werden Sie sicher leicht in irgendeinem Archiv auftreiben können, denn vermutlich wird sie nicht mehr gehen, die Moden ändern sich ja rasch. Ich müßte meine Frau fragen, denn mir fehlt die Zeit, mich auch noch um Musik zu kümmern. Und die Plattenhersteller haben ihre eigenen Werbemethoden. Die Urheberrechte werden vermutlich bei der Firma liegen, so daß Sie sich nicht mit diesem Heumeister herumzuschlagen brauchen, wenn Sie die Melodie für den Film benutzen. Er soll ein kleiner Kerl sein, der aus der Hüfte hinkte, solche Leute sind meistens gerissen. Der Text braucht Ihnen ja keine Sorgen zu machen, er stammt ja von dem alten Engländer, diesem William Blake, wie er hieß. Sie kennen den Mann? Na ja, Sie sind ja Schriftsteller. Doch ihr Geschäft haben die damals vor einem Jahrhundert schon verstanden, diese alten Engländer, das muß ihnen der Neid lassen. Dies ›Geh hin und liebe!‹ will mir einfach nicht aus dem Kopf, das ist ein einmaliger Treffer. Auch für eine Zigarettenreklame, das wäre noch richtiger als für eine Brautausstattung. Etwa so: zwei hübsche Mädchen sitzen da irgendwo zusammen, am Meer oder in den Alpen oder auf einem Balkon mit Blumenkästen und die eine

macht ein trauriges Gesicht. Nicht allzu traurig, das
darf nicht sein, doch immerhin, das Haar fällt ihr ins
Gesicht oder sie trommelt mit den Fingern auf dem
Tisch, so daß man merkt, sie hat ihre kleinen Sorgen.
Und das andre Mädchen schiebt ihr die Zigaretten-
packung hin. Und darüber nichts als ›Geh hin und
liebe!‹. Was sagen Sie dazu? Ist das nicht ein kleiner
Roman für sich?
Doch entschuldigen Sie, das interessiert Sie ja nicht.
Über eine gute Idee komme ich außer Rand und
Band, eine dumme Angewohnheit, meine Frau wirft
mir das auch immer vor. Für Ihren Film kommt
höchstens in Frage, daß wir längst nicht mehr am
Fenster standen und die blöde Brandmauer und die
Alte da gegenüber bestaunten, gottlob, das hatten
wir hinter uns. Der Andre hatte endlich irgendeine
Lampe, die auf dem Tisch stand, angedreht, auch aus
seiner Kochnische, wo er Kaffee für uns kochte, kam
Licht, so daß man genug sehen konnte. Mich hatte
er an den Tisch gesetzt und mir die Ephemeriden
von seinem Mister Ich hingeschoben. Ich tat so, als
ob ich darin herumblätterte, aber was ging mich die
alberne Klugschnackerei an, ich hörte lieber hin, was
der Andre mir erzählte, während er mit dem Wasserkessel und dem Kaffeefilter herumhantierte. Ich
glaubte, er sprach über die Pensionierten.

VI

Mit den Pensionierten brauchen wir uns nicht lange
aufzuhalten, irgendwelche Müller, Meier, Schulze
oder Schmidt, du lieber Himmel, die Welt ist voll
davon, wenn wir so weitermachen, wird es bald überhaupt nur noch Pensionierte geben, was soll man bloß

mit ihnen anfangen, das ist ein Problem für sich. Und wo bleiben wir freien Unternehmer, frage ich Sie? Für Ihr Drehbuch werden Sie nur drei davon brauchen, als Statisten. Es wird nicht einmal nötig sein, sie reden zu lassen, so ein allgemeines Geräusch von ihrem Gesabber genügt meiner Meinung nach. Ein ganz farbloses Volk, wenn Sie verstehen, was ich damit meine. Sie sind nur als Staffage nötig, weil der alte Passavent jeden Vormittag eine Stunde oder so mit ihnen in dem kleinen Café in der Gerhofstraße zusammensaß. Sie sollen sogar einen Kranz zu seiner Beerdigung geschickt haben. Na, schließlich war er ja auch pensioniert, wenn auch vor der Zeit und gesundheitshalber, wie behauptet wurde, aber davon wußten die andern Pensionierten vermutlich nichts.

Mit einem Wort: Statisten. Das heißt so einfach war es nun auch wieder nicht. Nichts war einfach, daran müssen Sie sich leider gewöhnen. Eben glaubt man, eine Tatsache in der Hand zu haben, und schon wird sie einem wieder entrissen und alles ist zweifelhaft. Wie gesagt, statt in den albernen Ephemeriden zu blättern, sah ich mich lieber im Zimmer um und stellte dem Andren allerhand Fragen, während er da in dem Verschlag den Kaffee aufgoß. Kochnische wäre ein viel zu großartiger Ausdruck für den Verschlag. Nicht daß er mundfaul war wie der Sprieder, keineswegs, ein gefälliger Mensch, da läßt sich nichts sagen, nur daß jedesmal, wenn man um eine Auskunft bat, etwas völlig andres dabei herauskam, als sich vernünftigerweise erwarten ließ.

Um Ihnen das an einem einzigen Beispiel zu demonstrieren, denn wir wollen uns nicht länger als nötig mit dem Unsinn aufhalten: Da wurde im Laufe des Gesprächs doch schlankweg behauptet, der alte Passavent sei gar nicht pensioniert gewesen, hören Sie sich das nur an. Er soll zu dem Andren lachend gesagt haben: Wer soll mir denn eine Pension zahlen, ich bin ja nie pensionsberechtigt gewesen. Eine Pensionsberechtigung habe nur Mister Ich gehabt, und der alte Passavent fühlte sich sogar etwas schuldig, weil sein geliebter Mister Ich nicht die volle Pension erhielt. Das muß irgendwie mit der Geschichte mit Pascal zusammenhängen.

Schön, der Alte war ein Witzbold, man könnte das als einen faulen Witz hingehen lassen, aber warten Sie nur ab, es kommt noch viel schlimmer. Denn später, das heißt im Laufe der Nacht, wurde einem so ganz nebenbei und wie etwas Selbstverständliches erzählt, daß die Frau, die da in Davis Bridge spielt, schon längst nicht mehr die Frau des alten Passavent gewesen sei, schon viele Jahre nicht mehr, und das, obwohl doch seine Tochter Olivia handgreiflich in Hamburg herumlief und sogar seine Gardinen wusch. Die Bridgespielerin sei damals schon längst mit Mister Ich verheiratet gewesen und sie hätten ja auch das andre Mädchen, diese Hattie, in die Welt gesetzt.

Man macht sich lächerlich, so etwas weiterzuerzählen. So wie Sie mich hier jetzt vor sich sehen, würden Sie natürlich erwartet haben, daß ich aufgestanden wäre und den Andren angeschrien hätte: Machen Sie Schluß mit dem Blödsinn! Kommen Sie endlich zur Sache. Aber diese seine tonlose Stimme, mit der er sprach, wirkte wie einschläfernd und machte einen ganz wehrlos.

Und dazu das Zimmer! Das Zimmer ist wenigstens Tatsache, es gehört unbedingt in Ihr Drehbuch, um zu zeigen, wie diese Leute hausten. Ich fragte den Andren erschrocken: ›Und so hat der alte Passavent hier gelebt?‹ Der Andre begriff meine Frage nicht einmal und sah sich seinerseits verwundert im Zimmer um. Es habe noch ein alter Sekretär da an der einen Wand gestanden, sagte er, aber den hätte Frau Passavent zu sich schaffen lassen, weil er antik war.

›Die Koffer da in der Ecke sind von mir. Meine Schwiegermutter hat sie mir geschickt. Es ist Bettwäsche darin und Tischtücher und solche Sachen. Ich hatte sie gebeten, den Hausstand aufzulösen und alles zu verkaufen, was sie nicht selber brauchen konnte, und das Geld dafür sollte sie auch behalten, denn ich habe ja hier mein Gehalt in der Bibliothek, und schließlich waren es ja die Sachen ihrer Tochter, auch wenn sie ihre Tochter nicht leiden konnte. Nur um etwas Bettwäsche hatte ich gebeten, als ich hier in dies Zimmer ziehen durfte, nur einmal zum Wechseln, das genügt, und statt dessen schickt sie mir da einen ganzen Koffer voll, sogar Servietten sind dabei und Badetücher und mehr solches unpraktisches Zeug. Was soll ich nur damit anfangen? Ich habe nie geahnt, daß wir so viel Wäsche hatten, es war doch nur eine Zweieinhalb-Zimmer-Wohnung. Gegen Küchenhandtücher will ich nichts sagen, sie werden schnell dreckig, aber was soll ich mit Servietten? Sogar ein gesticktes Tischtuch oder so ein Ding mit Spitzen ist darunter, es hat sicher viel Geld gekostet. Und dabei sagt man — ich habe eine Kollegin in der Staatsbibliothek gefragt —, daß die Wäsche vom langen Liegen Flecke bekommen kann, wenn man nicht aufpaßt. Wie soll ich denn aufpassen? Dabei fällt mir ein — ich weiß nicht, ob ich Ihnen das anbieten darf, bitte nehmen Sie es mir nicht übel —, wenn Sie zufällig etwas davon brauchen können, bitte, ich will nichts dafür haben, denken Sie das nicht, doch wenn Sie wollen, können wir die Sachen ja gleich einmal durchsehen. Wo habe ich den Kofferschlüssel?

Ich hatte Mühe, ihn davon abzubringen. Ich versicherte ihm, daß ich auch keine Verwendung für Servietten und Tischtücher hätte und bedankte mich so höflich, wie es mir möglich war, für sein liebenswürdiges Angebot; er war sogar etwas enttäuscht. Das wäre ja noch schöner gewesen, daß ich mir von jemand, den ich kaum eine halbe Stunde kannte, Servietten schenken ließ.

Dagegen lag es mir auf der Zunge, da er von seiner Schwiegermutter und deren Tochter redete, ihn nach dieser Tochter zu fragen, die doch offenbar seine Frau war, und warum sie denn die Wäsche nicht mehr brauche. Doch ich verkniff es mir, es wäre taktlos gewesen, und außerdem interessierte mich die Frau und ihre Wäsche ja gar nicht. Im Laufe der Nacht erfuhr ich dann, daß die Frau tot wäre, sie ist in der Badewanne ertrunken. Wie bitte? Ja, sage und schreibe in der Badewanne, auch Sprieder erwähnte das, als ich nachher über den Fall mit ihm sprach. Da bleibt einem wirklich der Verstand stehen. Eine normale Frau fällt beim Fensterputzen auf die Straße oder sie nimmt zuviel Schlafmittel, das mag traurig sein, aber es hat doch seine Ordnung. Doch in der Badewanne? Die Chance ist eins zu einer Million, daß jemand in der Badewanne ertrinkt, das Risiko braucht man nicht versichern zu lassen, das wäre rausgeschmissenes Geld. Aber bei denen da muß es ausgerechnet eine Badewanne sein, alles andre war ihnen wohl zu ordinär. Und möglicherweise hat die Person ja auch Rauschgift genommen oder sonst irgendwelche Mittel. Es müssen sicher noch Polizeiakten über den Fall existieren, in Düsseldorf vermutlich, doch es kann auch eine andre Stadt da in der Gegend gewesen sein, da könnten Sie zur Not nachforschen. Bei der Gelegenheit würde auch der Name des jungen Mannes wieder auftauchen. Auftauchen ist gut! Ich meine natürlich nicht aus der Badewanne. Aber glauben Sie nur ja nicht, daß schlicht und deutlich von Selbstmord geredet wurde. Diese Leute, der Andre und soweit ich mir ein Bild von ihm machen kann auch der alte Passavent, hatten die fatale Angewohnheit, um den Brei herumzureden, eine Art Vernebelungstaktik. Sie redeten lieber von Weggehen, Selbstmord genügte ihnen wohl nicht.

Trotzdem gehört diese Person in ihrer Badewanne zu Ihrem Thema, zur Melodie meine ich, ganz um sie herumkommen werden Sie nicht, höchstens eine andre Todesart könnte man erwägen, denn die Badewanne ist doch gar zu unglaubhaft. An Schauspielerinnen, die sich zur Abwechslung auch gern einmal nackt zeigen, dürfte allerdings kein Mangel sein, und wenn es durchaus sein muß, kann man sie ja auch mit etwas Seifenschaum bekleiden. Aber das braucht uns jetzt nicht zu beunruhigen, das hat Zeit.

Wo war ich stehengeblieben? Ach so, bei dem Zimmer, verzeihen Sie. Na, in Ihrem Film braucht sich der Regisseur wegen des Zimmers nicht in große Unkosten zu stürzen. Zimmer ist schon zuviel gesagt, ein großer langgestreckter Raum, der einem völlig leer vorkam, denn die paar Möbel füllten ihn nicht aus. Nicht ein einziger gemütlicher Sessel, nur zwei oder drei Stühle, schon mehr Küchenstühle, auf dem einen lag ein plattgedrücktes Sitzkissen, der Andre überließ es höflicherweise mir, denn höflich war er nun einmal. Nicht ein Teppich, nur die nackten abgetretenen Dielen, höchstens ein Bettvorleger, das kann sein, doch das wäre auch das höchste der Gefühle. Und hinten ganz in die Ecke geklemmt ein schmales Metallbett, so eines zum Hochklappen, wissen Sie, doch vielleicht ließ es sich schon nicht mehr hochklappen, das kann sein, jedenfalls ein ganz gewöhnliches Ding. Und auf dem Holzrahmen, in den man so ein Bett hochklappt, auf dem Bord des Holzrahmens stand nichts als ein Wecker. Das Ticken des Weckers und dann noch das Gestöhne des Kühlschranks waren die einzigen Geräusche. Man hätte es bestimmt gehört, wenn draußen jemand die Treppe heraufgekommen wäre, Sprieder zum Beispiel auf der Bodenstiege zu seiner Werkstatt. Ich horchte auch die ganze Zeit hin, denn nichts wäre mir lieber gewesen, als von Sprieder aus dieser unmöglichen Situation erlöst zu werden. Doch nichts zu machen, kein Sprieder. Vielleicht schlief er bei seiner Olivia, diese Intimitäten gehen uns nichts an. Sie hatte eine Wohnung im Nonnenstieg, so eine Straße gibt es tatsächlich in Hamburg, obwohl sie da nicht katholisch sind. Na, sollen sie von mir aus zusammen schlafen, so viel sie Lust haben, das hat nichts mit Ihrem Drehbuch zu tun.

Ja und was sonst noch? Über dem Bett lag eine gelbe Überdecke, fein säuberlich zurecht gezogen, alles was recht ist. Ob die Überdecke schon dem alten Passavent gehört hatte oder ob sie aus dem Wäschekoffer der Schwiegermutter stammte, kann ich Ihnen nicht verraten. Und neben dem Bett als eine Art Nachttisch ein ganz gewöhnliches Aktenbort, in dem die Schuhe des Andren standen, schön ordentlich aufgereiht. Doch wozu das alles aufzählen, es lohnt sich nicht. Sicher stand auch noch irgendwo ein Kleiderschrank, ja, an eine Art Dienstmädchen-Kommode kann ich mich erinnern. Ich will Ihnen ja nur eine Vorstellung von der Leere des Zimmers geben. Nicht die Spur einer persönlichen Note, wie man es nennt.

Ein Wunder, daß überhaupt Tüllgardinen vor den Fenstern hingen, denn zu dem Ganzen hätten eigentlich kahle Fenster besser gepaßt.

Und dann der Tisch, an dem wir saßen. Er stand quer zum Fenster, aber etwas so Schäbiges kann man sich nicht ausdenken. Ein Ausziehtisch mit einem widerlichen gelben Firnis und lauter Flecke und weiße Kringel darauf von den heißen Tassen. Nein, vielen Dank! Nicht einmal als Bürotisch für einen kleinen Kontorboten zu benutzen. Den Koffer mit der Wäsche habe ich schon erwähnt, ein altmodischer Rohrplattenkoffer, die brave Schwiegermutter muß ihn in ihrem Keller gefunden haben. Und obendrauf noch andre Handkoffer und Taschen, das stand da alles einfach so herum. Halt, beinahe hätte ich das wichtigste vergessen: an die Wand gelehnt als besonderer Zimmerschmuck stand eine riesige Trittleiter, doch nicht etwa eine aus Leichtmetall, sondern so ein Monstrum aus Holz, an dem man sich totschleppen kann. Die Trittleiter gehört unbedingt in Ihr Drehbuch, wegen der Gardinen.

Doch was Sie als Schriftsteller mehr interessieren wird als die paar schäbigen Möbel, denn selbst mir fiel es auf: nicht ein einziges Buch, stellen Sie sich das vor, auch keine Zeitschrift oder dergleichen. Sagt Ihnen das etwas? Nun gut, der Andre war Fotograf und las vielleicht nicht viel, obendrein hatte er in seiner Staatsbibliothek ja genug mit Büchern zu tun. Aber der alte Passavent hatte doch schließlich seinen Doktor gemacht. Und es ist nicht etwa so, ich habe mich erkundigt, daß die Tochter die Bücher ihres Vaters nach seinem Tode mitgenommen hat, nein, auch vorher soll es da keine Bücher gegeben haben. Ich bitte Sie, womit beschäftigen sich denn diese Leute, wenn sie allein sind? Von einem Radio oder Fernsehapparat rede ich gar nicht erst. Und nicht ein einziges Bild an der Wand, nicht einmal eine kleine Fotografie. Überall nur die nackte Wand und der Verputz hier und da abgesprungen. Zählte der Alte vielleicht die Flecke und Risse wie er die Wandhaken draußen an der Brandmauer zählte? Ein feiner Ersatz für Lesen und für Bilder, das muß man schon sagen. Hätte es denn nicht nahegelegen, daß Sprieder, der nebenan über und über genug Bilder und Blätter herumliegen hatte und mit dem der Alte doch täglich zusammenkam, ihm das eine oder andre Bild überlassen hätte, wenn auch nur leihweise? Aber klar, Sprieder malte ja nur Häuser und Fenster, und wenn der Alte Häuser und Fenster sehen wollte, brauchte er nur an sein Fenster zu treten, da hatte er sie aus erster Hand. Statt dessen lehnte die Trittleiter von anno Krug als einzige Dekoration an der Wand, es ist nicht zu fassen. Geradezu unheimlich, wenn Sie mich fragen.

›Und hier also hat der alte Passavent die ganze Zeit gewohnt?‹ fragte ich den Andren denn auch.

›Nur drei Jahre ungefähr, nachdem er nach Hamburg gezogen war.‹

›Und immer so? Ich meine, immer mit diesen Möbeln?‹

›Die Möbel hat Herr Dr. Passavent aus Frankfurt mitgebracht, er hat sie da schon in seinem Zimmer gehabt. Auch den antiken Sekretär, den Frau Passavent bei sich untergestellt hat. Den muß ihr Vater schon vorher gehabt haben, als sie noch alle in Rödelheim wohnten. Der Sekretär stammt aus dem Elternhaus von Herrn Dr. Passavent, deshalb. Doch alles andre hat mir Frau Passavent freundlicherweise überlassen, ich bin ihr sehr dankbar dafür, ich hatte ja nichts. Auch die Kaffeetassen. Ihre Untertasse ist etwas angestoßen, entschuldigen Sie. Auch das bißchen Küchengeschirr, den Wasserkessel und die Bratpfanne für die Kartoffelpuffer.‹

›Für was?‹

›Herr Dr. Passavent kaufte sich oft Kartoffelpuffer in der Büschstraße, das war das einfachste. Dort habe ich ihn ja auch kennengelernt. Das heißt, er erkannte mich sofort, ich war sehr verwundert. Er sagte: Du bist nicht schwer zu erkennen, Enkel, das muß anders werden. Aber die Kartoffelpuffer waren manchmal schon abgekühlt trotz der fettdichten Tüte, dann machte er sie wieder warm in der Bratpfanne. Er aß Apfelmus dazu, es stand immer ein Glas da im Kühlschrank. Da drüben in der kleinen Straße, in der wo das Kino ist — ich bin zu kurz in Hamburg, ich habe die Straßennamen noch nicht fest im Kopf — da ist im Keller ein gutes Gemüsegeschäft, wo Herr Dr. Passavent das Apfelmus kaufte. Ich selber esse ja mittags in der Mensa, das sind nur ein paar Schritte von der Bibliothek, darum kann ich Ihnen leider nichts anbieten.‹

Kartoffelpuffer! Haben Sie Worte? Man fragt nach Möbeln und statt dessen bekommt man etwas von Kartoffelpuffern und Apfelmus zu hören.

›Er hatte wohl nicht viel Geld?‹ fragte ich.

›Geld? Aber was braucht man denn viel? Für die Miete, ja, und für die Wäscherei und für Zigaretten. Auch für die Beerdigung hat Herr Dr. Passavent vorgesorgt, damit seine Tochter keine Unkosten davon hätte. Ein Teil seiner Pension, ich weiß natürlich nicht wieviel, aber Herr Dr. Passavent war sehr großzügig, ging schon immer an die alte Frau Passavent nach Davis, das war wohl so vereinbart, und auch jetzt bekommt sie die halbe Pension überwiesen, das hat die junge Frau Passavent alles geregelt. Ich habe zufällig den Luftpostbrief gelesen, Herr Sprieder gab ihn mir zum Lesen, den die Mutter ihrer Tochter geschrieben hatte. Die junge Frau Passavent war nämlich mittags bei Herrn Sprieder gewesen, hatte den Brief aus ihrer Handtasche geholt und ihm gezeigt. Und als er nur ›na ja‹ dazu sagte, hatte sie ihn ihm aus der Hand gerissen und zusammengeknüllt in die Abfallkiste geworfen, die da immer unter dem einen Zeichentisch steht. Nachher, als sie weg war, hatte er dann den Brief wieder herausgeholt und glattgestrichen. So kam es, daß er da herumlag, und daß er ihn mir zu lesen gab, damit ich Bescheid wüßte. Der Brief lautete: ›Meine liebe arme kleine Ollie!‹ Die Mutter nannte nämlich ihre Tochter immer Ollie, den Namen Olivia mochte sie nicht. Sie hatte sie Ute nennen wollen, das war Mode, als das Kind geboren wurde, aber Ute hätte ja nie zu der jungen Frau Passavent gepaßt, deshalb nannte ihr Vater sie Olivia, und dabei blieb es. Der Brief lautete:

›Meine liebe arme kleine Ollie! Wir alle hier denken an Dich und wie einsam Du Dich jetzt fühlen mußt. Erst das Pech mit Deinem Mann und nun hat Dein Vater Dich auch noch verlassen. Es rührt uns sehr, wie Du Dich in den letzten Jahren um ihn gekümmert hast, denn er wird es Dir kaum gedankt haben, so wie ich ihn kenne. Doch jetzt, wo er tot ist, wollen wir nicht mehr darüber reden, was er mir und Euch Kindern angetan hat. Er war eben ein unglücklicher Mensch und der Tod ist eine Erlösung für ihn, so mußt auch Du es sehen. Und wenn Du Dich jetzt gar zu einsam fühlen solltest, so laß doch alles stehen und liegen und fliege für einige Zeit zu uns herüber. Du brauchst nur zu kabeln, dann machen wir ein

Zimmer für Dich frei. Du wirst Deine Freude an Hatties Kindern haben und wie groß sie inzwischen geworden sind. Ich danke Dir auch, daß Du die Pensionsangelegenheit gleich geregelt hast. Es ist ja nicht viel, aber daran ist Dein bedauernswerter Vater schuld. Trotzdem kann ich das Geld gut gebrauchen, denn das Leben wird hier immer teurer. Telegrafiere uns also rechtzeitig. Ich sehne mich schon danach, Dich einmal wieder in meine Arme schließen zu dürfen. Deine Dich liebende Mutter.‹

Die alte Dame da drüben hatte nämlich inzwischen blaue Haare bekommen, das soll in Kalifornien so Sitte sein, sonst zählt man nicht. Und oben auf den blauen Haaren eine ganze Menge Blumen, künstliche natürlich, denn einen Hut braucht man da in dem Klima wohl nicht. Der jungen Frau Passavent hat es dort gar nicht gefallen. Sie ist vor zwei oder drei Jahren einmal hinübergeflogen, trotz der hohen Kosten, sie wollte ihre Mutter gern einmal wiedersehen, aber sie ist gleich wieder zurückgeflogen, nach ein paar Tagen schon. Weil sie ihr Geschäft nicht im Stich lassen könne, sagte sie, um ihre Mutter nicht zu kränken. Herr Sprieder hat mir das von den blauen Haaren erzählt, er ist ja Maler und Farben interessieren ihn, doch auch die Apfelbäume haben der jungen Frau Passavent so leid getan, daß sie es da nicht länger aushalten konnte. Herr Sprieder fragte sie, warum sie denn nicht Bridge spielen gelernt habe, aber das sagte er nur, um sie zu ärgern. Man fliegt nämlich nur bis San Francisco, da wird man mit dem Wagen abgeholt und muß noch eine Stunde bis Davis fahren, durch lauter Hügel mit Apfelbäumen. Die stehen da in Reih und Glied wie auf dem Kasernenhof und werden bespritzt. Jedenfalls flog die junge

Frau Passavent gleich wieder zurück, so wenig gefiel
es ihr. Nur den Mann ihrer Schwester Hattie mochte
sie ganz gern, aber er war wenig zu Haus. Er ist Ro-
manist, ein Professor für Französisch und Spanisch
da an der Universität, oder auch für Italienisch. Sie
nennen ihn Pinky, weil er etwas rötliches Haar hat.
Ich habe mich natürlich gewundert, wie man von
Rödelheim nach Davis kommt, wovon doch vorher
nie ein Mensch etwas gehört hat, doch Herr Sprieder
hat es mir erklärt. Der junge Professor, den sie Pinky
nennen, hatte an der Frankfurter Universität etwas
zu tun, eine Gastdozentur oder so ähnlich und bei
der Gelegenheit lernte er die jüngere Schwester kennen und heiratete sie. Auf diese Weise kam es zu Davis, und die Mutter zog dann auch dahin, nachdem
sie die Erbschaft von Tante Henriette gemacht
hatte.‹
Haben Sie genug von Davis? Ich schon lange. Und
auch von den blauen Haaren und den Apfelbäumen.
Können Sie etwa die Apfelbäume für Ihr Drehbuch
brauchen? Na, ich wüßte auch nicht wie. Dann schon
eher die Kartoffelpuffer. Natürlich roch es da im Zimmer, wenn der Alte seine Kartoffelpuffer in der Pfanne warm machte. Diese Olivia soll jedesmal die Nase
gerümpft haben, wenn sie ins Zimmer kam. Wie
riecht das hier nach altem Mann. Eine Schande, so
alt bist du doch gar nicht, Vater. Oder so ähnlich.
Das Zimmer habe ich Ihnen ja zu schildern versucht,
genug davon, denn was gab es da schon zu schildern.
Ich machte den Fehler und fragte den Andren: ›Wie
hat er das nur ausgehalten?‹ Er verstand meine Frage
nicht einmal und sah sich erstaunt in seinem Zimmer
um, als ob er es zum erstenmal sähe. ›Aber es ist
doch alles da, was einer braucht. Darf ich Ihnen noch
eine Tasse einschenken?‹ Der Kaffee war stark, das

muß anerkannt werden, nicht das braune Hotelwasser, das einem überall vorgesetzt wird.

Halten wir uns lieber an die Melodie, sonst sind wir in hundert Jahren noch nicht einen Schritt weiter und die Hattie da in Davis, die uns überhaupt nichts angeht, kriegt inzwischen noch mehr Kinder. Die Kartoffelpuffer sind auch nur wegen des Ladens in der Büschstraße wichtig, wo sich der Alte und der Andre zum erstenmal getroffen hatten. Der Alte machte dem Andren auch sofort weis, um ihn zu trösten, daß nicht er es gewesen sei, der da in dem kleinen Café in der Gerhofstraße bei den Pensionierten gesessen und braunes Hotelwasser getrunken hätte, das sei Mister Ich gewesen, der nach Haus gerast sei, um etwas in seine Ephemeriden zu schreiben. Ein Witzbold, der Alte, und der größte Witz ist, daß der Andre ihm das abnahm.

Es hieß, daß Mister Ich sich auf diese Weise das Zeitunglesen erspare, denn die Pensionierten wurden jeden Morgen von ihren Frauen aus dem Haus gejagt und in die Stadt geschickt, damit sie beim Reinmachen der Wohnung nicht im Wege waren. Auf der Fahrt in die Stadt hatten sie dann immer schon die Zeitung gelesen und wußten deshalb genau, worüber man reden mußte, über Vietnam oder Pakistan oder die Astronauten oder was sonst gerade los war. Die Zeitung findet ja immer etwas, worüber sich reden läßt, auch wenn zufällig kein Erdbeben war mit vielen Toten irgendwo in der Welt. Das alles hörte sich dann der alte Passavent an, oder wenn sie lieber wollen, dieser blöde Mister Ich, und gab seinen Senf dazu. Denn er war bei den Pensionierten eine Autorität, weil er studiert hatte. Alle Augenblicke hieß es: ›Was meinen Sie, Herr Doktor?‹ Und wenn der Alte dann sagte: ›Schon Trotzki hat gesagt . . .‹, dann regten sie sich alle über Trotzki auf, der doch schon vor langer Zeit umgebracht war, und auch die Frauen der Pensionierten regten sich mit auf, man hörte sie zueinander sagen: ›Ich sag' immer zu meinem Mann . . .‹ Das war alles, was man von ihnen hörte.

Die Frauen? Bitte, da sehen Sie selbst, daß ich beinahe für bare Münze nehme, was mir da alles erzählt wurde. Die Frauen saßen da selbstverständlich nicht mit herum, sie hatten Wichtigeres zu tun, Bettenmachen und Mittagessenkochen, das wäre ja noch schöner, wenn sie sich wegen irgendwelcher Überschwemmung oder Plastikbombe davon abbringen ließen. Sie schüttelten die Kopfkissen im Fenster aus und sagten nur: ›Ich sag' immer zu meinem Mann . . .‹ und gaben dem Kopfkissen einen letzten energischen Klaps. Und dieser Klaps und das ›Ich sag' immer zu meinem Mann . . .‹ sei jedesmal in dem kleinen Café zu hören gewesen, behauptete der Alte, dieser Witzbold. Sogar Sprieder amüsierte sich darüber. Sprieder hatte den Andren ja dorthin geschickt.

Das kleine Café ist ein Leckerbissen für Ihren Film. Überhaupt die Gerhofstraße, wie sie damals war, diese kleine Strecke von der Königstraße bis zum Gänsemarkt, alles abbruchreif und wie aus Versehen stehen geblieben. Wenn die Leute das im Kino sehen, werden sie denken, gibt es denn so was bei uns, so was gibt es doch nur in Paris. Einer der Pensionierten, wahrscheinlich war es der, der früher beim Thalia-Theater gewesen war, in der Buchhaltung oder in der kaufmännischen Verwaltung, obwohl er von den Schauspielern nur mit ihrem Vornamen sprach, um sich aufzuspielen, doch vielleicht war es auch einer der andern, der von der Gerhofstraße sagte: ›Das ist ein Stück Paris in Hamburg.‹ Wann wird der arme Schlucker schon in Paris gewesen sein? Auf seiner

Hochzeitsreise vielleicht. Na, lassen wir ihm das Vergnügen. Das kleine Café war jedoch tatsächlich schon damals ein Museumsstück. Ich bin selbst manchmal da gewesen, allerdings nie am Vormittag, wenn die Pensionierten dort herumhockten, sondern nachmittags mit einem Mädchen oder so. Der Kaffee war da übrigens gar nicht so schlecht. Darum kann ich mir gut ein Bild davon machen, wie dem Andren zumute war, als er das Lokal zum erstenmal betrat, um da nach dem alten Passavent zu suchen. Sprieder hatte ihm eine kleine Skizze mit den Straßen von den Kolonnaden bis zu dem Café gezeichnet, denn der Andre war ja erst ein paar Stunden in Hamburg. Vielleicht wäre auch ich wieder umgekehrt, wenn man mich dorthin geschickt hätte, um einen wildfremden Menschen zu treffen, und hätte mich auf der Straße umgesehen, ob es da nicht noch ein andres Café gäbe, denn dies da war schon gar zu unglaubhaft.

Außerdem konnte der Andre den Alten gar nicht so ohne weiteres sehen, dazu hätte er schon ganz durchgehen müssen. Denn vorne war gerade nur Platz für drei kleine Tische an der linken Wand und auf der andern Seite die Theke mit den Kuchen und Torten und dahinter die Frauen mit der Kaffeemaschine und natürlich viele Flaschen auf den Borden. Wenn man nicht Bescheid wußte, dachte man, das wäre alles, es war kaum genug Platz da für die Kunden. Hier ist nur ein Laden für Kuchen, dachte man, denn das Café begann erst dahinter, hinter einem schmalen Durchgang, der noch dazu mit einer Portiere drapiert war, und dahinter war es dunkel, wenn man von draußen kam, und man hielt es für einen Privatraum für die Verkäuferinnen. Da hatten die Pensionierten ihren Stammtisch und dunkel war es, weil auf den Tischen nur kleine Lampen brannten. Ich selber habe

da nie gesessen, ich saß immer einen Raum weiter,
der war etwas größer, auch mit Tischen und Bänken,
wie es sich gehört, und vor allem war es da heller.
Aber auch da ohne Fenster, nur künstliche Beleuchtung. Die Sofas mit Plüsch, alles so altmodisch wie
möglich, besonders die Tapete, die ist mir im Gedächtnis geblieben. Weinroter Damast, stellen Sie sich
das vor, wie in einem Salon aus dem letzten Jahrhundert. Natürlich kein wirklicher Damast, es sollte
nur so aussehen, und mittendurch an der Hinter-
wand ein großer Riß von oben bis unten noch aus der
Bombenzeit, wie es hieß. Den Riß würde ich an Ihrer
Stelle mit in den Film aufnehmen, der gehört beinahe zum Thema oder wenigstens zur Atmosphäre.
Dreißig Jahre lang hatte man sich nicht die Mühe
gemacht, den Riß zu flicken oder zu übermalen, das
lohnte wohl nicht, denn die ganze Gerhofstraße war
ja abbruchreif.
Und da hinten war auch die berühmte Tür zu den
Toiletten. An sich eine ganz gewöhnliche Tür, oben
mit einer Luftbremse, damit sie sich von selbst schloß,
wenn jemand vom Klo kam. Das dauerte immer ein
paar Sekunden und solange hörte man die Wasserspülung in den Toiletten rauschen. Ich bitte Sie Geduld zu haben, die lächerliche Klo-Tür gehört nämlich sozusagen zur Melodie. Der alte Passavent behauptete steif und fest, jedesmal wenn die Tür noch
etwas offenstand und die Wasserspülung rauschte,
hörte man die Frauen der Pensionierten, wie sie zueinander sprachen: ›Ich sag' immer zu meinem
Mann . . .‹, doch dann gab es einen Klick, weil die
Tür zuschnappte, und so erfuhr man nie, was sie zu
ihren Männern sagten. Ein Witzbold, dieser Alte. Die
Sache mit der Wasserspülung gefällt mir jedenfalls
als Idee besser als die langweilige Alte da an ihrem

Fenster oder die andre mit den blauen Haaren, die in Davis Bridge spielt.

An dem Vormittag, als Sprieder den Andren in das kleine Café schickte, hatte es nirgends einen neuen Krieg und nicht einmal einen anständigen Flugzeugabsturz gegeben, solche Tage gibt es, wo nichts passiert. Doch zum Glück für die Zeitung hatte sich doch noch etwas gefunden, eine dicke Schlagzeile: JUNGE FRAU VERKAUFT IHR BABY FÜR DM 158,50. Das Blatt muß sich wie warme Semmeln verkauft haben.

Und wie sich die Pensionierten darüber aufregten, obwohl es sie doch einen feuchten Dreck anging, verzeihen Sie. Ein paar hundert Tote bei einem Kinobrand und dergleichen, das läßt sich verstehen, jeder denkt, das kann mir auch passieren, doch die junge Frau da mit ihrem Baby? Die Pensionierten schlugen sogar mit der Faust auf den Tisch, daß die Tassen klirrten, und fragten den alten Passavent: ›Was sagen Sie dazu, Herr Doktor?‹ Da half natürlich kein Trotzki und kein Mao oder wer sonst. Der Alte hat nachher zu dem Andren gesagt, als er ihn mit auf sein Zimmer genommen hatte, um da mit ihm Kartoffelpuffer zu essen: ›Wir wollen mal nachsehen, was Mister Ich dazu zu sagen hat.‹ Der angebliche Mister Ich soll nämlich die Gewohnheit gehabt haben, sich alles gleich in seine Ephemeriden zu notieren, was er bei den Pensionierten gehört hatte. Nicht die Tatsachen, die in der Zeitung standen, sondern nur das, was er darüber dachte, so daß nur einer, der selber dabeigewesen war, bei dem Gerede der Pensionierten meine ich, herausfinden konnte, wovon eigentlich die Rede war. In diesem Falle soll nur ein einziges Wort dagestanden haben: *Substanzverlust?* Ja, mit Fragezeichen. Na, auch nur so ein Modewort damals. Der Alte machte sich darüber lustig. ›Komm, Enkel, essen

wir die Kartoffelpuffer wegen unsrer Substanz‹, soll
er gesagt haben.

Die Sache ist in Kiel passiert, das erinnere ich
noch, denn den Artikel hatte ich natürlich auch gelesen. Warum ausgerechnet in Kiel, wird sich jeder
fragen. Warum nicht in Ihrem Frankfurt? Oder in
München? Etwa weil in München die Leute katholisch sind und dort so etwas nicht passieren kann? Na,
das soll uns doch niemand erzählen. Jedenfalls würde ich Ihnen raten, irgendeine andre Stadt zu nehmen, wenn Sie die Szene überhaupt in Ihrem Film
verwenden wollen. Kiel liegt zu weit vom Schuß. Sonst
brauchen Sie für die Szene nur eine junge Frau, einen Kinderwagen mit Baby darin und dann vor allem das Kleid. Das Kleid ist das wichtigste, das hat
die ganze Aufregung der Pensionierten und ihrer
Frauen verursacht.

Das Kleid kostet nämlich DM 158,50, in solchen Kleinigkeiten lügen die Zeitungen nicht, das können sie
sich nicht leisten, da es sich kontrollieren läßt. Die
fünfzig Pfennig machen die Sache erst glaubhaft.
Man kann sich ein Bild davon machen, wie das Kleid
aussieht, jede Frau weiß sofort Bescheid. Das Kleid
liegt da im Schaufenster, mit dem Preisschild daran,
und der jungen Frau gefällt es, sie möchte es gern
haben. Das ist alles klar, sie bleibt lange vor dem
Schaufenster stehen, aber sie hat die DM 158,50
nicht. Was macht man da?

Die junge Frau ist nicht auf den Kopf gefallen, sie
weiß sich zu helfen. Sie nimmt ihr Baby und legt es
in den Kinderwagen. Dem Baby ist das gleich, es ist
noch keine sechs Monate alt, sagt die Zeitung, aber
was sie nicht sagt, ob es ein Junge oder ein Mädchen
ist, kein Reporter hat sich die Mühe gemacht nachzusehen, eine grobe Unterlassung. Die junge Frau

hat nicht weit zu gehen, sie schiebt den Kinderwagen nur über den Treppenflur zur Nachbarwohnung auf derselben Etage und klingelt da und wartet. Auch das Baby wartet. Gott sei Dank ist die Nachbarin zu Hause, sie kommt aus ihrer Küche und als sie die Tür öffnet, sagt die junge Frau: ›Sie wollen doch immer gern ein Kind haben, liebe Frau, und sagen, Sie können keins kriegen. Hier bringe ich Ihnen mein Baby und den Kinderwagen können Sie als Zugabe haben, wenn Sie mir DM 158,50 für das Baby bezahlen. Das ist doch nicht zuviel? Aber es müssen DM 158,50 sein, nicht ein Pfennig weniger, denn so viel kostet das Kleid.‹

Die Nachbarin findet es nicht zu teuer, sie hat nur Angst, nicht genügend Geld im Haus zu haben und läuft gleich in die Küche, um nachzusehen. Sie hebt ihr Geld in einer Blechbüchse hinter der Zuckerdose auf, denn man weiß ja heute nicht, es klingeln oft verdächtige Leute an der Tür, und sie sollen das Geld nicht gleich finden. Die junge Frau wartet unterdessen und denkt: Hoffentlich hat sie so viel Geld. Und das Baby hört, wie das Kleingeld auf dem Küchentisch klappert, als die Nachbarin es ausschüttet um nachzuzählen, und das Baby denkt: So viel Geld? Ich bin doch erst sechs Monate.

So kommt das Geschäft zustande und die junge Frau kauft sich schnell das Kleid, damit es ihr nicht weggeschnappt wird. Aber die andern Frauen im Haus ärgern sich über das Geschäft, sie sind natürlich neidisch wegen des neuen Kleides. Und daß die Nachbarin keine Kinder kriegen kann, wissen sie alle längst. Und auch die Polizei ärgert sich, als man ihr von dem Geschäft erzählt. Und so kam es in die Zeitung, und auch die Pensionierten konnten sich darüber ärgern. Der eine, der der mit der Faust auf den

Tisch schlug, so daß ein Teelöffel herunterfiel, schrie: ›Man sollte der dummen Ziege den Hintern versohlen!‹ Und die Frauen der Pensionierten sagten: ›Ich sag' immer zu meinem Mann . . .‹, doch schon klickte die Toilettentür, die Luftbremse funktionierte einwandfrei.

Mister Ich aber raste nach Haus, denn ihm war etwas eingefallen. Die Pensionierten waren es gewohnt, daß er plötzlich aufsprang und wegging. Sie sagten dann voller Hochachtung zueinander: ›Der Herr Doktor muß an seinem Buch schreiben.‹ Doch der alte Passavent soll sich mit dem Substanzverlust und dem Fragezeichen nicht zufriedengegeben haben. Laß uns nachsehen, soll er nach dem Kartoffelpufferessen gesagt haben, ob ihm nicht doch noch etwas dazu eingefallen ist. Hier! Diese Stelle vielleicht. Hör dir das an:

›Im Märchen nützen all die als unfehlbar angepriesenen Hilfsmittel nichts. Im Märchen muß man Glück haben oder man ist verloren.‹

Aber das weiß doch jedes Kind. Nur daß der arme Mister Ich nie Glück gehabt hat, sonst würde er so etwas Selbstverständliches nicht auch noch hinschreiben. Seine Ephemeriden sind ein reichlich kläglicher Ersatz für Glück.

Aber diese Olivia erledigte die Geschichte mit dem Baby und dem Kleid mit einer Handbewegung. Das muß nachmittags gewesen sein. ›Was geht das die Polizei an‹, meinte sie verärgert. ›Das kleine Wurm kann doch von Glück sagen, daß es nun bei der andern Frau ist. Alles andre ist Quatsch.‹ Eine energische junge Dame, wie gesagt.

VII

Ja, es muß noch an demselben Nachmittag gewesen sein. Sie waren alle in Sprieders Werkstatt zusammen, auch diese Olivia war auf einen Sprung da, sie hatte nie viel Zeit und mußte gleich wieder in ihr Büro, damals schmiß sie ihren Laden noch ganz allein, die Gärtnerstochter stellte sie erst nachher ein, damit wenigstens jemand da war, der das Telefon bediente. Aber die Frage nach der Melodie dieses Heumeisters, ihres ehemaligen Mannes, muß ihr keine Ruhe gelassen haben. Was hatte es damit auf sich, daß dieser fremde junge Mann extra nach Hamburg kam, wie er sagte, um Nachforschungen wegen der dummen Melodie anzustellen? War das nur wieder ein neuer Trick ihres früheren Mannes? Bei dem mußte man auf alles gefaßt sein. Doch vielleicht traute sie auch nur ihrem Vater nicht, zu dem sie den Andren geschickt hatte. Bei dem Alten wußte man nie, ob er sich nicht einen Spaß daraus machte und irgendwelchen Unsinn anstellte. In diesem Fall allerdings soll der Alte eher gebremst haben. Laßt lieber die Finger davon, soll er gewarnt haben, es kommt nichts Gutes dabei heraus. Doch es kann sein, daß sie das erst recht gereizt hat, den Dingen nachzugehen. Oder sie dachte, dieser Andre wäre etwas zur Unterhaltung für ihren Vater, denn natürlich paßte es ihr nicht, daß er da immer in seinem Zimmer hockte und sich mit seinen Hemden unterhielt. Besser man sucht nicht nach komplizierten Erklärungen.
Jedenfalls kam bei der Gelegenheit da in der Werkstatt die Rede auf die Gärtnerstochter. Nein, das stimmt nicht, Sie müssen schon entschuldigen, ich erzähle Ihnen da ja nur nach Hörensagen, ich bin ja nicht dabeigewesen. Von der Existenz der Gärtners-

tochter wußten sie überhaupt noch nichts. Habe ich Ihnen schon gesagt, daß das Mädchen Elfriede hieß? Na, lassen wir es dabei, wozu erst nach einem andern Namen suchen. Wie gesagt, von dem Mädchen und daß sie etwas mit der Melodie zu tun hatte, wußte keiner von ihnen etwas, auch der Alte nicht, der meistens etwas genauer Bescheid wußte, er hatte ja auch mehr Zeit als die andern. Sie wußten nur etwas von dem alten Friedhofsgärtner, der die Melodie vor sich hin gesummt hatte, aber daß er inzwischen an Leukämie gestorben war, war ihnen unbekannt, das stellte sich erst dann heraus. So kam alles in Gang, trotz der Warnung des Alten.

Die Hauptsache ist, daß der Sprieder sofort einen Narren an dem Andren gefressen hatte, das weiß ich von ihm selber, er war ganz begeistert von ihm. Ein komischer Zufall, das muß man schon sagen. Aus der ganzen Geschichte wäre überhaupt nichts geworden, und ich hätte nie etwas über eine gestohlene Melodie erfahren und säße jetzt hier nicht, um Ihnen den Vorschlag mit dem Film zu machen, wenn Sprieder sich nicht vom ersten Moment an für den Andren eingesetzt hätte. Und das alles wegen eines Geländers auf einem der Spriederschen Bilder.

Diese Olivia, das erzählte ich wohl schon, hatte ja morgens den Andren aus ihrem Büro rausgeschmissen, als er da gleich vom Bahnhof bei ihr erschien, aber offenbar tat es ihr dann leid oder die Frage nach der Melodie beunruhigte sie. Sie wird bei Sprieder angerufen haben, vermute ich. ›Da kommt gleich ein komischer junger Mann und will mit Vater sprechen. Kümmere dich gefälligst um ihn.‹ Als der Andre dann zehn Minuten später an der Tür des alten Passavent klingelte, hörte Sprieder das nebenan und sah nach und forderte den Andren auf, zu ihm in seine

Werkstatt zu kommen, denn der Alte war ja um die
Zeit in dem kleinen Café. Und da passierte das mit
dem Geländer. Wie einem doch alles wieder einfällt,
selbst solche Kleinigkeiten. Zehn Jahre habe ich nicht
mehr an das alberne Geländer gedacht.

Allmächtiger! Und was für ein Brimborium wurde
davon gemacht, als ob die Zukunft der Welt von einem Geländer abhinge. Sprieder konnte sich gar
nicht genug tun, und er war doch sonst so mundfaul.
›Der Mann hat was los, glauben Sie mir‹, behauptete
er, doch dem Andren schien das Gerede eher peinlich
zu sein. ›Ich habe das doch nur aus Versehen getan,
und weil ich als Fotograf ein Auge für Bildwirkung
habe‹, entschuldigte er sich.

Ein ganz gewöhnliches Geländer, aus Schmiedeeisen
nehme ich an, aber natürlich nur ein gemaltes oder
gezeichnetes Geländer, und deshalb die ganze Aufregung. Das Ganze war nur eine künstlerische Frage,
oder eine stilistische, wenn Sie das lieber wollen. Das
Bild stand auf der Staffelei, weil Sprieder nicht zufrieden damit war und noch daran herummurkste.
Wie immer bei Sprieder nur Häuser mit vielen Fenstern und grünen Dächern, nichts Besonderes also, das
heißt nichts, was aus der Art schlug, nur diesmal davor noch Wasser, in dem sich die Fenster und Dächer
spiegelten. Unten auf dem Bild, auf dem unteren
Viertel, hatte Sprieder ein Geländer eingezeichnet,
nichts als einen schwarzen Strich von einer Seite des
Keilrahmens bis zur andren — oder war es eine Pap-
pe? Doch ganz gleich — und sicher wird auch noch
eine senkrechte Linie als Stütze des Geländers dagewesen sein. Jedenfalls sah man sofort, das ist ein Geländer, und es war ja auch logisch, damit die Leute
nicht ins Wasser fallen, und die Polizei muß dann erst
mit ihrer Barkasse kommen und die Ersoffenen wie-

der herausfischen. Sozusagen eine polizeiliche Vorschrift, mehr nicht.

Während Sprieder die Straßenskizze macht, damit
der Andre zu dem kleinen Café in der Gerhofstraße
findet, steht der vor der Staffelei und guckt sich das
Bild an, wie man das so tut, wenn man wartet, oder
auch nur aus Höflichkeit, um Interesse zu zeigen.
Und da passiert es ihm, aus Versehen wie er behauptet, daß er mit dem Zeigefinger die Linie des Geländers nachzieht, nicht direkt auf dem Bild, denn es
war vielleicht noch feucht und er hätte es verwischt,
sondern nur so in der Luft davor. Doch nun kommt
es, passen Sie auf. Der Andre fährt nämlich mit dem
Finger nicht die ganze Linie entlang bis zum andern
Bildrand, sondern biegt vorher nach unten ab und
zeichnet in der Luft eine Spirale. Das ist alles. Solche
Spiralen gibt es ja tatsächlich manchmal als Abschluß
von Geländern.

Da erhob sich denn das Geschrei. Sprieder, der mit
der Straßenskizze fertig war, hatte gesehen, wie der
Andre mit dem Finger die Spirale ausprobierte, und
sprang auf. ›Menschenskind, wie soll ich Ihnen bloß
danken‹, hieß es, und er wischte auch sofort den Rest
der Linie weg, oder wie die Maler das sonst machen,
und zeichnete statt dessen die Spirale hin. Der Andre
war erschrocken, er glaubte, das Bild verdorben zu
haben. Doch der Alte, als ihm nachmittags das neue
Geländer vorgeführt wurde, äußerte sich lobend. Daran kann sich einer bequem aufhängen, meinte er,
mit den Füßen zur Abkühlung im Wasser. Da haben
Sie wieder den Witzbold.

Von da an setzte sich Sprieder für den Andren wie
für einen Bruder ein, anders kann man es nicht ausdrücken, verstanden habe ich das nie. Nur wegen der
Spirale an einem Geländer und noch dazu auf einem

Bild? Er hängte sich gleich ans Telefon und sprach mit einem Professor oder wem auch sonst und verschaffte so dem Andren die Stellung in der Staatsbibliothek. Und später dann auch die Wohnung nebenan, als der Alte gestorben war. Und was weiß ich sonst noch. Noch unbegreiflicher ist, daß diese Olivia mitmachte. Sie war doch eine praktische junge Dame, die sich nichts vormachen ließ, und für die Spirale eines Geländers interessierte sie sich schon gar nicht. Mit Romantik, oder wie Sie es nennen wollen, konnte man ihr nicht beikommen. Natürlich führte man ihr das Wunderwerk mit der Spirale vor, als sie nachmittags oder nach Büroschluß in die Werkstatt kam. War sie nur neugierig, wie es sich mit dem jungen Mann verhielt, den sie morgens weggejagt hatte? Oder war es wegen der Melodie ihres früheren Mannes? Jedenfalls setzte auch sie sich von da an für den Andren ein, sie verschaffte ihm nicht nur die Wohnung, das war schließlich ihr Beruf, sondern half ihm sogar bei den Nachforschungen nach dem alten Friedhofsgärtner. Sie soll ihrem Vater über den Mund gefahren sein. ›Sei doch endlich still mit deinem Vorwand, laß ihn doch ausreden.‹ Dabei hatte der Alte diesmal ausnahmsweise recht mit seiner Warnung, wie sich dann zeigte, als es mit der Gärtnerstochter beinahe ein Unglück gegeben hätte. Woher die plötzliche Wandlung, frage ich Sie? Auf einmal hatte sie Zeit, den Andren in ihrem Wagen zum Einwohnermeldeamt und zur Friedhofsverwaltung zu fahren, um nach dem Verbleib des Friedhofsgärtners zu fahnden. Sprieder hatte zwar auch einen kleinen Wagen, aber er hatte ja oft in seiner Kunstgewerbeschule zu tun. Tat sie das nur ihrem Vater und Sprieder zuliebe, weil sie sah, daß der Andre den beiden gefiel? Und dabei hatte sie doch vorher von der Melodie nichts wissen wollen, weil sie das für einen Schwindel ihres ehemaligen Mannes hielt. Und nun plötzlich? Ich habe den Verdacht, das heißt erst jetzt, denn damals berührte mich das alles nicht so sehr, daß die junge Dame sich ein wenig in den Andren ... nein, verliebt, das wäre zuviel, das ist ihr kaum zuzutrauen, dazu war sie zu vernünftig ..., aber er war ihr sympathisch und sie war ein wenig von ihm fasziniert. Das kommt ja vor, fragen Sie mich nicht wieso und warum. Was dann mit der Gärtnerstochter passierte, scheint meinen Verdacht zu bestätigen. Doch vielleicht war es auch nur Hilfsbereitschaft.

Die Gärtnerstochter war nämlich gar nicht die richtige Tochter des alten Gärtners, der ja längst gestorben war. Das alles in den Akten der Behörden herauszufinden, muß eine entsetzliche Mühe gekostet haben, und das noch dazu nur wegen einer gestohlenen Melodie. Die angebliche Gärtnerstochter wohnte noch mit ihrer Mutter zusammen in der alten Wohnung, wo auch der Gärtner mit ihnen zusammen gewohnt hatte. In Fuhlsbüttel, das ist ein Stadtteil gleich nebenan von Ohlsdorf, der Gärtner hatte es also nicht weit gehabt bis zum Friedhof. Die Straße habe ich vergessen, irgend so eine kleine Straße mit alten Vorstadthäuschen, das tut nichts zur Sache. Ein Zuchthaus haben sie da auch in Fuhlsbüttel, und nicht weit davon ist der Flugplatz. Aber das geht uns nichts an, Flugzeuge brauchen Sie gottlob für Ihren Film nicht.

Was das dumme Mädchen angeht, so ist das ein Stück Zeitgeschichte, wie man das heute wohl nennen würde. Was Sie davon in Ihrem Film einblenden, muß ich Ihnen überlassen, nur daß ich an Ihrer Stelle das alles etwas abmildern würde, denn unter Umständen kann der ganze Film daran scheitern. Von der Zeit bei Kriegsende und dem sogenannten Elend damals will doch niemand mehr etwas wissen, es sind ja auch längst erledigte Dinge, wozu sich damit das Leben vermiesen. Außerdem, das fällt mir dabei ein, werden Sie dann doch nicht um Flugzeuge herumkommen. Es war damals nämlich Sitte, Anfang 1945, so lange ist das schon her, daß die Flugzeuge im Tiefflug auf Flüchtlinge schossen, auf die Flüchtlingstrecks, wie es damals genannt wurde. Wie Sie mich hier sehen, habe ich das selber ein- oder zweimal erlebt, doch für einen Bengel von acht oder neun Jahren war das endlich einmal ein richtiges Abenteuer, wenn man sich mit den Eltern plötzlich in den Straßengraben werfen mußte und die Flugzeuge über einen hinwegbrausten. Heute sehe ich natürlich ein, daß es für meine armen Eltern, die da mit mir nach dem Westen flohen, alles andre als angenehm gewesen sein muß, doch was nützt das Jammern, dadurch ändert sich auch nichts. Seien Sie daher lieber vorsichtig mit solchen Dingen. Höchstens eine kleine rührende Episode, etwas Rührung, wenn auch in kleinen Dosen, kann nie schaden.

Ich kann Ihnen dabei sogar auf die Sprünge helfen. Wie wäre es, wenn Sie den alten Gärtner, nur daß er damals noch nicht so alt war, ins Bild bringen, wie er das Mädchen, ein kaum einen Monat altes Baby — ja, schon wieder ein Baby, es hilft alles nichts — in den Armen schaukelt und ihm dabei die bewußte Melodie vorpfeift? Die Mutter kann völlig erschöpft am Straßenrand hocken. Wäre das nicht rührend? Obendrein hätte es den Vorzug, daß Sie beim Thema bleiben, das heißt bei der Melodie. Eine prächtige Idee, was meinen Sie? Die Szene wird bestimmt ihre Wirkung tun, so etwas greift ans Herz. Und der Witz bei der Sache ist, daß es genauso vor sich gegangen sein muß, es kann Ihnen niemand vorwerfen, daß Sie da etwas Unglaubhaftes erfunden haben.

Die Mutter mit ihrem Baby war ja auf der Flucht aus dem Osten wie wir alle, ob sie aus Pommern oder Ostpreußen kam, spielt keine Rolle. Die Frauen flohen damals, weil sie Angst hatten, sonst vergewaltigt zu werden. Das soll ja auch vorgekommen sein, es war eben Krieg, da verwildern die Menschen. Na, Schwamm drüber! Die arme Frau mit dem winzigen Baby hatte es natürlich schwerer als andre Flüchtlinge. Woher sollte sie Milch kriegen? Glauben Sie nur ja nicht, daß die Bauern damals Milch rausgerückt hätten, nur weil eine Frau für ihr Baby darum bat. Die Bauern hätten sich lieber einen Finger abgebissen. So ist das nun einmal in solchen Zeiten.

Und da irgendwo zwischen Osten und Westen muß dieser Gärtner die Frau da mit ihrem Baby haben sitzen sehen und hat sich ihrer angenommen. Ob er gleich das Baby auf den Arm nahm und ihm die Melodie vorpfiff, spielt keine Rolle. Und woher er kam, ob er auch ein Flüchtling war oder nur zufällig da umherirrte, ist auch nicht weiter wichtig. Möglich, daß sich in den Akten irgendeiner Behörde in Hamburg noch ein Hinweis auf seine Herkunft findet, ohne Papiere kann ja kein Mensch existieren, aber damals auf der Flucht kümmerte sich kein Mensch um so etwas, die Leute flohen von überall her nach Westen und damit gut. Für Ihren Film genügt die Szene, wie er das Baby in den Armen hält und ihm die Melodie vorpfeift.

Der Gärtner half von da an der Frau auch weiter, fragen Sie mich nicht warum. Vielleicht hatte er sonst nichts vor. Die Frau wäre ohne ihn wohl kaum je nach Hamburg gekommen, sie wäre unterwegs irgendwo liegengeblieben. In Hamburg wurde ihr dann die kleine Wohnung da in Fuhlsbüttel zugewiesen, auch wohl wegen des Babys, und sie bekam dann auch eine Rente oder Entschädigung. Solche Schicksale gab es damals zu Tausenden, wozu lange darüber reden, das interessiert keinen mehr. Ich erwähne es nur, damit Sie eine Ahnung von den Hintergründen haben.

Der Gärtner zog natürlich zu ihr, denn wo sollte er sonst unterkommen, aber geheiratet haben sie nie. Die Frau konnte ihn gar nicht heiraten, selbst wenn sie gewollt hätte, denn sie hatte schon einen Mann, der war Soldat gewesen und war gefangen oder gefallen oder verschollen, und sie mußte jahrelang warten, ob er nicht doch noch wieder aufkreuzte. Später lohnte es dann nicht mehr und wegen der Rente, die die Frau für sich und das Kind erhielt, war es auch vorteilhafter, wenn die beiden nicht heirateten. Sie führten eine Onkel-Ehe, wie man es nannte, aber was gehen uns all diese kleinen Privatschicksale an. Denken Sie an meine Eltern, die ja auch nicht lange gejammert haben, obwohl mein Vater Stadtrat in Elbing gewesen war. Sie haben sich eine neue Existenz aufgebaut und damit gut. Lassen wir um Himmels willen die Finger von diesen alten Geschichten, damit treiben Sie die Leute aus dem Kino.

Für Ihr Drehbuch geht es nur um die Melodie und die Tochter. Das Mädchen hielt natürlich den Gärtner für ihren Vater, erst später wird man es ihr wohl haben sagen müssen, wegen des andern Namens und so, aber da machte es ihr schon nichts mehr aus, denn sie hing sehr an ihm, sie hing mehr an ihm als an ihrer Mutter, die eine verbitterte Frau war, obwohl sie doch ihr Auskommen hatte, und der alte Gärtner sorgte ja auch immer für den Hausstand, die Erziehung des Kindes und überhaupt für alles. Doch die

Mutter redete immer nur von dem großen Hof, den sie in Ostpreußen gehabt hätten. Du lieber Himmel, Sie glauben nicht, wie oft ich das von Flüchtlingen habe hören müssen. So viele große Höfe gibt es auf der ganzen Welt nicht. Doch mit verbitterten Menschen läßt sich nichts anfangen, am besten man geht ihnen aus dem Weg.

Um so mehr hingen das Mädchen und der alte Gärtner aneinander. Immer wenn ich als Kind unartig war, sagte sie, pfiff er ein paar Töne der Melodie vor sich hin, und gleich schämte ich mich und alles war gut. Meine Mutter war richtig eifersüchtig. Und auch später, als ich größer war und weinte, wenn meine Mutter mit mir herumschimpfte, brauchte er nur die Melodie leise vor sich hin zu summen, während er in der Küche das Geschirr abtrocknete oder sonst in der Wohnung half, und sofort war alles nicht so schlimm. Auch Märchen erzählte er mir, wenn wir sonntags spazierengingen oder zufällig allein in der Wohnung waren, denn wenn meine Mutter es hörte, rief sie immer: ›Na, was heckt ihr da schon wieder aus?‹ Auch zu seinem Freund im Barmbeker Krankenhaus nahm er mich manchmal mit, denn der war so ähnlich wie er und mir gab er jedesmal Bonbons. Einmal brachte er ihn auch abends mit zu uns, aber nur das eine Mal, denn meine Mutter wollte nichts von ihm wissen.

Es muß für das Kind wirklich nicht leicht gewesen sein, mit der verbitterten Mutter zusammenzuleben, obwohl das Mädchen dann später immer alles Geld zu Haus ablieferte, das sie im Kaufhaus verdiente. Das alles zählte nicht gegen den großen Hof in Ostpreußen. Wie der Andre und Sprieder und Olivia das alles herausgefunden haben, ist mir schleierhaft. Daß sie sich überhaupt die Mühe machten, ist schon nicht zu erklären, und am seltsamsten ist, daß der alte Passavent das alles mitmachte. Er muß überallhin mitgefahren sein, nach Fuhlsbüttel und sogar mit ins Barmbeker Krankenhaus zu dem Freunde des Gärtners. Dieser Freund hat etwas mit der Melodie zu tun, erinnern Sie mich daran. Der Andre meinte, der alte Passavent sei nur mitgefahren, weil er ein Unglück verhüten wollte, denn ihm paßte ja die ganze Nachforscherei nach der Melodie nicht, er hatte ja davor gewarnt.

Und um ein Haar hätte es ja auch ein Unglück gegeben, und zwar wegen eines der Märchen, das der Gärtner dem Kinde erzählt hatte. Da sieht man wieder, wie gefährlich es ist, Kindern solche Märchen zu erzählen, man verdirbt sie fürs ganze Leben. Ein Märchen von einem jungen König, der ins Kino geht, stellen Sie sich das vor. Man macht sich lächerlich, so etwas überhaupt zu erwähnen, aber ob Sie es glauben oder nicht, Sprieder, der doch sonst ein Mann war, der seine fünf Sinne beisammen hatte, war ganz begeistert davon. Seine Olivia muß es ihm erzählt haben und sie hatte es von dem Mädchen. Sprieder aber war wegen des blauen Mantels des Märchenkönigs so begeistert. Das ist ja der reinste Max Beckmann, schrie er. Max Beckmann, nun ja, den Namen werden Sie wohl schon gehört haben, auch schon längst tot, aber seine Bilder sollen inzwischen sehr teuer geworden sein. Es muß tatsächlich so ein Bild von ihm geben, auf dem ein König mit einem blauen Mantel ist. Sprieder wühlte sogar in einer Kunstmappe herum, um es mir zu zeigen. Na, und daß dem alten Passavent das dumme Märchen gefiel, braucht uns nach allem nicht zu wundern. Für Ihren Film kommt es nur insofern in Frage, als es die Gärtnerstochter beinahe ins Unglück gebracht hätte.

Übrigens, ehe ich es vergesse, auch dieser fabelhafte Mister Ich hatte sich in seinen Ephemeriden über dies Märchen ausgelassen, der Andre zeigte mir die Stelle, sie lautete:

›Als Erzählerposition: Man gehe mit einem dreijährigen Kinde die Treppen hinunter, um ihm aus dem Automaten nebenan Bonbons zu kaufen. Wenn man die kleine Patschhand in seiner Hand spürt, muß man sich schon sehr anstrengen, keinen Unsinn zu erzählen, denn das Kind würde es gleich merken, daß man nicht die Wahrheit sagt.‹

Na, was sagen Sie dazu? Sie sind doch Schriftsteller. Wahrheit ist gut. Ein Märchen und Wahrheit, mehr kann man wirklich nicht verlangen. Kein Wunder, daß die Leute nicht mit dem Leben zurecht kamen. Und da wir gerade dabei sind, hier noch so ein Kernsatz dieses Mister Ich:

›Wieviel Wahrheit geht über die Formulierung verloren?!‹

Wer verlangt denn eine Formulierung von ihm? Soll doch der gute Mann seine Pfoten von der Wahrheit lassen.

Na, lassen wir Mister Ich sein Vergnügen. Ich würde etwas darum geben, wenn ich hätte Mäuschen dabei spielen können, als die sogenannte Gärtnerstochter dieser Olivia die Geschichte von dem jungen König erzählte. Das wäre doch einmal eine Gelegenheit, den Frauen auf die Sprünge zu kommen, wie sie reden und was sie denken, wenn sie unter sich sind. Das muß in der psychiatrischen Abteilung des Krankenhauses gewesen sein, wohin man das Mädchen vorsichtshalber zur Beobachtung gebracht hatte. Doch genug, was gehen uns Märchen an.

Wie bitte? Aber ich sagte Ihnen doch, daß sich für Ihr Drehbuch nichts damit anfangen läßt. Ein Kinderfilm für die Weihnachtszeit läßt sich unter Umständen daraus machen, aber nicht ein ernsthafter Film. Was wollen Sie mit einem König, der ins Kino geht? Das sind doch nur krankhafte Phantasien. Na meinetwegen, Sie sind ja Schriftsteller. Und nur in groben Umrissen, denn schließlich bin ich kein Märchenerzähler, das kann niemand von mir verlangen.

Warten Sie! Die Geschichte fing mit Karamelpudding an, lachen Sie nicht. Ausgerechnet mit Karamelpudding. Der junge König — bitte, die Bezeichnung stammt nicht von mir — dieser sogenannte junge König soll beim Abendessen — sie waren schon beim Nachtisch, es gab Karamelpudding, wie gesagt — zu seiner Mutter gesagt haben: ›Ich geh heute ins Kino, Mama.‹

Der Mutter gefiel das gar nicht. ›Ja, wenn du deine alte Mutter hier allein lassen willst‹, sagte sie. Es war ihre Art, so etwas zu sagen.

›Ich muß das Leben endlich kennenlernen, Mama‹, sagte der König, ›lies du nur unterdessen deine Zeitung.‹

Was sollte sie da machen? ›Aber du nimmst mir auf keinen Fall den roten Mantel, der ist nicht fürs Kino, der ist für besondere Gelegenheiten.‹ Und sie gab ihm den blauen Umhang, der im Kleiderschrank auf dem Bügel hing, und sie schüttelte ihn aus. Doch der blaue Samt hatte keine Druckstellen, die Putzfrau mußte ihn einmal in der Woche an die Luft hängen.

Dem König war es gleich. Sie gab ihm auch Geld fürs Kino. ›Nimm eine Loge, damit du nicht unter den Leuten sitzt.‹ Der König sagte ›Danke‹ und steckte das Geld in die kleine Tasche, die ins Seidenfutter eingenäht war. ›Bis nachher, Mama‹, und so ging er ins Kino.

Die Mutter sah ihm vom Fenster aus nach, wie er die Auffahrt zum Palast hinunterging, denn natürlich hatten sie einen Palast, das ist klar. Wozu will er das Leben kennenlernen, dachte sie, das kann er doch ebensogut hier. Wer hat ihm das nur eingeredet? Sie war sehr verärgert, doch was sollte sie machen? Es gibt so viele Luder, dachte sie. Sie dachte es nicht laut, das schickt sich nicht, doch wenn die Mutter eines Königs so etwas denkt, hört man es trotzdem.

So ging der junge König die Straße entlang. Die Leute beachteten ihn gar nicht, denn wegen des blauen Umhangs hielten sie ihn für einen Hippie, und das waren sie gewohnt, sie blickten schon nicht mehr hin. Mit Königinnen ist das anders, die muß man beachten. Sie rauschen die Straße dahin, den Busen vorneweg, und man geht ihnen besser rechtzeitig aus dem Weg, sonst wird man umgerannt.

Nur die Marie merkte es gleich, daß es ein König war. Sie ist Platzanweiserin in dem Kino, in das der König ging. Auch die Garderobe muß sie besorgen. Nicht in dem Kino da in der Seitengasse, wo immer die großen Plakate mit Texashüten und Revolvern über dem Eingang sind. Vielleicht gibt es auch da eine Marie, das kann sein, aber diese Marie war in dem Kino, in das der König ging.

Die Kartenverkäuferin in ihrem Glaskasten hieß Lina, doch wie sollte der König das wissen? Sie hatte noch nie einem König eine Karte verkauft und fragte gleich: ›Sie wollen doch bestimmt eine Loge haben?‹

›Wenn es Ihnen recht ist, gnädiges Fräulein‹, sagte der König, ›möchte ich lieber mit den andern Leuten zusammen sitzen. Ich möchte das Leben kennenlernen.‹ Und er schob ihr das Geld, das ihm seine Mutter mitgegeben hatte, durch den Schlitz.

Die Lina war ganz ratlos, sie wußte nicht, ob sie dem König eine gewöhnliche Karte verkaufen durfte. ›Platz genug ist ja‹, sagte sie, ›heute ist Freitag, da gibt es einen Gangsterfilm im Fernsehen und die meisten Leute bleiben zu Haus.‹

Es war also ein Freitag, da sieht man, was einem alles wieder einfällt. Wollen Sie wirklich noch mehr von dem Blödsinn hören? Na, meinetwegen.

›Doch den schönen blauen Mantel geben Sie besser in der Garderobe ab, es kostet nichts extra oder nur nach Belieben.‹ Das sagte sie, weil in einem solchen Mantel, der so blau war, noch nie jemand ins Kino gegangen war.

›Das darf ich leider nicht‹, sagte der König, ›meine Mutter hat mir gesagt, ich soll ihn anbehalten.‹

Da rief die Lina aus ihrem Verschlag zur Garderobe hinüber: ›Marie, komm doch mal her!‹ Und die Marie hob die Klappe der Garderobe hoch und kam auch gleich. Sie hatte alles mit angehört, wegen des blauen Mantels natürlich, der ihr aufgefallen war.

›Er darf den Mantel nicht ausziehen‹, sagte die Lina, ›man hat es ihm verboten. Besser du gehst mit ihm, denn er ist zum erstenmal im Kino, damit es keinen Ärger mit den Leuten gibt und wir die Polizei rufen müssen. Platz ist genug da, die dritte Reihe ist noch ganz frei, und auf die Garderobe paß ich solange auf, es wird sowieso niemand mehr kommen, der Hauptfilm läuft ja schon. Und paß auf, daß er im Dunkeln nicht über seinen Mantel stolpert, er muß ja das alles erst lernen.‹

Marie war gern dazu bereit. Sie sagte: ›Kommen Sie‹, und führte den jungen König am Ellbogen in den dunklen Kinoraum und flüsterte: ›Vorsicht! Da ist eine Stufe, und es geht etwas bergab.‹ Sie leuchtete auch mit ihrer kleinen Taschenlampe und bei der dritten Reihe sagte sie: ›So, da hinein und bis zur Mitte, da sehen Sie am besten. Einen steifen Nacken werden Sie vielleicht kriegen, weil Sie nach oben sehen müssen, aber das gibt sich. Und geben Sie acht, daß Sie nicht mit dem Mantel an einer Stuhllehne hängenbleiben und er einen Riß kriegt.‹ Das alles flüsterte sie, damit es die Leute nicht störte.

Da saß nun also der König in seinem blauen Mantel und sah sich den Film an. Und links neben ihm saß Marie, sie kannte den Film schon, aber sie sah ihn gern noch einmal, weil sie dabei geweint hatte und denken mußte: Ob wohl auch der König weinen wird?

Aber die Leute wurden leider doch gestört. Ein dikker Mann rief von hinten: ›Nehmen Sie doch gefälligst die blöde Krone ab. Was für eine Rücksichtslosigkeit!‹

An die Krone hatte der König überhaupt nicht gedacht, er war so daran gewöhnt und seine Mutter hatte auch gesagt, man dürfe sie nie abnehmen. ›Geben Sie sie her‹, sagte Marie schnell, denn es durfte keinen Ärger geben. Da gab ihr der König die Krone und Marie behielt sie solange auf ihrem Schoß, da störte sie keinen. Und der König fuhr sich einmal durch die Haare, die in Unordnung geraten waren, als er die Krone abnahm.

So saßen sie da im Dunkeln und eine Weile ging alles gut, niemand wurde gestört. Ja, lange Zeit ging wirklich alles gut und Marie dachte schon: Gleich ist der Film zu Ende, es wird alles gutgehen.

Aber leider ging doch nicht alles gut. Der König mußte plötzlich lachen, er konnte es sich nicht verbeißen. Marie knuffte ihn in die Seite: ›Sie dürfen doch jetzt nicht lachen, das da ist zum Weinen. Hören Sie bitte sofort mit Lachen auf.‹

Der König gab sich auch Mühe, er versuchte das Lachen zu verschlucken, um die Leute nicht beim Weinen zu stören, und damit der dicke Mann nicht wieder von hinten pöbelte und auch wegen Marie. Aber es gelang ihm nicht, obwohl Marie ihn knuffte, das Lachen prustete immer wieder aus ihm heraus. Vor lauter Schreck rutschte Marie noch die Krone vom Schoß und rollte unter die Stuhlreihe davor, so daß sie hinknien mußte, um sie wieder hervorzuangeln. Der König lachte unterdes ganz laut und von hinten schrie der dicke Mann: ›Hier ist keine Klapsbude. Dafür bezahlen wir unser Geld nicht.‹

Niemand weiß mehr, was das für ein Film war und wie die Schauspieler hießen. Sogar Marie wußte es nicht mehr, obwohl sie doch geweint hatte. Es war aber in dem Film ein Schauspieler, der spielte einen König, er hatte einen schwarzen Bart und machte ein grimmiges Gesicht. Und auf dem Stuhl, neben dem er stand, saß eine hübsche junge Dame, auch ihr Kleid war sehr hübsch, da läßt sich nichts sagen. Vor ihr aber kniete noch einer, der hatte einen langen Degen an der Seite und küßte der jungen Dame die Hand. Er sagte ›auf Wiedersehen‹ zu ihr, weil man ihn nämlich wegschickte. Deshalb mußte der junge König so lachen, wegen des Degens und wegen des Kniens.

Marie zerrte ihn aus der Sitzreihe, weil er mit Lachen nicht aufhörte, und draußen fragte die Lina: ›Hat es Ärger gegeben?‹ Und Marie sagte: ›Ja, er hat gelacht, wo es nicht sein durfte.‹

Der König entschuldigte sich sehr bei ihr. ›Es ist das erstemal und das nächstemal werde ich bestimmt nicht wieder lachen.‹ Da gab ihm Marie die Krone zurück und sagte: ›Hoffentlich ist sie beim Herunterfallen nicht verbogen.‹ Sie war aber nicht verbogen, es war eine solide Krone, und der König sagte: ›Vielen Dank.‹

Doch da sah die Lina, die sich aus ihrem Glaskasten herausbeugte, daß der blaue Mantel hinten vom Sitzen ganz zerknittert war und zeigte es Marie. ›Nein, so können wir ihn nicht gehen lassen, was soll seine Mutter denken‹, und Marie schrie auf: ›Der schöne blaue Samt, was machen wir bloß.‹ Die Lina sah auf die Uhr und sagte: ›Die Vorstellung ist gleich aus. Setz ihn solange in die Kammer, und wenn die Leute weg sind, müssen wir den Samt aufdämpfen, vielleicht kriegen wir die Falten raus, es scheint sehr guter Stoff zu sein. Setz nur schon Wasser auf.‹

›Kommen Sie schnell‹, sagte Marie und führte den König in den kleinen Raum hinter der Garderobe. Es stand da allerhand Gerümpel und viel Platz war nicht. Marie machte einen Hocker frei, wischte ihn erst ab und sagte: ›Da, setzen Sie sich hin. Die Leute brauchen Sie hier nicht zu sehen. Was macht das für einen Eindruck. Und geben Sie den Mantel her, sonst kriegt er noch mehr Falten.‹ Doch der König wollte sich nicht setzen, er fragte: ›Und Sie? Sie müssen doch müde sein vom Herumstehen.‹ ›Wir sind das gewohnt‹, sagte Marie, ›machen Sie uns bloß nicht noch mehr Scherereien.‹ Dann setzte sie den Wasserkessel auf die Kochplatte, die dort hingestellt war, damit Marie und Lina sich Kaffee kochen konnten, wenn der Film lief und gerade kein Betrieb war. Und dann fiel ihr noch etwas ein. ›Mögen Sie lieber Fruchtbonbons oder Lakritzen?‹ fragte sie, und der König bat um Lakritzen. Da brachte sie ihm schnell eine Cellophantüte mit Lakritzen von dem Stand, wo sie Süßigkeiten verkaufte. Der König steckte die Tüte in die Hosentasche, er mochte nämlich keine Lakritzen, aber er dachte, ich werde sie meiner Mutter mitbringen, die mag sie.

Dann war auch schon der Film zu Ende und Marie mußte den Leuten die Mäntel herausgeben. Die Tür zur Kammer, wo der König im Dunkeln saß, hatte sie angelehnt gelassen, und er sah durch den Ritz alles, wie die Leute sich die Mäntel anzogen, sich eine Zigarette anzündeten und dann hinausgingen. Auch der dicke Mann kam vorbei, er schnaufte und hatte ein rotes Gesicht, er war immer noch wütend, weil jemand an der falschen Stelle gelacht hatte. Aber eine kleine alte Frau zupfte ihn am Ärmel und sagte: ›Mach doch keinen Krach, Emil‹, da ging er mit seinem roten Gesicht auf die Straße. Und gleich fing auch das Wasser im Kessel an zu kochen, doch Marie hatte dem König verboten, den Kessel anzurühren. ›Lassen Sie ihn ruhig kochen, sonst verbrennen Sie sich noch die Pfoten, und wir brauchen den Dampf.‹ So ließ der König den Kessel auf der Kochplatte tanzen.

Dann wurde es draußen dunkel, die Lina machte überall das Reklamelicht aus, das war ihre Aufgabe, sie schloß auch vorsichtshalber die Glastür zur Straße ab, damit kein Räuber herein konnte. Das Geld aber hatte sie schon während der letzten Vorstellung abgezählt und in zwei runde Blechbüchsen getan, die sie nachher in den Nachttresor der Bank werfen wollte. Jetzt brachte sie die beiden Blechbüchsen mit in die Garderobe und sagte: ›Na, dann wollen wir mal sehen, was sich machen läßt.‹

Marie hatte schon die Kochplatte abgestellt und den Wasserkessel mit nach vorne genommen. Sie stellte ihn auf den Garderobentisch, legte aber vorher eine dicke Zeitung darunter, damit es keine weißen Krin-

gel auf der Politur gab. Der König paßte genau auf
und merkte sich alles, weil er ja das Leben kennenlernen wollte.

›Wie kann man ihn nur in so einem Mantel ins Kino
gehen lassen‹, schalt Marie, ›seine Mutter hätte das
doch wissen müssen.‹

›Vielleicht haben sie nicht viel Geld und brauchen die
alten Sachen auf‹, meinte die Lina, doch der König,
der es hörte, rief aus der Kammer, wo er solange sitzen bleiben mußte: ›Es ist doch das erstemal, meine
Damen, das nächstemal werde ich bestimmt einen
andern Mantel anziehen.‹ ›Na, schon gut, ich hab' es
ja nicht bös gemeint‹, sagte die Lina und Marie sagte
noch: ›Oder es paßte ihr nicht, daß er ins Kino ging,
sie scheint mir so eine zu sein. Na, wir werden das
schon wieder hinkriegen. Faß an!‹

Sie nahmen den Mantel, jede an einer Seite, und zogen die Stelle, wo er Falten vom Sitzen bekommen
hatte, straff über dem Dampf aus dem Wasserkessel
hin und her. Der König paßte genau auf und merkte
sich alles.

›Genug!‹ rief die Lina, ›sonst wird das Seidenfutter
feucht und es gibt Ränder. In was für einem Kino
hat sich der Junge herumgetrieben, wird seine Mutter denken.‹

Sie zogen den Mantel noch einmal straff und als sie
sahen, daß die Falten weg waren, hängten sie ihn
auf einen Bügel an die Garderobe und strichen ihn
noch einmal mit den Händen glatt. ›Was für ein pri-
ma Stoff‹, sagte Marie und die Lina sagte: ›Das bißchen Feuchtigkeit wird sich auf dem Nachhauseweg
geben.‹ Dann nahm sie die beiden Blechrollen mit
dem Geld und sagte: ›Na, ihr beiden braucht mich
wohl nicht mehr.‹ Sie wollte nämlich Marie mit dem
König allein lassen, weil die doch mit ihm zusammen

den Film angesehen hatte, und weil sie dachte, Marie wolle lieber mit ihm allein bleiben, aber Marie schimpfte. ›Unsinn! Wir gehen alle zusammen, sonst klauen sie dir noch dein Geld. Es gibt so viele Rauschgiftsüchtige, jeden Tag steht es in der Zeitung. Und den da bringen wir bis zur Ecke an seinem Palast. Kommen Sie.‹

Als er kam, legte sie ihm den blauen Mantel um und zupfte ihn zurecht; die Stelle, wo die Falten gewesen waren, schien schon fast trocken zu sein. Aber dann schimpfte sie wieder. ›Was hat sie sich bloß dabei gedacht, den Jungen in so einem Mantel ins Kino zu schicken.‹ ›Sie hat mich nicht geschickt‹, sagte der König, ›es war meine eigne Idee.‹ ›Blödsinn!‹ schimpfte Marie weiter, ›sie ist doch eine Frau, sie hätte es wissen müssen, und nun haben wir den Ärger davon. Man geht doch nicht ins Kino, um gesehen zu werden, und noch dazu mit der Krone auf dem Kopf. Ja, geben Sie die Krone her.‹

Sie besah sich die Krone noch einmal genau, ob sie nicht doch verbogen war, dann nahm sie sie mit in die Kammer und putzte sie mit einem Ledertuch blank. ›So, jetzt wird es gehen‹, sagte sie und setzte dem König die Krone wieder auf.

›Sie steht ihm aber gut‹, meinte die Lina und Marie sagte: ›Ja, sie wird wohl nach Maß gearbeitet sein. Gib mal deinen Taschenkamm her, ich habe meinen schon wieder irgendwo liegenlassen. Ich muß ihm die Haare noch zurecht kämmen, seine Mutter braucht nicht zu merken, daß er die Krone abgenommen hat.‹

›Sie ist wohl eine böse Frau‹, meinte die Lina.

›Nein, sie ist nicht böse‹, protestierte der König, ›sie ist nur besorgt um mich.‹

›Solche Mütter gibt es‹, seufzte die Lina.

›So, das hätten wir‹, sagte Marie. ›Drehen Sie sich mal rum.‹ Der König mußte sich ein paarmal herumdrehen und Marie zupfte noch hier und da an ihm herum, bis sie zufrieden war.

›Wie hübsch er mit dem Mantel und der Krone aussieht‹, sagte die Lina, ›ich werde direkt von ihm träumen.‹

›Träumen kannst du nachher, wenn du Lust hast‹, schimpfte Marie, ›laß jetzt den Unsinn. Sonst kommt er uns womöglich noch einmal in dem Aufzug ins Kino, und die Leute macht es verlegen. Der Chef jammert uns sowieso die Ohren voll über die schlechten Einnahmen und es fällt dann auf uns zurück. Los! Nimm deine Blechbüchsen mit dem Geld, ich mache jetzt das Licht aus.‹

›Die Blechbüchsen mit dem Geld kann ich doch unter meinem Mantel tragen‹, schlug der König vor, ›dann sieht sie keiner von den Rauschgiftsüchtigen.‹

›Eine gescheite Idee‹, lobte Marie, ›der Junge macht sich. Na, gib ihm schon die Dinger, er wird dir schon nicht damit weglaufen. Und nun los! Haben wir nichts vergessen? Halt, hier hast du deinen Taschenkamm. Mach die Klappe von der Theke auf und gib acht, daß er nicht mit dem Mantel an dem Scharnier hängen bleibt. Was hat man für Mühe mit ihm.‹ Marie machte das Licht in der Garderobe aus, dann schloß sie die Glastür auf und von außen wieder zu und fühlte nach, ob sie auch richtig abgeschlossen war. Den König nahmen die beiden in die Mitte, eine ging rechts von ihm und eine links, und er hielt die beiden Blechrollen mit dem Geld unter seinem Mantel versteckt.

Um die Zeit waren nicht mehr viele Leute auf der Straße und die, die in den Hauseingängen standen, waren viel zu sehr damit beschäftigt sich zu umarmen. So achtete niemand darauf, daß Marie und die Lina da mit dem König gingen. Auch der Polizist, der seine Runde machte, dachte nur: Sieh da, die beiden Mädchen haben sich einen Hippie aufgegabelt, für den ist gesorgt. Und der Gummiknüppel schlenkerte ihm am Bein, als er weiterging.

Sie gingen an der Bank vorbei, sie lag ja sowieso auf dem Weg, und warfen die beiden Blechrollen mit dem Geld in den Nachttresor. ›Los!‹ drängte Marie, ›seine Mutter gibt sonst noch eine Vermißtenanzeige auf, und wir haben es auszubaden. Immer fällt alles auf uns zurück.‹

So gingen sie alle drei ziemlich rasch bis zu der Straßenecke, wo die Auffahrt zum Palast begann, und man hinten den Palast sehen konnte. Alle Fenster im Palast waren dunkel, aber Marie, die vorsichtig um die Ecke lugte, traute dem Frieden nicht. ›Die bringt es fertig und lauert hinter dem Vorhang am Fenster‹, sagte sie. ›Also, junger Mann, hier müssen wir uns trennen, weiter können wir Sie nicht begleiten, das schickt sich nicht.‹

›Wie soll ich Ihnen nur danken, meine Damen‹, sagte der König.

›Reden Sie keinen Stuß‹, sagte Marie, ›und das mit den Damen sparen Sie sich für Ihre Mutter auf, dabei können wir Ihnen nicht helfen. Und nun los! Wir können hier nicht ewig an der zugigen Ecke stehen, wir holen uns was weg. Und daß Sie mir nicht wieder in dem blauen Mantel ins Kino kommen, die Lina und ich werden Sie auch so wiedererkennen. Und nun ab mit Ihnen! Drehen Sie sich nicht etwa nach uns um und winken zurück. Das schickt sich für Sie nicht. Los!‹

Damit gab sie dem König einen Schubs, und er ging gehorsam die Auffahrt zum Palast entlang, ohne sich ein einziges Mal umzublicken, denn das hatte Marie ihm ja verboten. ›Komm‹, sagte Marie zu der Lina, ›wir erkälten uns hier nur.‹

Doch die Lina wollte noch nicht. Sie blickte um die Hausecke dem König nach und konnte sich nicht losreißen. ›Wie er so allein dahingeht, er kann einem wirklich leid tun. Hätten wir ihn nicht lieber...?‹

›Willst du dich etwa mit der Alten zanken?‹ schimpfte Marie. ›Das laß lieber bleiben, mit der ist nicht gut Kirschen essen, und sie hält uns doch nur für Luder.‹

›Ich werde davon träumen‹, seufzte die Lina.

›Träum meinetwegen die ganze Nacht davon. Komm!‹

So fuhren Marie und die Lina jede mit ihrer U-Bahn nach Haus. Tatsächlich träumte die Lina von dem jungen König und dem blauen Mantel und der Krone, und wie er so allein die Auffahrt zum Palast dahinging. Sie weinte sogar ein bißchen. Auch Marie träumte. Sie träumte davon, wie sie der Mutter tüchtig Bescheid sagte, aber sie fand die richtigen Ausdrücke nicht, und da ihr die Beine vom vielen Herumstehen weh taten, wälzte sie sich auf die andre Seite.

Die Mutter stand wirklich hinter der Gardine am Fenster, wie Marie es vermutet hatte, doch der König ahnte nichts davon. Die Mutter hatte absichtlich das Licht in ihrem Zimmer ausgemacht, damit sie von draußen niemand da stehen sah. Sie stand schon die ganze Zeit da, während der König im Kino war. Sie horchte auf die alte Turmuhr und wenn sie schlug, dachte sie: Noch eine Viertelstunde, dann rufe ich die Polizei an. Und jedesmal, wenn die Turmuhr schlug, gab sie noch eine Viertelstunde zu.

Als sie jetzt den König die Auffahrt entlang kommen sah, trat sie schnell vom Fenster zurück und zog die dicken Vorhänge vor. Dann knipste sie die Stehlampe neben ihrem Sessel an und setzte ihre Brille auf, als ob sie die ganze Zeit da gesessen und ihre Zeitung gelesen hätte. Und als der König ins Zimmer trat, blickte sie nur von der Zeitung auf und fragte: ›Na, wie war es?‹

›Du bist doch nicht meinetwegen aufgeblieben, Mama?‹ sagte der König.

›Was soll ich denn machen, wenn du deine alte Mutter hier so allein im Palast läßt‹, sagte sie, denn es war ihre Art, so etwas zu sagen.

›Da! Ich habe dir auch etwas mitgebracht‹, sagte der König und gab ihr die Cellophantüte mit den Lakritzen. Sie waren ganz warm in der Hosentasche geworden und zusammengeklebt.

Die Mutter nahm sie und sagte: ›Danke. Und wie war der Film?‹

›Zum Schießen, Mama, du hättest mitkommen sollen.‹

›Nackte Mädchen?‹ fragte die Mutter.

›Ach woher denn. Sie hatten alle was an. Ich hab' mich halbtot gelacht.‹

›Wenn du dich nur amüsiert hast. Leg die Krone da auf den Teetisch‹, sagte die Mutter. Die Krone blitzte, denn Marie hatte sie ja mit dem Ledertuch blank geputzt, davon wußte die Mutter nichts. ›Und gib den Mantel her, er muß sich aushängen.‹

Der König gab ihr den Mantel und sie hängte ihn auf einen Bügel. Sie besah ihn genau von hinten und vorn und roch auch heimlich daran, aber da nichts zu riechen war, dachte sie, es scheint ja noch einmal gut gegangen zu sein, und hängte den Mantel in den Kleiderschrank.

›Nun aber zu Bett, Mama‹, sagte der König, ›du glaubst nicht, wie müde ich von all dem geworden bin.‹

Damit ging der König, nachdem er seine Mutter auf die Stirn geküßt hatte, in sein Zimmer, legte sich ins Bett und schlief sofort ein. So müde war er, daß er nicht einmal träumte.

Die Mutter sah ihm über ihre Brille nach und dachte: es scheint ja wirklich nichts passiert zu sein, und steckte sich eine Lakritze in den Mund. Dann ging auch sie in ihr Zimmer und legte sich hin. Sie war sich aber ihrer Sache doch nicht ganz sicher, deshalb konnte sie nicht einschlafen. Immer mußte sie denken: Wenn nun doch etwas passiert ist? Die Krone ist zwar blank und an dem Mantel ist nichts zu riechen, aber es gibt so raffinierte Luder. Und ist er nicht anders geworden?

Schließlich nahm sie eine Schlaftablette.

So schliefen denn alle. Auch der dicke Mann, der im Kino gepöbelt hatte, schlief. Er schnarchte zornig.

VIII

Na, was sagen Sie nun? Ich meine, wie hab' ich das erzählt? Soll mir doch niemand nachsagen, ich könne nicht auch Märchen erzählen, wenn es von mir verlangt wird.

Doch genug von dem Kinderkram. Für unsern Zweck läßt sich sowieso nichts damit anfangen. Für einen Maler wie Sprieder mag meinetwegen so ein blauer Mantel ganz attraktiv sein, aber als Reklame, zum Beispiel auf einer Lakritzentüte, wäre er völlig unwirksam, glauben Sie mir.

Es beweist ja auch nur, wie gefährlich es ist, Kindern solche Geschichten zu erzählen. Die moderne Pädagogik soll ja auch davor warnen, habe ich irgendwo gehört, denn mir fehlt es an Zeit, mich auch noch um dergleichen zu kümmern. Der alte Gärtner wußte natürlich auch nichts davon, aber wenn man so will, ist es seine Schuld, daß mit dem Mädchen beinahe ein Unglück passiert wäre, weil er das Kind mit solchen Märchen gefüttert hat und dazu noch die Melodie. Denn ob Sie es glauben oder nicht, das dumme Ding bildete sich sage und schreibe ein, der junge Mann, dieser Andre, sei so eine Art König, dem sie weiterhelfen müsse, obwohl er doch weiß Gott keinen blauen Mantel hatte, so komisch er auch sonst war, aber das denn doch nicht, so verwirrt war sie von dem romantischen Quatsch, den man ihr eingetrichtert hatte. Na, zum Glück hat diese Olivia das mit ein paar vernünftigen Worten wieder in Ordnung gebracht. Das alles ist fast so unverantwortlich wie die Rohkost, die man uns hier im Sanatorium gestern vorgesetzt hat. Das verträgt kein Magen.

Lassen wir die Gärtnerstochter endlich, sie ist nur eine ganz unwichtige Nebenfigur. Wenn der Andre nicht so verrückt nach seiner gestohlenen Melodie gewesen wäre, hätte nie jemand etwas von dem Mädchen gehört. Da taugt die Schlüssellochaffäre schon mehr für Ihren Film, die würde ich mir an Ihrer Stelle nicht entgehen lassen, das gibt etwas zum Lachen. Die dicke Frau, die, die jetzt in Kalifornien Bridge spielt, wie sie sich vorbeugt und durchs Schlüsselloch blickt, um nachzusehen, was ihr Mann in seinem Zimmer macht. Das muß noch vor der Geschichte mit Pascal gewesen sein, ja, noch in dem Haus da in Rödelheim. Die Dicke war auf Strümpfen den Korridor entlang geschlichen, damit ihr Mann nichts merkte, und machte pst zu Olivia hin, die am andern Ende des Korridors stehengeblieben war. Eine prächtige Szene, finden Sie nicht auch? Die Leute werden sich schieflachen. Olivia war damals ja noch ein Mädchen oder ein Teenager, wie man es nennt, und soll ganz erschrockene Augen gemacht haben. Auch abends bei Tisch hatte sie noch erschrockene Augen und wagte ihren Vater nicht anzusehen, denn sie meinte, er hat es trotzdem gemerkt. Eine großartige Szene!

Aber alles der Reihe nach, entschuldigen Sie, lassen wir uns nicht durch das dumme Märchen durcheinanderbringen. Sie haben selbst Schuld, sie wollten es ja durchaus hören. Wo waren wir noch stehengeblieben?

Ach so, bei dem betreffenden Vormittag, als der Andre den alten Passavent in dem kleinen Café suchte und gleich wieder wegging, weil er ihn nicht erkannte. Der Alte aber hatte ihn erkannt. Fragen Sie mich bitte nicht, wieso er ihn erkennen konnte, das bleibt eine offene Frage, der Andre wunderte sich ja selber darüber, kurz, das müssen wir in Kauf nehmen, die Leute werden sich inzwischen auch an allerhand Unwahrscheinlichkeiten gewöhnt haben, auf eine mehr oder weniger kommt es in Ihrem Film nicht an. Es hängt wohl auch mit dem mysteriösen Mister Ich zusammen, den wir am besten gar nicht beachten. Der Alte, das sagte ich ja schon, hatte die Stirn zu behaupten, nicht er sondern dieser sein Mister Ich säße da mit den Pensionierten zusammen. Das scheint mir denn doch eine allzu starke Zumutung.

Jedenfalls hatte der Alte von dem dunklen Raum hinten, wo er saß, den Andren gesehen und angeblich erkannt, wie er vorne ins Café kam und gleich wieder wegging, da er nicht fand, was er suchte. Mag sein, daß der Alte sowieso die Nase voll hatte von dem Geschwätz über die Frau mit dem Baby und dem Kleid zu DM 158,50, so oder so, er sprang auf, griff nach seinem Mantel, winkte den Pensionierten zu und lief auf die Straße.

›Als Herr Dr. Passavent aus dem Café kam‹, erzählte mir der Andre, ›dachte ich, das kann er unmöglich sein, ich weiß nicht, wie ich ihn mir vorgestellt hatte. Ich war auf die andre Seite der Gerhofstraße hinübergegangen, weil ich sehen wollte, ob es da noch ein zweites Café gäbe. Die Straße ist ja sehr schmal und gebogen, aber sehr viel Verkehr, sogar eine Straßenbahn fährt da noch, ich mußte sehr aufpassen, daß ich ihn nicht aus dem Auge verlor, den ich für Herrn Dr. Passavent hielt. Ich stand auf der andern Seite vor dem Buchladen, aus alter Gewohnheit überlegte ich, ob er sich von da aus fotografieren ließe, wie er drüben entlang ging und eine Zeitlang vor dem Schaufenster des Spielwarengeschäfts stehen blieb. Aber ich hatte ja den Apparat gar nicht bei mir, er lag zuunterst im Koffer, den ich auf dem Hauptbahnhof gelassen hatte, und ich wollte ja auch nicht mehr fotografieren, da es mir an der Quarantänestation passiert war, daß nichts von dem, was ich aufgenommen hatte, auf dem Film war, und das konnte leicht wieder passieren. Denn ich sah ja, daß all die Leute, Männer und Frauen, die dort gingen, Herrn Dr. Passavent überhaupt nicht beachteten, so als ob es ihn gar nicht gäbe und man nicht einmal mit ihm zusammenrennen könne, denn die Gerhofstraße ist wie gesagt sehr eng, und man muß aufpassen, daß man nicht auf die Fahrbahn gestoßen wird und unter ein Auto kommt. Doch Herr Dr. Passavent war für die andren keine Beute mehr.‹

Keine Beute mehr! Was sagen Sie dazu? Nicht mal mehr Beute für eine fotografische Aufnahme, haben Sie so etwas schon gehört? Aber warten Sie nur ab, es kommt noch schöner. Das kleine Stück Gerhofstraße müssen Sie auf jeden Fall in Ihren Film mit hinein nehmen, das bringt Leben in die Sache, und es wird sich auch gut verfilmen lassen, die alten Häuser, der Betrieb und wie die beiden da in der Menschenmenge hintereinander herlaufen. Ob Beute oder nicht, man wird die beiden schon herausfinden. Der Alte reißt sich endlich von seinem geliebten Spielwarengeschäft los und geht das kleine Stück bis zum Gänsemarkt entlang und da beim Zigarettenladen rechts um die Ecke bis zu dem Zebrastreifen.

Da haben Sie den berühmten Zebrastreifen, den dürfen Sie sich auf keinen Fall entgehen lassen. Vor lauter Verwirrung habe ich total vergessen, wo der alte Passavent drei Wochen später seinen Herzinfarkt kriegte, es soll auf der Straße gewesen sein. Es würde mich nicht wundern, wenn er sich ausgerechnet den Zebrastreifen dazu ausgesucht hätte, schon wegen seines Existenzbeweises, bei diesen Leuten muß man auf alles gefaßt sein, sie machen solche Dinge nicht wie wir gewöhnlichen Sterblichen ab. Große Verkehrsstockung und so weiter, ohne das geht es wohl nicht.

Ja, das können Sie nicht wissen, denn es gibt da, wo der Jungfernstieg in den Gänsemarkt mündet, einen wichtigen Zebrastreifen. Ihre Kameraleute brauchen sich nur auf die Verkehrsinsel auf dem Gänsemarkt zu stellen, von da können sie ohne jede Schwierigkeit aufnehmen, wie die beiden über den Zebrastreifen eilen und wie all die Autos, die vom Jungfernstieg kommen, warten müssen. Wie Sie sehen, habe ich mir das alles schon ziemlich genau überlegt. Dann natürlich, das heißt sowie die beiden auf der andern Seite sind und die Autos wieder losbrausen, müßte die Kamera herumschwenken, sie ließe sich wohl am besten bei der Apotheke postieren, die dort ist, denn die Szene, die nun folgt, scheint mir wichtig.

Der Alte geht nämlich schnurstracks vom Zebrastreifen zu den Schaufenstern, wo die Zeitung, das Hamburger Abendblatt, ihre Redaktion hat. Drei oder vier große Schaufenster und immer hängen da die letzten Nummern aus, und eine Menge Leute steht davor und liest das Zeug. Das wäre sogar etwas für eine Großaufnahme, was meinen Sie? Zum Beispiel die fette Überschrift mit den DM 158,50 für das Kleid, ganz gleich, ob der Unsinn in der oder einer andern Zeitung gestanden hat, darauf kommt es nicht an. Man muß merken, daß es die Gewohnheit des Alten ist, da stehenzubleiben und nachzuprüfen, ob es auch stimmt, was ihm die Pensionierten erzählt haben. Dabei muß er die Brille aufsetzen, solche Kleinigkeiten sollten wir nicht vergessen, denn selbstverständlich kann er ohne Brille nicht lesen. Und der Andre steht zwei oder drei Schaufenster weiter weg, er schielt die ganze Zeit zu dem Alten hin und wartet. Und ganz abrupt steckt der Alte seine Brille ein und rast davon, so als ob ihm etwas Dringliches eingefallen wäre. Er rast davon, soweit er rasen kann, an dem Restaurant vorbei, das da neben der Zeitung ist, und um die Ecke in die Büschstraße. Weg ist er! Buchstäblich weg. Wie hieß doch noch das Restaurant da an der Ecke? Eine Luxuskneipe, nichts für einen jungen Kerl, wie ich damals war. Doch ganz gleich, es ist schließlich nicht unsre Aufgabe, Reklame für das Restaurant zu machen.

Und der Andre? Klar, er geht dem Alten nach, wenn auch nicht zu schnell, damit es nicht auffällt, daß er hinter ihm herläuft, und der Alte kann ihm ja auch nicht entgehen, denkt er. Ja, denkt er, doch als er an die Ecke kommt und die Büschstraße hinunterblickt, kein Alter! Wie vom Erdboden verschluckt. Und dabei müßte man ihn sehen können, die Büschstraße ist eine kleine Nebenstraße und nicht sehr belebt, man kann die paar Menschen, die da gehen, leicht bis zu den Kolonnaden hinunter beobachten, und irgendwelche Verstecke gibt es da nicht. Na, man kann sich vorstellen, wie erstaunt der Andre war, für den Schauspieler, der die Rolle übernimmt, wird das nicht schwer zu spielen sein. Er muß stutzen, denn es ist ja noch keine Minute her, daß der Alte um die Ecke gebogen ist, selbst wenn er noch so schnell geht, müßte er noch zu sehen sein, und die Richtung zu seiner Wohnung ist es ja auch. Der Schauspieler oder der Andre blickt sich ratlos um, er denkt, sollte ich mich getäuscht haben? Das würde jeder von uns denken, auch wenn man genau gesehen hat, daß der Alte um die Ecke bog und die Straße nicht überquert hat, denn das wäre einem schon deshalb aufgefallen, weil es da Kopfsteinpflaster gibt, auf dem man vorsichtig sein muß. Trotzdem blickt man sich um und blickt auch den Gänsemarkt entlang, da wo das Kino ist und dann ein Brotladen, ob man den Alten da nicht doch entdeckt, denn er kann sich ja nicht in Luft aufgelöst haben. Das werden die Leute, die sich den Film ansehen, verstehen, denn ihnen wäre es auch nicht anders gegangen. Und nach einigem Zögern entschließt sich der Andre, denn was bleibt ihm andres übrig, die Büschstraße hinunterzugehen, das ist ja wenigstens die Richtung zur Wohnung des Alten, aber er geht nur ganz langsam und immer noch zögernd, so als ob er jeden Augenblick wieder umkehren will, und nun kommt die Hauptszene.

Wirklich eine Hauptszene, ohne die Sie auf keinen Fall auskommen werden, so unverständlich sie Ihnen auch erscheinen mag. Schütteln Sie nicht gleich den Kopf, hören Sie erst zu. Sehe ich etwa wie einer aus, der sich Märchen erzählen läßt? Ich hätte mir das alles nicht einmal damals angehört, ohne den Andren auszulachen, wenn mich nicht das lange Warten auf dem Treppenabsatz müde gemacht hätte. Und was heißt schon Märchen! Im Film muß man es den Leuten so selbstverständlich darstellen, daß sie gar nicht erst zum Nachdenken kommen. Hinterher, auf dem Nachhauseweg können sie dann meinetwegen mit ihren Frauen darüber reden, doch dann haben sie längst ihre Eintrittskarte bezahlt, und darum geht es ja schließlich.

Der Andre geht also langsam die Büschstraße hinunter, wahrscheinlich dreht er sich manchmal um und sicher blickt er in die Hauseingänge, ob der Alte sich da irgendwo hineingeschlichen hat. Und da vor dem Laden, wo sie Kartoffelpuffer und andres Zeug braten, das ist ungefähr in der Mitte der Straße — ich kenne den Laden gut, wenn ich zufällig in der Gegend war und nicht viel Geld in der Tasche hatte, habe ich früher da selber schnell etwas gegessen — ausgerechnet da tritt der Alte aus dem Laden auf die Straße und hält den Andren an. Er hält ihn nicht nur an, er redet ihn auch gleich an wie einen alten Bekannten oder einen, auf den er da gewartet hat. Das müssen Sie in Ihrem Drehbuch unbedingt wörtlich bringen, darin liegt der ganze Pfiff. Er sagt zu dem Andren: ›Du magst doch hoffentlich Kartoffelpuffer, Enkel? Ich habe welche für dich mitgekauft. Die Tüte ist fettdicht, so daß es keine Flecke an der Hose gibt. Und Apfelmus habe ich zu Haus im Kühlschrank.‹

Wörtlich so! Jedenfalls so, wie der Andre es mir in jener Nacht erzählt hat und ich glaube nicht, daß er schwindelte, dazu war er noch nachträglich viel zu verwundert. Verwundert ist nicht einmal der richtige Ausdruck. Stellen Sie sich vor, es redet Sie jemand, den Sie noch nie gesehen haben und der Sie auch nicht kennen kann, mitten auf der Straße an und fragt Sie, ob Sie Kartoffelpuffer mögen. Das erste, was Sie denken, wird doch sein: Hat er einen Klaps? Oder hab' ich einen Klaps? Dabei sind die lächerlichen Kartoffelpuffer noch nicht mal das Aufregendste. Auch daß dieser wildfremde Kerl Sie mit Du anredet, läßt sich noch hinnehmen; da in Hamburg reden sich die Leute leichter als anderswo mit Du an, das ist keine Beleidigung. Aber daß mich jemand einfach mit ›Enkel‹ anredet, da hört sich doch alles auf. Der Schauspieler, dem Sie die Rolle geben, müßte vor Schreck einen Schritt zurücktreten, doch damit brauchen wir uns jetzt nicht aufzuhalten, das können wir dem Regisseur überlassen. Ich jedenfalls wäre vor Schreck zurückgetreten, deshalb, und jeder, der sich den Film ansieht, würde es auch tun.

Überhaupt ›Enkel‹. Der alte Passavent war ja nicht einmal alt genug, um einen solchen Enkel wie den Andren zu haben, er hätte allenfalls sein Sohn sein können. Und warum nannte er den Andren ›Enkel‹ und nicht auch Sprieder, der doch höchstens zwei oder drei Jahre älter war als der Andre, können Sie mir das vielleicht verraten? Es hilft uns auch nicht weiter, wenn der Alte später behauptete, es sei von jeher so Brauch gewesen, daß wenn zwei sich zufällig in der Fremde begegnen, der Ältere den Jüngeren mit Enkel anredet. Haben Sie schon von so einem Brauch gehört? Ich auch nicht, ich bedanke mich auch schönstens dafür. Der Alte verlangte sogar von dem Andren, daß er ihn Großvater nennen solle. Das aber wollte dem Andren vor lauter Hochachtung gar nicht über die Lippen, schließlich fand er den Ausweg und redete den Alten, weil der es so haben wollte, zwar mit Großvater an, blieb aber beim Sie. Na, und in der Fremde, haben Sie Worte? Man kann doch die

Büschstraße da in Hamburg, mag sie noch so klein und nebensächlich sein, unmöglich als Fremde bezeichnen.

Aber lassen wir das jetzt, es soll nur ein Fingerzeig sein, wie die Szene gespielt werden muß. Der Andre traut natürlich seinen Augen und Ohren nicht und blickt die Büschstraße hinunter, ob der, dem er von der Gerhofstraße nachgegangen ist, da hinten nicht irgendwo zu sehen ist. Und was glauben Sie, wie der Alte darauf reagiert? ›Wegen Mister Ich brauchst du dir keine Gedanken zu machen‹, sagte er, ›der ist längst zu Haus und schreibt an seinen Ephemeriden. Komm!‹

Da endlich rafft sich der Andre, der ja noch nie etwas von einem Mister Ich gehört hat, genausowenig wie Sie und ich, auf und stottert: ›Ich bin doch nur ... ich habe mir doch nur erlaubt ... ich möchte Sie nicht belästigen ... man hat mich wegen der gestohlenen Melodie zu Ihnen geschickt, deswegen.‹

›Wegen der gestohlenen Melodie? Was die sich wieder für einen Vorwand ausgedacht haben. Die wollten dich doch nur los werden, Enkel, das sind so ihre Tricks. Komm jetzt, du bist doch sicher hungrig. Wir dürfen hier nicht zusammen herumstehen.‹

Bitte, behalten Sie das vorläufig im Kopf, ich meine, daß die beiden da nicht zusammen herumstehen durften, darauf komme ich später zurück. Ich will nur jetzt gleich hinzufügen, daß der Andre aufs höchste darüber erstaunt war, wieso der Alte ihn denn sozusagen auf Anhieb erkennen konnte, als einen von seinesgleichen oder wie Sie es sonst nennen wollen. Das ist nämlich der springende Punkt bei der Geschichte, wenn ich nicht irre. Die Leute hielten sich für etwas Besonderes, und das sollte niemand merken. Ob uns das paßt oder nicht, wir kommen um diese

Tatsache nicht herum, sonst geht uns der ganze Film in die Binsen. Man müßte das irgendwie atmosphärisch andeuten oder durch die Art und Weise, wie die, die die beiden Rollen spielen, sprechen. Etwas gedämpft oder so, damit die Zuschauer merken, daß die beiden nicht dazugehören. Doch ganz gleich, der Alte sagte später, als der Andre ihn fragte, wie er ihn denn gleich erkannt hätte: ›Du bist nicht schwer zu erkennen, Enkel. Das muß unbedingt anders werden, denn es bringt nur Unruhe.‹

Unruhe? Für wen bitte? Was bilden sich diese Leute ein? Der Alte hatte da eine ganze Theorie ausgebildet, er ermahnte den Andren, der ja noch neu war, du darfst dich nie zu zweit mit einem von uns sehen lassen, einen allein beachtet niemand, dazu sind sie viel zu beschäftigt, aber wenn wir zu zweit sind, dann stört sie etwas und sie werden ärgerlich. Sie merken, daß wir nur in Quarantäne hier sind und schimpfen: Warum reden die da nicht wie wir? Daß man solche lästigen Ausländer bei uns duldet! Und das darf nicht sein, wir wollen sie ja nicht stören. Der Alte erzählte sogar als Beispiel, was passieren könnte, eine witzige Geschichte von einer Rolltreppe, auf der sich zwei von ihnen begegneten und sich nicht ausweichen konnten, aber davon später. Humor hatte der alte Knabe, das muß man ihm lassen. Vorher muß ich Ihnen noch den Begriff Quarantäne erklären, mit dem Sie wahrscheinlich ebensowenig anfangen können wie ich. Er stammt nicht von mir, um Gottes willen, doch es war oft genug davon die Rede, und ob es uns paßt oder nicht, die Sache hat etwas mit der Melodie zu tun, ja, die ganze Geschichte steht und fällt mit dieser dummen Quarantäne, scheint mir. Eine Zeitlang habe ich erwogen, ob man nicht ihren Film sogar ›In Quarantäne‹ nennen sollte. Aber das riecht nach

Cholera und Pest und die Leute werden sagen: Was sollen wir uns die Schweinerei angucken, das Leben ist schon schwer genug. ›Die gestohlene Melodie‹ als Titel ist zugkräftiger, glauben Sie einem Fachmann.

Vorläufig sind wir ja auch noch in der Büschstraße da in Hamburg und vor dem Laden mit den Kartoffelpuffern. Der Andre stottert da immer noch etwas wegen der Melodie und der Alte antwortete: ›Laß dir doch nichts aufbinden, Enkel. Mir haben sie den guten Mister Ich aufgebunden, vor allem wegen seiner Pensionsberechtigung. Komm jetzt, essen wir erst mal. Nachher legst du dich am besten auf mein Bett und schläfst dich erst mal aus, du mußt doch müde von der Fahrt sein. Ich kann solange zu Sprieder gehen, wenn du willst, das macht mir nichts aus. Und was du mir erzählen willst, kannst du mir dann immer noch erzählen, das hat keine Eile. Komm!‹

So gehen sie denn endlich die Büschstraße hinunter bis zu den Kolonnaden und da bei dem Klavierladen rechts um die Ecke und bei dem Pelz- und Lampengeschäft vorbei. Und wie könnte es anders sein, natürlich steht der Köter beim Toreingang und läuft den beiden schwanzwedelnd entgegen, um sich von dem Alten streicheln zu lassen. ›Na, mein armer Timo‹, spricht der mit ihm, ›das merkt man gleich, daß der da einer von uns ist.‹ Und der Köter rennt vor lauter Begeisterung hinter einer ganz unschuldigen Dame her, die da zufällig vorbeigeht, und bellt sie von hinten an, so daß sie vor Schreck beinahe ihre Pakete aus der Hand verliert, und will dafür noch gelobt werden, der Köter meine ich: Na, hab' ich das nicht fein gemacht? Oder so ähnlich. Ob Sie es mir glauben oder nicht, das alles wurde mir in jener Nacht wie das Allerwichtigste von der Welt von dem Andren erzählt und ich mußte es mir anhören.

Und natürlich nickt der Alte, als sie über den Hof gehen, dem alten Weib da an ihrem Fester zu. Und oben dann, nachdem der Alte mit dem Andren die fünf Treppen hinaufgekeucht und ihn in sein Zimmer läßt, heißt es als erstes: ›Da haben wir Besuch, ihr Hemden, seid nett zu ihm.‹ Es hingen wie üblich welche über der Badewanne, er hatte sie wohl morgens ausgewaschen. Er gibt ihnen sogar die Hand, das heißt er faßt die Manschetten an, um nachzufühlen, ob sie schon trocken sind, denn die Manschetten brauchen ja immer am längsten dazu.

IX

Doch zunächst die Quarantäne. Die Szene läßt sich filmisch gut verwerten, glaube ich, sie könnte ein Kernstück in Ihrem Film werden. Wenn es richtig gemacht wird, wird niemand fragen: Was soll denn das? Die Leute werden einfach mitgehen.
Wann der Andre die Geschichte dem alten Passavent erzählt hat, kann ich Ihnen beim besten Willen nicht mehr sagen. Letzten Endes bleibt es sich wohl auch gleich. Auf jeden Fall nach dem berühmten Kartoffelpuffer-Essen, damit wollen wir uns nicht aufhalten. Oder? Sollte man den Alten doch kurz mit seiner Pfanne herumklappern lassen, während er den Andren an den Tisch gesetzt und ihm die Ephemeriden von Mister Ich zum Lesen gegeben hat? Das sähe ihm ähnlich, doch das überlasse ich Ihnen.
Für uns bleibt es sich gleich, ob der Andre seine Geschichte schon gleich nach dem Essen erzählte oder erst nach dem Schlafen und nachdem der Alte bei Sprieder gewesen war. Doch vielleicht wäre es ganz angebracht und sogar nicht ohne Logik, wenn Sie im

Film den Andren gleich seine Geschichte erzählen ließen, sozusagen im Liegen, und den Alten können Sie unterdessen am Tisch sitzen und in den blöden Ephemeriden blättern lassen. Der Andre wollte ja seine Geschichte so schnell wie möglich los werden, und wenn er liegt, würde das auch die tonlose Stimme erklären, in der er seine Geschichte erzählte. Denn daß er sich gleich nach den Kartoffelpuffern aufs Bett legte, darauf bestand der Alte, er mußte die Schuhe ausziehen und der Alte deckte ihn sorgsam zu. Natürlich können Sie nicht die ganze Geschichte erzählen lassen, die Leute würden einschlafen, allein schon wegen der tonlosen Stimme, aber Sie können nach ein paar Worten — warten Sie, wie nennt man das noch? — rückblenden, glaube ich, ja, Sie können gleich rückblenden und das, was er da erzählt, filmisch bringen. Denn weiß der Teufel, verfilmen läßt sich das Zeug gut, die große Ausfallstraße zum Beispiel, von der er da faselt, und die Quarantänestation. Das ist nicht schlecht gesehen, wenn es auch phantastischer Unsinn ist, und außerdem hat es mit unserm Thema zu tun, mit der gestohlenen Melodie. Das meine ich mit Logik, die Leute werden das alles schlucken, weil es im Liegen erzählt wird. Was meinen Sie?

Mir übrigens erzählte er das in jener Nacht nur sehr ungern, er hätte sich am liebsten darum gedrückt und versuchte immer wieder abzulenken, doch damit kam er bei mir nicht an, ich hielt ihn bei der Stange, denn schließlich war ich ja wegen der Melodie bei ihm und wollte wissen, was es damit auf sich hatte. Das wäre ja gelacht, wenn ich da für nichts und wieder nichts in dem ungemütlichen Zimmer herumgesessen hätte, nur um mir etwas von den Hemden oder diesem Mister Ich vorschwafeln zu lassen, und Kaffee trinken konnte ich woanders viel besser. Entschuldigen Sie, daß ich auf meine komische Situation zurückkomme, für Ihren Film spielt das ja gottlob keine Rolle.

Nach der Uhr habe er nicht gesehen, als er wegging, begann er, aber es sei noch zu früh für die Putzfrauen gewesen, die die Büros sauber machen. Dabei sah er auf seine Uhr und blickte sogar zum Fenster hinaus, ob in den Bürohäusern Licht wäre. Als ob es mir um Uhrzeit und Putzfrauen ging. Das war nur eins seiner Ablenkungsmanöver, die ich ihm nicht durchgehen ließ. Aber da haben Sie gleich zu Anfang das Wort ›Weggehen‹, stoßen Sie sich bitte vorläufig nicht daran. Die beiden, der Alte und der Andre benutzten es dauernd. Ich wollte zuerst auch fragen, was sie damit meinten, doch zum Glück ließ ich es, sonst wären wir nie weitergekommen, und später gewöhnte ich mich daran und nahm es so hin.

›Es war nirgends Licht in den Fenstern‹, fuhr er fort, nachdem er sich durch den Blick aus seinem Fenster davon überzeugt hatte, ›und kaum Verkehr auf den Straßen. Die Laternen brannten nur fahl, es war etwas diesig, und das war mir sehr angenehm. Allerdings wußte ich damals noch nicht, daß man es einem ansehen kann, wenn er beim Weggehen ist. Herr Dr. Passavent hat es ja sofort erkannt und mir gesagt, das dürfe nicht wieder vorkommen. Damals war ich noch viel zu benommen, ich wollte nur vermeiden, daß jemand mich anredete und fragte: Was ist denn mit Ihnen los? Kann ich Ihnen helfen? Das hätte doch nur zu Redensarten geführt, und ich mochte nicht davon reden. Darum nahm ich auch kleine Seitenstraßen, denn da, wo die Nachtlokale sind, die bis morgens offen haben, hätte mir leicht jemand begegnen können, den ich kannte. Als Pressemann kannte ich ja die Stadt in- und auswendig, in den Hintergassen lassen sich häufig die besten Aufnahmen machen, und außerdem kürzte es den Weg zur großen Ausfallstraße ab. Nicht daß ich Eile hatte, wenn man weggeht, drängt einen nichts mehr, doch ich wollte so schnell wie möglich aus der Innenstadt heraus.

Die große Ausfallstraße zum Fluß hat man ja nach dem Krieg sehr verbreitert, weil der Verkehr so zunahm. Aber in der Zeitung heißt es, daß sie schon wieder nicht breit genug sei und daß die Stadtplaner das hätten voraussehen müssen, weil die Statistik es doch deutlich zeigte. Das ist nur politisches Gerede, damit die Unzufriedenen dann eine andre Partei wählen. Auch von einer Schnellbuslinie wird geredet, die endlich eingerichtet werden sollte, damit die Leute nachts nicht mehr zu Fuß zur Fähre zu gehen brauchen. Das sei rückständig, heißt es, und in unsern Zeiten könne man sich das nicht mehr leisten.

Es war aber um die Zeit gar kein Betrieb auf der Ausfallstraße, so brauchte ich nicht aufzupassen. Die Kamera hatte ich mir natürlich umgehängt, das tut man rein aus Gewohnheit. Ich ging nie ohne Kamera weg, sie hing da immer parat unter meinem Regenmantel am Garderobehaken. Es konnte sich ja unterwegs etwas ereignen, woraus sich ein Bild für die Zeitung machen ließ. Das war mein Beruf, ich wußte es damals nicht anders, und man nahm meine Aufnahmen gern, weil ich Dinge sah, auf die die Kollegen nicht achteten, sagte man. Das ist keine Prahlerei, bitte denken Sie das nicht. Ich verdiente auch nicht schlecht, daran lag es nicht. Nur wußte ich damals noch nicht, daß es Dinge gibt, die sich nicht aufnehmen lassen und aus denen kein Bild wird, obwohl es sie gibt. Das habe ich dann erst bei der Fähre erfahren, und seitdem fotografiere ich nicht mehr, weil es

Lüge wäre. Die Kamera besitze ich noch, sie liegt da zuunterst im Koffer. Ich könnte sie verkaufen, das ist wahr, aber ich scheue mich davor, und verschenken will ich sie auch nicht; man kann doch nicht gut etwas verschenken, zu dem man selber kein Vertrauen hat. Ich habe sie in einen alten Pullover gewickelt.

So ging ich die Ausfallstraße entlang und dachte nichts Besonderes. Ich dachte überhaupt nichts, ich war viel zu müde, das war angenehm. Die Ärmel meines Jacketts waren ja auch wieder ganz trocken. Meine Schwiegermutter hatte die Heizsonne angestellt, damit sie schneller trockneten. Wir hatten eine große Heizsonne, denn manchmal war nicht gut geheizt und die, mit der ich da wohnte — drei Jahre hatten wir da gewohnt — war sehr kälteempfindlich. Es war das alte Tweedjackett, das ich meistens trug, wenn ich beruflich unterwegs war. Meine Schwiegermutter wollte die Ärmel auch noch aufbügeln, doch ich sagte: Laß nur, ich bringe den Anzug morgen zur Reinigung da unten zwei Häuser weiter. Ich wollte nämlich, daß meine Schwiegermutter mich allein ließ, obwohl ich sie gut leiden konnte, und sie meinte, daß sie mich nicht allein lassen dürfe, aber schließlich ging sie dann doch.

Warum die Ärmel naß waren? Aber das ist doch klar, wie sollen sie denn nicht dabei naß werden. Sie troffen geradezu, es gab eine Wasserspur vom Badezimmer zum Schlafzimmer, meine Schwiegermutter hat es dann nachher aufgewischt, sie schimpfte dabei sehr, weil die Polizei alles vollgetreten hatte. Ich selber hatte es in der Eile gar nicht bemerkt, daß die Ärmel sich voll Wasser gesogen hatten, doch die Polizei sah es sofort und fragte: Warum sind Ihre Ärmel so naß? Was für eine dumme Frage. Erst da merkte ich es selber und hängte das Jackett über die Stuhllehne. Auch unter dem Stuhl gab es dann noch eine Pfütze. Das war noch, bevor meine Schwiegermutter kam, die sie herbeigeholt hatten, weil sie mit meinen Antworten nicht zufrieden waren.

Wie soll einer es denn machen, ohne daß die Ärmel dabei naß werden? Das ist doch unmöglich. Man kommt abends nach Hause wie jeden Abend, es lag ja nichts Besonderes vor, denn wenn die Redaktion noch etwas für einen zu tun hat, ruft man natürlich an, daß man später kommt, wegen des Essens und so, doch wenn nichts vorliegt, braucht man nicht anzurufen, dann ist alles wie sonst immer. Und wenn man dann an der Tür nicht begrüßt wird wie sonst immer, ruft man ›Hallo‹ und ruft den Namen und pfeift den Pfiff, an dem man sich erkennt. Der Pfiff war aus Cavalleria Rusticana, von Anfang an war das unser Pfiff. Der eine pfiff fünf Töne und der andre, wenn er es hörte, setzte die Melodie mit ein paar Tönen fort, auf diese Weise fand man sich gleich mitten im dicksten Gedränge. Man darf gar nicht daran denken, daß nun niemand mehr antwortete, es macht etwas traurig. Aber so an der Wohnungstür denkt man, sie ist wohl noch rasch etwas einholen gegangen, was sie vergessen hat, obwohl sie dann einen Zettel hingelegt hätte: Bin gleich wieder da oder so ähnlich. So hängt man denn die Kamera und den Regenmantel an den Haken und geht durch die Wohnung. Und dann findet man sie in der Badewanne.

Da kommt doch niemand auf die Idee, erst die Jacke auszuziehen, man will doch die Frau gleich aus der Badewanne heben, das ist doch selbstverständlich. Nicht einmal das Wasser läßt man vorher ab, denn wie soll man den Stöpsel herausziehen, das geht doch gar nicht, man würde ihr mit der Kette weh tun und auf dem Rücken könnte sie einen Kratzer davon kriegen. Die Polizei hat mich dann sehr gelobt, daß ich das Wasser in der Wanne gelassen habe. Es war noch lauwarm, sie nahmen in einer kleinen Flasche Proben davon mit, um es mit dem Wasser zu vergleichen, das sie in der Lunge finden würden, wie sie sagten. Welch eine überflüssige Mühe! Was für Wasser sollte es denn sonst sein? Dasselbe wie in den Ärmeln.

Aber wie unglaublich schwer ist es, eine Frau aus der Badewanne zu heben, wenn sie nicht mehr dabei hilft, davon macht sich niemand einen Begriff. Man muß mit dem einen Arm unter die Schultern und mit dem andern unter die Knie fassen, doch wie leicht kann man dabei ausrutschen. Den Badeteppich hatte ich mit dem Fuß beiseite gestoßen, doch man kann auch auf den Fliesen ausrutschen, wenn man nicht sehr aufpaßt, dann platscht einem die Frau ins Badewasser zurück und man selber womöglich auch.

Mir gelang es trotz allem gleich beim ersten Versuch, ich trug sie ins Schlafzimmer und legte sie aufs Bett. Die Überdecke zog ich unter ihr hervor und deckte sie damit zu, weil sie ja ganz naß war und sich leicht erkälten konnte. Erst dann rief ich die Unfallstation an und die Polizei kam auch gleich mit.

Das Bett war natürlich auch naß davon geworden, meine Schwiegermutter bezog es dann neu, als die Leute mit der Bahre fortgegangen waren. Sie schimpfte sehr, weil die Wäsche zum Wechseln nicht da lag, wo sie liegen sollte und nicht alles so war, wie sie es haben wollte. Sie machte mir auch Kaffee und strich mir ein paar Brote, weil ich noch nichts gegessen hatte, und sie es für wichtig hielt, daß ich etwas aß, sie war nicht davon abzubringen, ich tat ihr lieber den Gefallen. Aber daß die Polizei endlich ging, habe ich nur ihrer Schimpferei zu verdanken, das ist wahr. Die Polizei war mehrere Stunden da, glaube ich, wer sieht denn nach der Uhr. Fragen und Fragen, es ist nicht auszudenken, was sie alles fragten, bis es meiner Schwiegermutter zuviel wurde und sie die Leute hinausjagte. Nun aber Schluß, meine Herren, schrie sie sie an, sonst beschwere ich mich. Die da hat nur das getan, um sich wichtig zu machen und uns aufzuregen, sie war immer schon ein Luder. Machen Sie nicht so dumme Gesichter, ich muß es doch wohl wissen. Jetzt aber geht es um den jungen Mann hier, und damit Schluß!

Da zog die Polizei endlich ab. Sie war keine böse Frau, das nicht, aber es war so ihre Art und mit ihrer Tochter hatte sie sich nie vertragen. Und schließlich gelang es mir, auch sie wegzuschicken. Das war gar nicht leicht, ich mußte ihr hoch und heilig versprechen, mich gleich ins Bett zu legen, am liebsten hätte sie mich noch selber ins Bett gepackt und mir eine Schlafpille in den Mund gesteckt, nur daß in der ganzen Wohnung keine zu finden war, die Glasröhren waren alle leer, und ich hatte auch noch nie ein Schlafmittel genommen, das hatte ich nicht nötig.

Und wieviel Ratschläge sie mir noch gab! Doch endlich ging sie. Ich horchte auf ihre Schritte auf der Treppe und ob die Wagentür der Taxe auch zuklappte, die ich für sie bestellt hatte, und ob die Taxe auch wirklich mit ihr wegfuhr, denn bei ihr war alles möglich. Dann ging ich durch die Wohnung, und es war alles so leer.

Es war nur eine Zweizimmerwohnung, mehr brauchten wir nicht, wir wollten nicht viel Arbeit damit haben, und noch eine kleine Abstellkammer, dort hatte meine Schwiegermutter die Überdecke zum Trocknen aufgehängt. Aber es war alles so leer, sogar die

Aschenbecher waren ausgeleert. Auch die Fläschchen und Dosen, die sonst immer auf dem Glasbord über dem Waschtisch standen, waren alle weggeräumt, ich weiß nicht wohin, nur mein Zahnputzglas und die Zahnpaste waren noch da. Sogar die Badewanne hatte meine Schwiegermutter ausgewischt, weil es sonst einen Rand geben würde, wie sie sagte, denn das Wasser hatte ziemlich lange darin gestanden. So leer war alles, es läßt sich nicht schildern, man wußte nicht, was man da noch sollte.

So dachte ich denn, es ist wohl besser, du bleibst hier nicht länger und gehst weg. Ich rief aber die Redaktion vorher an, denn ich sollte am nächsten Morgen auf dem Flugplatz sein, um eine italienische Sängerin zu fotografieren, die abends im Opernhaus Koloratur singen wollte. Ich bat die Leute, einen andern hinzuschicken, wegen eines Unglücksfalls. Sie fragten natürlich, ob es etwas Schlimmes sei, denn sie mochten mich alle gern, doch ich sagte ihnen nichts. Eine italienische Diva mit Blumen im Arm, wenn sie aus dem Flugzeug steigt, zu fotografieren, ist kein Kunststück, das kann jedes Kind, und ich war auch schon oft für andre eingesprungen. So ging ich denn weg. Die Wohnungstür schloß ich gut ab. Die Schlüssel — es waren drei an einem Ring, einer für die Wohnung, einer für die Haustür unten und einer für den Briefkasten — ich muß sie in die Manteltasche gesteckt haben und hatte sie ganz vergessen. Erst hier, als Herr Dr. Passavent mich hierher mitnahm, klingelten sie in der Tasche, als ich den Mantel da an den Haken hängte. Ich war ganz erstaunt, wofür sind denn die Schlüssel, fragte ich. Ich habe sie dann meiner Schwiegermutter geschickt, die den Hausstand auflöste, und damit sie sie beim Hausverwalter ablieferte, denn sonst hätte ja noch länger Miete bezahlt werden müssen. Herr Dr. Passavent riet mir dazu, und das Postamt ist ja auch nicht weit von hier. So ging ich also die Ausfallstraße entlang, doch mehr zum Stadtrand hin, da wo die Bausparkassen die Siedlungen gebaut haben, ein Haus wie das andre, so weit man sehen kann, weil es dort gesünder sein soll, wie es in den Prospekten heißt, man kriegt da keinen Lungenkrebs vom Benzindunst und abends kann man in dem kleinen Garten herumbuddeln, der mitgeliefert wird, und für die Kinder sei es auch besser, wird behauptet, sie werden da nicht so leicht überfahren, wenn sie auf der Straße spielen, ja und auch eine Kirche mit einem komischen Turm hat man gleich mitgebaut, weil die Frauen es so haben wollen, meint man — übrigens ist es da gar nicht so gesund, ich weiß das von einem Journalisten, der die Leute befragt hat, mehr zum Fluß hin ist es feucht, es wird über Rheuma geklagt und man jammert auch, daß viel mehr Heizung gebraucht wird als vorgesehen, es läßt sich eben nicht alles berechnen und geklagt wird ja so oder so . . .

Ja, und beinahe hätte ich das vergessen, als ich da entlang ging, war die Sirene eines Unfallwagens zu hören, das war das erste, was man hörte, doch nicht laut, sondern weit hinter einem in der Stadt, man hörte es auch nur, weil sonst nichts zu hören war. Das Krankenhaus liegt ja auch auf der andern Seite der Stadt, mehr zu den Hügeln hin. Sie werden wohl eine Frau in die Klinik geschafft haben, die ein Kind kriegte. Auch in den Siedlungen will man ein Krankenhaus bauen, steht in der Zeitung, es fehlt sehr an Krankenbetten, doch es fehlt auch an Geld, heißt es.

Da am Stadtrand sah man allmählich doch ein paar Leute, Frühaufsteher sozusagen. Sie kamen ganz vereinzelt aus den Nebenstraßen oder aus den winzigen

Vorgärten, wobei sie sehr darauf achteten, daß die Gartenpforte nicht zuschlug, denn die Nachbarn sollten nicht merken, daß sie weggingen. Sie gingen dann ziemlich schnell auf ihrer Seite die Straße entlang in Richtung des Flusses, ohne sich ein einziges Mal umzusehen. Es winkte ihnen ja auch niemand aus dem Fenster nach.

Zuerst nur ganz wenige, bei der Breite der Straße fielen sie kaum auf, man hörte auch ihre Schritte nicht. Sie nahmen keine Notiz voneinander, so als ob jeder für sich allein dort ging. Mehr zum Fluß hin wurde es auch etwas dunstiger, die Windschutzscheiben der Wagen, die da am Rande parkten, waren beschlagen. Wie gesagt, es ist feucht da. Herr Dr. Passavent fragte, ob da auch Wäsche hing. Warum soll da Wäsche hängen? Weil an solchen Stellen immer Wäsche hängt, sagte er. Das muß früher gewesen sein, zu seiner Zeit, als noch nicht so viel gestohlen wurde, denn wer läßt heute Wäsche draußen hängen, und außerdem haben sie doch alle Waschmaschinen und Trockenschleudern.

Immer mehr Leute wurden es, je näher man zum Fluß kam. Sie kamen von links und rechts auf die Straße und dann gleich alle in Richtung des Flusses. Männer und Frauen, ja, auch Frauen. Eine trug ein Baby. Sie versuchte sogar die andern zu überholen, sie hatte es eilig. Auch die andern hatten es jetzt eiliger, keiner wollte sich überholen lassen. Da, wo die Siedlung zu Ende ist und die Sportplätze und Anlagen sind, noch vor dem Deich, gab es schon ein richtiges Gedränge, die Leute gingen sogar auf der Fahrbahn, für einen Autobus wäre kein Platz gewesen. Einer wollte die Menge seitlich überholen, so hatte er es sich wohl gedacht. Er sprang die Böschung hinab und rannte auf dem Rasen nach vorne, doch als er sich wieder einreihen wollte, gelang ihm das nicht, die Masse, die auf der Straße zur Fähre drängte, war schon viel zu kompakt, er wurde immer wieder die Böschung hinuntergestoßen. Was wohl aus ihm geworden ist? Aber niemand kümmerte sich um ihn, keiner sah sich nach ihm um, alles drängte zum Fluß. Es redete auch niemand.

Da, wo der Durchlaß für die Straße im Deich ist, wurde das Gedränge natürlich erst recht schlimm. Die großen eisernen Torflügel, die da wegen des Hochwassers sind, standen weit offen, doch was nützte das schon? Auf jeder Seite oben auf dem Deich stand ein Mann in einer Lederjacke, wegen des Dunstes waren sie nur undeutlich zu sehen. Sie fuchtelten ungeduldig mit den Händen, um die Menschenschlange anzutreiben. Sehr komisch, doch niemand machte sich darüber lustig. Es war ja gar nicht möglich, daß die Leute sich schneller bewegten, sie preßten sich in den Durchlaß, und man wurde mit hineingequetscht. Wie Hampelmänner sahen die in den Lederjacken aus, es hätte ein ulkiges Foto ergeben, doch wie sollte einer bei dem Gedränge fotografieren? Man konnte ja die Arme nicht hochkriegen.

Auf der andern Seite des Deiches, da wo die Wiesen zum Fluß abfallen, war es um nichts besser, denn links und rechts bis zum Landeplatz der Fähre war Stacheldraht, damit die Leute nicht auf die Wiesen liefen. Es kam alles darauf an, sich in der Mitte zu halten, denn sonst wäre man gegen den Stacheldraht gepreßt worden und hätte sich die Kleidung zerrissen.

Aber die Fähre lag schon da und wartete, das war gut zu sehen, wie ein gewaltiger Schatten zeichnete sie sich im Nebel ab. Sie schwebte über dem Wasser, denn den Fluß konnte man nicht sehen, es lag eine

Dunstschicht darauf. Überhaupt konnte man nicht weit sehen, und von einem andern Ufer war erst recht nichts zu sehen, das war das erste, wonach man mit den Augen suchte, man wollte doch gern wissen, wie weit es bis dahin ist, aber da war nur Nebel. Es soll sehr selten zu sehen sein, heißt es, der Fluß ist dort sehr breit und fast immer ist es dunstig, und vielleicht hat es noch nie jemand gesehen, und es ist nur Gerede. Die Leute denken, wenn eine Fähre da ist, muß es auch ein andres Ufer geben, aber genau weiß das keiner.

Doch wenigstens die Fähre war zu sehen und mehr wollte ja niemand. Man sah den Schornstein und an den Seiten die hohen Verkleidungen für die Räder. Ein Raddampfer, so wie immer bei Fähren, sehr breit und flach, das ist wohl praktisch für den Zweck. Er lag mit dem Heck zum Ufer und man hatte die Laufplanken zum Landeplatz ausgelegt. Über die strömte die Menge und verteilte sich dann auf Deck. Von hinten wurde man gedrängelt, da gab es kein Zurück. Ja, und da passierte es.

Es ist schwer davon zu erzählen, niemand wird einem glauben, daß man so erschrecken kann. Es klingelte nämlich. Nicht laut, o nein, nicht so schrill wie der Wecker dort, eher so wie die kleinen Glocken, die man an den Weihnachtsbaum hängt und die leise klingeln, wenn jemand an den Zweig kommt, und das ist doch sehr angenehm und niemand erschrickt deswegen. Auch hier im Zimmer ist es jetzt ziemlich still, man hört nur das nächtliche Rauschen der Stadt, doch wenn es plötzlich klingelte, würde man nicht so erschrecken, man würde höchstens staunen. Aber da am Fluß war es so still, wie es sich keiner vorstellen kann, und es merkte ja auch keiner, daß es da so still war, darum war es so schrecklich, als es klingelte.

Und woher kam es denn, aus der Luft, aus dem Nebel oder woher sonst? Es gab einen Ruck in der Menge, alles blieb vor Schreck stehen.

Das war auch die Absicht, denn es läutete im Maschinenraum des Dampfers, das war es, doch wer rechnet damit. Und gleichzeitig wurde ein Schlagbaum niedergelassen, so daß niemand mehr weiterkonnte, darum gab es den Ruck. Eben noch hatten alle gedacht, nur noch ein paar Schritte, dann haben wir es hinter uns — auch ich hatte es gedacht, denn so ein Weg zur Fähre macht müde, und was soll man denn sonst denken — und nun muß man plötzlich stehen bleiben, weil es geklingelt hat. Die Fähre war auch ganz voll, das konnte man jetzt sehen, die Leute standen dicht gedrängt wie die Heringe auf dem flachen Deck, einige mußten sich sogar mit dem Oberkörper über die Reling beugen, so wenig Platz hatten sie da.

Da gab es ein großes Seufzen. Die, die vorne am Schlagbaum standen und nicht weiter konnten, seufzten wohl. Wie ein einmaliges Aufseufzen von allen zugleich. Doch vielleicht war es kein Seufzen, es klang nur so, weil einem danach zumute war. Eine Brise war es nicht, denn der Dunst auf dem Wasser lag so unbeweglich da wie vorher. Vielleicht waren es die Laufplanken, die vom Heck der Fähre heruntergezerrt wurden, und dabei gab es ein Geräusch, das wie Seufzen klang. Auf den Laufplanken lag ein Regenschirm, den jemand in der Eile verloren hatte, er lag da ganz verlassen und niemand kümmerte sich darum. Oder es war die Fähre selbst, die seufzte und ächzte, als sie vom Landeplatz ins Wasser rutschte. Die Räder an der Seite begannen sich zu drehen, die Schaufeln warfen das Wasser auf, auch das kann es gewesen sein, das ist hinterher schwer zu sagen, aber man hielt es für Seufzen, denn es war der richtige Augenblick dafür. Ja, und da passierte es, weshalb ich nicht mehr fotografiere.

Nachher war natürlich mein erster Gedanke, daß es eine verdorbene Filmrolle gewesen sein muß. Das kann vorkommen, wenn auch selten, und schließlich war ich Fachmann, wie man es nennt, ich wußte, wo ich meine Filme kaufte, und achtete auf das Herstellungsdatum. Als Pressefotograf mußte ich mich ja darauf verlassen können, daß das Bild jederzeit zuverlässig herauskam, wie ich es sah. Und es zeigte sich denn ja auch, daß es kein verdorbener Film war, weil die andern Aufnahmen darauf scharf herausgekommen waren und so, wie ich sie haben wollte.

Es waren nur zwei Aufnahmen darauf, ich hatte einen neuen Film eingesetzt, als ich die Redaktion verließ, um nach Haus zu gehen. Beide Aufnahmen hatte ich auf dem Nachhauseweg gemacht. Die eine besonders war ein sehr gelungenes Bild, die Zeitung hätte es mit Kußhand genommen. Für solche Bilder war ich bekannt, das ist keine Prahlerei, es läßt sich im Archiv der Zeitung beweisen. Das Bild war ein Zufallstreffer, ich wollte es ›Raub der Sabinerinnen‹ nennen. Ich hatte es von der andern Straßenseite her aufgenommen. Mitten durch die nachmittägliche Menge, die sich am Kaufhaus vorbeischiebt, laufen zwei Kerle in Overalls, jeder mit einer nackten Frau über der Schulter. Herr Dr. Passavent fragte, als ich es ihm erzählte, ob die Frauen dabei zappelten. Warum sollten sie denn zappeln, Großvater? Weil Frauen meistens dabei zappeln, meinte er. Aber sie konnten ja gar nicht zappeln, sie waren aus Kunststoff, es waren Schaufensterpuppen.

Für das andre Bild fehlte mir noch eine Unterschrift. Etwa so ähnlich wie: ›Wie kann man nur so alt und so blöd sein!‹ Doch das ist zu lang. Es wäre mir schon noch etwas eingefallen. Auch die Aufnahme war nicht schlecht, man konnte sogar die Fahne der Eisfirma deutlich sehen, die an der Tür des Ladens befestigt war. Das Bild hätte sich auch zur Reklame an die Eisfirma verkaufen lassen. Da sitzen zwei kleine Mädchen von vier oder fünf Jahren auf der Stufe zur Ladentür und lutschen an ihrem Eis. Gerade ist ein alter Mann an ihnen vorbeigegangen, man sieht es an seiner schlechten Haltung und wie er dahinlatscht, daß er alt ist. Beim Vorbeigehen hat er zu den Kindern gesagt: Erkältet euch nur nicht da auf der Steinstufe, oder so ähnlich. Kaum ist er vorbei, tippt sich das eine Mädchen, es wird wohl die Ältere gewesen sein, ein paarmal mit dem Zeigefinger an die Stirn, ohne deswegen mit dem Eislutschen aufzuhören. Wie gesagt, es fehlte nur die passende Unterschrift, darauf kommt viel an.

Es war also kein verdorbener Filmstreifen, das ist klar, selbst ein Laie wird das zugeben müssen. Nur diese eine bestimmte Aufnahme war nicht gelungen. Nein, das ist falsch gesagt. Wenn das Bild verwackelt gewesen wäre, nun gut, das kommt vor, wenn es einem Fachmann auch nicht passieren dürfte. Oder falsche Belichtung und dergleichen. Oder daß mit der Kamera etwas los war und Licht hineingekommen war. Oder was sonst. Doch in allen solchen Fällen wären auf dem Bild verwischte Schemen zu sehen gewesen, und man hätte sich natürlich sehr über den Fehler geärgert. Auch daß sie uns beim Durchlaß durch den Deich vielleicht durchleuchtet hatten, kann es nicht gewesen sein; zuzutrauen wäre es denen wohl, aber dann wäre die ganze Filmrolle schwarz geworden, und bei dieser waren ja die anderen Aufnahmen intakt geblieben, nur dieser eine Abschnitt und auch er war nicht schwarz, er war blank geblieben, ganz unbelichtet. Das ist doch Betrug. Lohnt es denn noch zu fotografieren, wenn aus dem, was man vor sich sieht, kein Bild wird?

Und was für eine einzigartige Aufnahme hätte es geben müssen, die Kollegen hätten mich darum beneidet. Daß es dort dunstig war, schadet nichts, im Gegenteil, das gibt der Sache Atmosphäre, wie man es nennt, Dunst kann sehr reizvoll sein. Ich stand ja nahe genug am Schlagbaum, als es klingelte, bis dahin hatte ich es geschafft, in der zweiten, — höchstens in der dritten Reihe, und das war sozusagen ein Glücksfall. Wenn ich weiter hinten gestanden hätte, wäre mir die Sicht genommen gewesen, vor allem hätte ich nicht genügend Bewegungsfreiheit gehabt wegen der Drängelei. So aber lehnten sich die Leute vor mir an den Schlagbaum, weil sie müde waren und darauf gefaßt, lange warten zu müssen, bis die Fähre zurückkam, auf die Weise war das Blickfeld frei und ich konnte die Arme bewegen, um die Kamera hochzuheben.

Was für ein einzigartiges Bild! Ein Bild, das einem nur einmal im Leben gelingt. Dieses enorme schattenhafte Monstrum, den Dampfer meine ich, dieses Urwelttier, wie es mit seinen Flossen, die Räder meine ich, das Wasser aufwirft und sich schwerfällig vom Ufer in den Dunst fortbewegt. Und dann die Deckladung, Mensch an Mensch gepreßt, eine stumme Masse, und dahinter nichts als Nebel. Auch der verlorene Regenschirm vorne auf der Laufplanke wäre meiner Berechnung nach mit aufs Bild gekommen, das hätte sich gut gemacht. Ich weiß nicht, ob sich jemand das vorstellen kann, mit Worten läßt es sich nicht schildern, man muß es gesehen haben.

Ich griff natürlich sofort zur Kamera ohne erst nachzudenken. Das ist eine reine Reflexbewegung bei unsereinem, sie hängt einem ja immer schußbereit am Riemen um den Hals. Man braucht nur geistesgegenwärtig zu sein, sonst kommt man zu nichts, denn das Technische kann jedes Kind lernen. Wenn man erst nachdenkt, ist der richtige Moment längst vorbei.

Ich hob also die Kamera hoch, und da passierte es. Genau in der Sekunde, als der Auslöser klickte, schrie es vom Flußse her, ein entsetzlicher Schrei, und es fiel etwas Schweres vom Dampfer ins Wasser, denn das Wasser platschte auf. Ein schriller Schrei, es war eine Frau, die da schrie, besser man redet nicht zuviel davon. Wenn die Aufnahme gelungen wäre, ließe sich sehen, warum die Frau über Bord fiel, ob aus Versehen oder weil die andern sie über die Reling geschubst hatten oder weshalb sonst. Für die Polizei wäre das sehr aufschlußreich gewesen. Doch nun kann das niemand mehr genau sagen, nur der furchtbare Schrei bleibt.

Mir fiel vor Entsetzen die Kamera aus der Hand, das ist mir noch nie passiert, denn was für ein Fotograf ist das, dem die Kamera aus der Hand fällt, der sollte lieber seinen Beruf an den Nagel hängen. An sich ist es ja nicht weiter schlimm, sie fällt einem auf die Brust, aber welch eine Blamage! Doch von denen, die um mich herumstanden, hatte es zum Glück niemand bemerkt, sie hatten offenbar nicht einmal den Schrei gehört, so unbegreiflich das ist, sie standen genau wie vorher regungslos da und warteten. Und dann war auch schon der Aufpasser da und zupfte mich am Ärmel. Kommen Sie bitte mit! Und keine Umstände bitte!

Wer dachte denn an Aufpasser? Es gibt überall Aufpasser, sagte Herr Dr. Passavent, als ich ihm davon erzählte. Das mag sein, Herr Dr. Passavent weiß sicher besser Bescheid, und wenn man es nachher bedenkt, dann waren ja auch die in den Lederjacken oben auf dem Deich Aufpasser. Doch jenseits des Deiches hatte ich an nichts gedacht als an die Fähre und den Fluß vor mir, etwas andres konnte man da gar nicht im Sinn haben. Auch die kleine Pforte, die es da im Stacheldraht gab, war mir nicht aufgefallen, und daß von da ein Pfad zu einer langgestreckten Baracke führte, oder wie man so etwas nennen soll, das interessierte doch keinen.

Durch die Pforte ließ ich mich von dem Aufpasser ziehen, und inzwischen war die Fähre im Nebel verschwunden. Ich machte keine Umstände, ich war viel zu benommen. Haben die da denn keine Rettungsringe, fragte ich, vielleicht kann die Frau nicht schwimmen. Doch der Aufpasser sagte nur: Das ist nicht unsre Sache. Kommen Sie bitte. Aber wir müssen doch etwas tun, rief ich, aber er sagte immer nur: Das ist nicht unsre Sache. Keine Umstände bitte!

Ich ließ mich einfach von ihm mitziehen, so benommen war ich. Es gibt keine Entschuldigung dafür, man schämt sich sogar, davon zu sprechen, weil es kitschig klingt. Der Aufpasser sagte immer nur, das ist nicht unsre Sache, und seine Sache war es ja vielleicht auch wirklich nicht, das kann sein, aber ich, ich hatte immer gedacht, daß wir glücklich wären, wie man es nennt, wenn es auch kitschig klingt, das weiß ich selber, doch wie soll man es sonst ausdrükken. Ich hatte mir keine weiteren Gedanken deswegen gemacht, wir sind glücklich, dachte ich, und alles ist, wie es sein soll, mehr kann man nicht verlangen. Darum war ich so benommen, daß ich nicht gleich in den Fluß sprang, das hätte doch jeder getan, um wenigstens zu versuchen, ob sich noch etwas retten ließ. Statt dessen fragte ich nur vor lauter Benommenheit: Aber was geschieht denn mit der, die ins Wasser gefallen ist? Und immer hieß es nur: Das ist nicht unsre Sache. Sie wird wohl ins Meer abgetrieben. Kommen Sie bitte.

Ins Meer abgetrieben? Man kann sie doch nicht einfach . . . Oder ob sie nur die Kamera beschlagnahmen wollten? Vielleicht war es dort verboten zu fotografieren, das kommt zuweilen vor, aus militärischen Gründen, und in einigen Ländern soll es auch wegen der Religion verboten sein, darauf muß man Rücksicht nehmen. Aber die Kamera interessierte den Aufpasser überhaupt nicht, auch nachher fragte keiner danach, es war ihnen völlig gleichgültig, sie waren sich ihrer Sache viel zu sicher, sie wußten natürlich, was ich noch nicht wußte, daß sich dort bei ihnen keine Aufnahmen machen ließen. Sie fragten nur nach der Vorladung, das war alles. Mehr wollten sie nicht, nur eine Vorladung.

Der Aufpasser hatte mich inzwischen zu dem Schuppen oder der Baracke geführt, wo sie ihr Büro hatten. Wer kommt denn auf die Idee, daß es jenseits des Deiches ein Büro gibt? Ein richtiges langgestrecktes Büro und ganz modern eingerichtet wie überall heute. So etwas braucht man nicht zu fotografieren. Und durch die ganze Länge des Büros eine Schranke für das Publikum, von einer Seite bis zur andren, und hinter der Schranke zwei Beamte, nur zwei, denn sie hatten wohl nicht viel Betrieb dort. Der eine saß ganz hinten beim Ausgang auf der andren Seite, denn das Büro war mehr eine Art Durchgang, den man passieren mußte, wenn man dorthin geraten war. Der Beamte da am andern Ende war mit einem jungen Mann beschäftigt, der ihm etwas erklärte, ich konnte nicht hören was. Später hat er es auch mir erklärt, doch das ist eine andre Geschichte. Und der Beamte, zu dem mich der Aufpasser gebracht hatte, telefonierte gerade, deshalb mußte ich warten. Er telefonierte wegen dessen, was draußen passiert war, das konnte ich hören, und daß ich zuhörte, war ihm gleichgültig. Ich betrachtete unterdessen den kleinen Fernsehschirm, den sie dort hatten, denn wie gesagt, sie waren ganz modern eingerichtet. Darauf konnte man den Landeplatz sehen und wie die Menge dort vor dem Schlagbaum wartete, ohne sich zu bewegen und als ob nichts geschehen wäre. Er entschuldigte sich am Telefon bei jemandem, ich weiß nicht, mit wem er sprach, aber daß er sich entschuldigte, war zu hören. Er sagte ins Telefon: Ja, sehr bedauerlich. Wir werden die Wachen verstärken müssen. Wie bitte? Nein, es wird bestimmt nicht wieder vorkommen, verlassen Sie sich darauf. Oder so ähnlich, wie man eben ins Telefon redet, wenn jemand einem Vorwürfe macht. Auch der junge Mann, der da hinten vor der Schranke stand und den man inzwischen abgefertigt hatte, hörte es und blieb da noch an der Tür stehen.

Wegen der Vorwürfe, die man ihm gemacht hatte, war der Beamte sehr verärgert, als ich ihm meinen Presseausweis zeigte. Das ist doch das erste, was unsereiner tut, daß er seinen Presseausweis aus der Tasche zieht, das tut man ganz instinktiv, auch wenn man noch so benommen ist, er steckte bei mir links in der Außentasche des Jacketts, um ihn gleich bei der Hand zu haben, und meistens hat es auch Erfolg, die Leute werden sofort höflicher, weil sie Angst vor der Presse haben. Aber dieser Beamte sah ihn sich gar nicht erst an, so verärgert war er. Ihre Vorladung bitte, schnauzte er mich an. Vorladung? Was für eine Vorladung denn? Und da ich keine Vorladung hatte, schrie er: Dann warten Sie gefälligst, bis Sie eine Vorladung von uns bekommen, und winkte mit der Hand verächtlich zu dem andern Ausgang hin. Der Fall war für ihn erledigt.

Da ich wegen meiner Benommenheit noch stehenblieb und nicht wußte, ob ich ihn richtig verstanden hatte, sah ich, wie der junge Mann da auf der andern Seite mir mit dem Zeigefinger ein Zeichen machte, daß ich zu ihm kommen sollte, denn er hatte da offenbar auf mich gewartet, obwohl er schon abgefertigt war. So ging ich denn die Schranke entlang zu ihm hin, er hielt mir sogar die Tür auf und ließ mich zuerst hinausgehen, weil ich der Ältere war, und man mußte da eine Stiege hinuntergehen, denn sie hatten die Baracke auf einen Betonsockel gebaut, wegen des Hochwassers, nehme ich an.

Der junge Mann war Student, er hatte Musikwissenschaft in Freiburg studiert, er hat es mir dann erzählt, aber das ist eine andre Geschichte. Mit ihm war es anders als mit mir, er war schon länger dort und wußte deshalb gut Bescheid. Er sagte: Die haben es nicht gern, wenn einer ohne Vorladung kommt. Da läßt sich nichts machen, Sie müssen hier warten.

Aber wo sind wir denn hier?

Das hier ist die Quarantänestation. Man kann hier warten, wenn einem das nicht zu langweilig wird, aber Sie können auch zurückgehen und sich da solange die Zeit vertreiben, bis Ihre Vorladung kommt. Das liegt ganz bei Ihnen.

Mit ihm war es nämlich anders, er wartete dort und meldete sich jeden Tag bei den Beamten, aber sie ließen ihn nicht durch. Das ist eine andre Geschichte, nur eben daß ich durch ihn hierher in diese Stadt und zu Herrn Dr. Passavent gekommen bin, denn ich wußte ja nichts von ihm. Der junge Mann schlug mir vor, ja, er bat mich, falls ich nichts andres vorhätte, den Auftrag wegen der gestohlenen Melodie zu übernehmen, den er nicht zu Ende geführt hatte, weil es ihn krank gemacht hatte, und wegen der Krankheit ließen ihn die Beamten auch nicht durch, wegen der Ansteckungsgefahr. Wir sprachen lange davon, für mich war das alles neu, aber das ist eine andre Geschichte.

Daß ich nun in Quarantäne bin, darüber will ich nicht klagen, man gewöhnt sich daran, und deswegen rede ich nicht davon. Es geht die Menschen nichts an, es ist sozusagen meine Angelegenheit, die Hauptsache, daß niemand es merkt.

Aber das ist es, was mich beunruhigt, daß Herr Dr. Passavent es gleich bemerkt hat, der junge Mann, der Student, hätte mich warnen müssen, doch es kann sein, daß ich nicht richtig zugehört habe. Am liebsten würde ich nur nachts ausgehen, aber auch das ist nicht sicher.

Und nun kommen Sie auch und fragen nach der Melodie. Bestimmt hat man Sie geschickt.

X

Na, was sagen Sie zu dem Regenschirm? Die ganze Szene können Sie meiner Meinung nach fix und fertig in Ihren Film hineinnehmen. Der kleine Fernsehschirm zum Beispiel, den der Andre erwähnte, so einen, wie sie ihn auf U-Bahn-Stationen haben, um die Bahnsteige zu kontrollieren, welch eine großartige filmische Idee. Man könnte zur Abwechslung einen Teil der Vorgänge da beim Landeplatz einfach auf diesem Fernsehschirm zeigen. Doch der Regenschirm,

der da liegengeblieben ist, schlägt alles aus dem Fel-
de. Der Regenschirm bleibt im Gedächtnis, wenn
man längst das mehr oder weniger sinnlose Zeug
vergessen hat. Der Regenschirm ist genial.

Ich fragte den Andren, was der Alte zu seiner Geschichte gesagt habe, aber anscheinend, jedenfalls
soweit sich der Andre dazu äußerte, hatte die Geschichte den Alten nicht weiter interessiert. Du hast
sie nun erzählt, Enkel, soll er gesagt haben, nun
brauchen wir nicht weiter daran zu denken. Das können wir dem armen Mister Ich überlassen, der etwas
braucht, um sich selbst zu bemitleiden, davon existiert
er. Laßt uns nachsehen, was er sich dazu notiert hat,
denn ohne eine Notiz geht es bei ihm nicht. Hier, da
haben wir die Stelle:

›Die schlichte Wahrheit, die keiner sich auszuspre-
chen traut, lautet: Das Leben, das wir zu führen gezwungen sind, ist so entsetzlich, daß es sich nur durch
eine Lüge ertragen läßt.‹

Welch ein unpräziser Denker. Wer zwingt ihn denn,
unsern halben Pessimisten, sein entsetzliches Leben
zu ertragen? Er läßt sich ja nur zu gern zwingen,
weil er sich dann bedauern kann. Und was seine
schlichte Wahrheit angeht, so lebt oder stirbt man
sie, aber sowie man sie hinschreibt, ist sie nicht mehr
schlicht. Denk doch an deine liebe Frau, mein armer
Mister Ich, wie sie in Davis, Kalifornien, Bridge spielt
und das Leben keineswegs entsetzlich findet. Aber so
ist der arme Kerl nun einmal seit der Geschichte mit
Pascal. Er kommt nicht darüber hinweg.

Was nun die sogenannte Quarantänestation betrifft,
so weiß ich beim besten Willen nicht, was Sie damit in Ihrem Drehbuch anfangen sollen. Zwei Spinner wie der Alte und der Andre, das mag noch gerade

hingehen, und wegen der Kartoffelpuffer, die sie dabei essen, während sie sich ihre Märchen erzählen, wird das sogar recht komisch wirken, aber man darf den Leuten auch nicht zu viel zumuten. Wenn wir wenigstens diesen sogenannten Musikstudenten streichen könnten, eine völlig überflüssige Figur. Aber wir brauchen leider einen Aufhänger für die Melodie, denn die ist ja unser Thema, und bis jetzt ist mir noch nichts Rechtes eingefallen, was sich einigermaßen logisch verwenden läßt.

Die Frau in der Badewanne, meinen Sie? Um Gottes willen, mit der brauchen wir uns nicht weiter abzugeben. Was geht uns das Wieso und Warum an, und weshalb ihre Mutter sie ein Luder nannte? Da könnten wir ja gleich bis zur Sintflut zurückgehen. Ein Mädchen mehr, das mit dem Leben nicht fertig wird und damit gut. Das kommt eben vor und mag auch sehr betrüblich sein, aber viel Wesens davon zu machen, das wäre wirklich kitschig, da hat der Andre ausnahmsweise recht. Lassen wir uns durch die reichlich ausgefallene Idee mit der Badewanne doch nicht aus dem Konzept bringen. Zugegeben, das ergibt eine hübsche kleine Zwischenszene für Ihren Film, aber mehr auch nicht. Die Leute denken sonst womöglich, wir wollten ihnen einen Propagandafilm für Selbstmord von Mädchen zeigen; das wird Ihnen keine Filmzensur durchgehen lassen. Außerdem hat die Badewannen-Dame nicht das geringste mit der Melodie zu tun. Nein, halten wir uns lieber an das andre Dummchen, diese Gärtnerstochter. Von der wissen wir wenigstens, daß man ihr die Melodie als Baby vorgesungen hat, und was noch wichtiger ist, daß sie existiert hat und noch existiert, denn sonst würde ein so vernünftiger Mann wie Sprieder kaum von ihr gesprochen haben. Denn was ich von dem dummen

Ding weiß, habe ich von ihm, nicht von dem Andren. Der gute Mann begriff offenbar gar nicht, was er beinahe angerichtet hatte, obwohl der Alte ihn gewarnt hatte, aber er steckte wohl noch zu tief in seiner Badewannen-Affäre.

Die Gärtnerstochter, Elfriede hieß sie, glaube ich, oder war es Irmgard? Du lieber Himmel, wie soll man die Namen von allen Mädchen, die die Nerven verlieren, im Kopf behalten! — Ob nun Elfriede oder Irmgard, ich deutete wohl schon an, daß das dumme Ding gleich einen Narren an dem Andren gefressen hatte. Liebe auf den ersten Blick, wenn Sie so wollen, das haben die Leute gern. Und das Mädchen hatte es ja auch nicht leicht da in Fuhlsbüttel bei ihrer ewig jammernden Mutter, man kann verstehen, daß sie sich in den Andren verguckte. Der Andre muß etwas an sich gehabt haben, worauf die Frauen auf Anhieb reinfielen, was das war, müssen Sie mich nicht fragen. Auch diese Olivia, wie gesagt, war ja gegen ihre Natur sofort zahm geworden und half ihm bei der Suche nach der Melodie, obwohl sie doch genug zu tun hatte und auch gar nicht interessiert daran gewesen sein kann. Aber das ist Frauensache, ich meine, daß sie sich getrieben fühlten, ihm weiterzuhelfen, das geht uns nichts an, wo kämen wir hin. Nur daß der Andre, soweit ich das begriffen habe, nicht einmal merkte, daß die Weiber auf ihn flogen, er legte es nicht darauf an. Auf solche Kleinigkeiten achtete er nicht, er war wohl viel zu besessen von seiner gestohlenen Melodie und dem sogenannten Auftrag. Möglicherweise war es das, was der Alte mit einem Vorwand meinte, vor dem er warnte.

Wenn Sie die Szene überhaupt bringen, wie sie da alle im Zimmer in Fuhlsbüttel herumsitzen, der Alte mit seiner Olivia und dem Andren — ob Sprieder dabei war, kann ich nicht sagen, vielleicht war er unten im Wagen geblieben, aber er wußte ziemlich genau Bescheid über die Szene — und natürlich das Mädchen mit ihrer Mutter, die sicher über ihren großen Hof jammerte, den sie in Ostpreußen oder Pommern gehabt hatte, was keiner hören wollte, so oder so, die Szene darf nur ganz kurz sein. Vielleicht summte der Andre, während die Mutter da etwas von ihrem großen Hof faselte, die Melodie vor sich hin, und das hat die Sache in Gang gebracht. Ich könnte mir auch denken, daß diese Olivia sofort merkte, wie es mit dem Mädchen stand, Frauen merken ja so etwas. Jedenfalls stellte das Mädchen dann am Abend oder in der Nacht etwas mit sich an, was, weiß ich beim besten Willen nicht, man kann unmöglich all diese kleinen Tragödien im Gedächtnis behalten. Die Alte, ihre Mutter, kam am nächsten Morgen heulend zum alten Passavent oder zu Sprieder gelaufen, die Adresse in den Kolonnaden hatten sie ihr wohl gegeben, und behauptete, wir hätten Schuld. Nicht wir, verzeihen Sie, ich bin schon ganz durcheinander, sondern der Alte und der Andre oder auch Sprieder, und es sollte mich nicht wundern, wenn sie auch bei der Gelegenheit von ihrem großen Hof gequatscht hätte. Das Mädchen hatte man noch gerade rechtzeitig in die Klinik gebracht, in die psychiatrische Abteilung vermutlich, und die verrückte Alte, die Mutter, drohte weiß Gott dem Alten und dem Andren oder wem auch immer, sie würde sie verklagen, denn sie wären dafür verantwortlich und sollten sehen, wie sie es wiedergutmachten. Eine schöne Bescherung! Sprieder rief sofort seine Olivia an, sie sollte sich freimachen, denn sie müßten das Mädchen, diese Elfriede oder Irmgard, aus den Klauen der Psychiater freikriegen, und so geschah es denn auch, er holte Olivia ab und brachte sie zur Klinik. Den Andren ließen sie lieber zu Haus, auch den Alten, um das alles nicht noch komplizierter zu machen als es schon war.

Olivia rannte die Ärzte und Schwestern einfach über den Haufen. Eine wahre Pracht, erzählte Sprieder, wie die Kerle in ihren weißen Mänteln am Ende ihrer Weisheit waren, kein Mann hätte das fertiggebracht. Sprieder war ganz entzückt von der Szene. Olivia sprach erst mit dem Mädchen allein und stauchte sie zurecht. Benimm dich gefälligst wie ein vernünftiges Mädchen und mach uns keine Schande, soll sie gesagt haben, jedenfalls erzählte sie es Sprieder hinterher so. Ja, sie soll noch hinzugefügt haben, sozusagen als Trumpf: In so einen verknallt man sich nicht, mag er noch so nett sein, das sieht doch jedes Kind, daß man sich dabei nur die Finger verbrennt. Oder so ähnlich. Was sie damit meinte, weiß der Teufel, Frauen sagen so etwas. Ob sie damit auf die Badewannen-Affäre anspielte, ist nicht klar, ich kann nicht einmal sagen, ob sie überhaupt etwas davon wußte. Doch das ist auch ganz unwichtig, jedenfalls kam sie mit dem Mädchen, dieser Elfriede oder Irmgard, auf den Korridor heraus, wo sie alle warteten und schnauzte die Ärzte an: Haben Sie noch nie etwas von Eifersucht gehört, meine Herren? Dann lassen Sie sich bitte Ihr Schulgeld zurückgeben. Komm, Kind! Und ab durch die Mitte.

Sprieder konnte sich gar nicht genug tun, die Szene zu schildern. Die Ärzte standen da wie übers Maul geschlagen, sagte er, und wagten es nicht, ihre Patientin zurückzuhalten. Olivia hat dann das Mädchen in ihrem Büro angestellt, sie brauchte wohl sowieso eine Bürohilfe, nehme ich an. Und der Alte, was der dazu sagte? Keine Ahnung! Sicher hat er zu dem Andren gesagt: Du mußt vorsichtiger sein, Enkel. Und eine oder zwei Wochen später war er selber tot.

Nein, warten Sie, ich werfe das zeitlich durcheinander, all dieser faule Zauber macht einen ganz konfus. Für Ihr Drehbuch ist ja der zeitliche Ablauf auch nicht so maßgebend, im Film kann man hin und her springen. Ich habe die Szene im Barmbeker Krankenhaus ganz vergessen, nicht in der Klinik, in die sie das Mädchen geschleppt hatten, sondern da, wo der alte Freund des Gärtners krank lag, der Krankenpfleger. An Epilepsie, glaube ich. Nein, das kann nicht sein, ein epileptischer Krankenwärter, so etwas gibt es nicht, dem fallen ja die Bettpfannen aus der Hand, wenn er einen Anfall kriegt. Vielleicht war es überhaupt der Gärtner, der epileptisch war, und der Kerl da im Krankenhaus hatte Leukämie, wen interessiert das schon. Bitte nicht zuviele Krankheiten in Ihrem Film, das deprimiert die Leute. Außerdem habe ich nicht herausfinden können, was da eigentlich im Krankenhaus passiert ist. Der alte Freund des Gärtners lag im Bett in seinem Zimmer im Keller, soweit ich verstanden habe. Schön und gut, und das Mädchen besuchte ihn da zuweilen aus lauter Anhänglichkeit. So kam es, daß sie auch den Andren und Olivia zu ihm führte, auch Sprieder war dabei, und das alles wegen der Melodie, es ist nicht zu fassen. Das muß also gewesen sein, nachdem sie in der Wohnung in Fuhlsbüttel waren, ob noch an demselben Tage, spielt keine Rolle. Der alte Passavent war nicht dabei, ihm paßte das alles nicht, darum blieb er lieber bei seinen Pensionierten oder schrieb in seinen Ephemeriden. Es stand auch etwas darin, was mit diesem Krankenhausbesuch zu tun hatte, vielleicht fällt es mir noch ein. Es muß da im Keller irgend etwas passiert sein, was tiefen Eindruck auf sie alle gemacht hat, sie wollten nicht recht mit der Sprache heraus, selbst Sprieder nicht, der doch sonst nicht zur Hysterie neigte. Ich fragte ihn natürlich, ob der Kranke ihnen etwas über die Melodie verraten hätte, denn deswegen waren sie ja ins Krankenhaus gegangen, doch Sprieder zuckte nur mit den Schultern. ›Er hat geweint‹, sagte er schließlich. ›Geweint?‹ ›Ja.‹ ›Hatte er Schmerzen?‹ ›Vielleicht hatte er Schmerzen. Wir sind dann weggegangen, weil wir doch nicht helfen konnten.‹ Das war alles, was ich aus Sprieder herauskriegen konnte. Er wich mir aus, das war klar, ich bestand dann auch nicht weiter darauf. So oder so läßt sich mit der Szene nichts anfangen. Sollen wir etwa einen Epileptiker im Bett zeigen, der noch dazu weint? Aus dem Andren war noch weniger herauszuholen, und was der Alte dazu meinte, weiß ich erst recht nicht. Natürlich macht man sich seine Gedanken über die dumme Geheimnistuerei. Es scheint also, als habe der Kranke den Andren sofort erkannt, ähnlich wie der Alte ihn da vor dem Kartoffelpufferladen erkannt hatte, das ist schon mysteriös genug, aber warum das ein Grund zum Weinen sein soll, müssen Sie mich nicht fragen.

Der Text zu der Melodie? Wieso? Ich dachte, der Vers wäre Ihnen bekannt, Sie sind ja Schriftsteller und obendrein gehören Sie mehr zu meiner Generation, deshalb habe ich nicht davon geredet, verzeihen Sie. Auf der Grammophonplatte steht: Text nach William Blake. Nicht ›von‹ sondern ›nach‹, aus lauter Gewissenhaftigkeit, nehme ich an, weil der Alte etwas daran geändert hatte. Meine Kinder können nichts damit anfangen, ich habe ihnen die alte Platte einmal vorgespielt, die heutige Jugend findet das sentimental. Trotzdem, den Vers müssen Sie selbstverständlich in Ihrem Film bringen, ein bißchen Sentimentalität schadet nie etwas, im Gegenteil, das zieht immer, glauben Sie mir.

Wie der Alte zu dem Text kam, kann ich nicht sagen. Immerhin war er ehrlicher als dieser Heumeister, der die gehörte Melodie einfach als seine Erfindung ausgab, während der Alte bei William Blake blieb, aber bei Musik ist das wohl anders und es läßt sich nicht so gut nachweisen wie bei Versen Der Alte hatte ja studiert und den Kindern im Gymnasium jahrelang Englisch beigebracht, auf die Weise wird er wohl auch zu seinem William Blake gekommen sein.

Doch wie der Alte überhaupt dazu kam, den Text für die Melodie vorzuschlagen, das ist schwieriger zu erklären, denn Musik war ja nicht sein Gebiet. Den Vers mag er schon vorher zu seinem eigenen Vergnügen übersetzt haben, daran ist nichts rätselhaft, das tun vielleicht auch andre Studienräte, aber es sieht mir beinahe so aus, als hätte er die ganzen Jahre auf eine passende Melodie dafür gewartet, bis er dann zufällig die gestohlene Melodie bei dem Heumeister hörte, natürlich ohne zu ahnen, daß sie gestohlen war, und sie gleich als die richtige Melodie für seinen Vers erkannte.

Ich bin da ganz auf Sprieder angewiesen, denn der Andre wußte von dem allem nichts, und Sprieder hatte es von seiner Olivia gehört. So viel steht fest, es muß sich um einen reinen Zufall gehandelt haben. Der Alte muß damals seine Tochter in Hamburg besucht haben, warum kann ich Ihnen nicht sagen, also während der kurzen Zeit, während der sie mit diesem Heumeister verheiratet war und da mit ihm in Ohlsdorf wohnte. Das muß lange nach der Geschichte mit Pascal gewesen sein und wie ich glaube, auch lange nachdem ihm seine Frau nach Davis, Kalifornien, ausgerückt war, um dort Bridge zu spielen. Vielleicht ahnte der Alte schon, daß es mit der Ehe seiner Olivia nicht klappte, denn bald nach dem Besuch machte sie dann ja kurzen Prozeß und ließ sich wieder scheiden. Aus irgendeiner Bemerkung entnehme ich, daß der Alte sich etwas schuldig fühlte; Olivia wollte aus Frankfurt weg, weil sie die Verhältnisse zu Haus nicht mehr ertrug, und so ist sie auf den Heumeister reingefallen. Einen genialen Scharlatan soll der Alte ihn genannt haben, jedenfalls laut Sprieder. Doch mit dem brauchen wir uns nicht aufzuhalten. Du lieber Himmel, eine mißglückte Ehe mehr oder weniger, darüber braucht man doch kein Wort zu verlieren. Für uns, das heißt für Sie zählt nur, wie die Melodie und der Text zusammengebracht wurden.

Ich habe mir schon überlegt, ob man beide Szenen nicht zusammenlegen könnte, um die Sache zu vereinfachen, aber es ist mir leider keine passende Idee gekommen, vielleicht haben Sie mehr Glück. Die erste Szene habe ich Ihnen ja schon geschildert, sie ist so einzigartig, daß wir sie auf keinen Fall durch die zweite verderben dürfen, denn die fällt dagegen ziemlich ab und kann leicht langweilig wirken. Vergessen Sie um Gottes willen das Staubtuch nicht in Ihrem Drehbuch, auf solche Kleinigkeiten kommt es an, die bleiben im Gedächtnis. Nehmen Sie doch mich, mir hat nur Sprieder davon erzählt, aber ich sehe es vor mir und höre es geradezu, wie diese Olivia nebenan in der Küche oder im Schlafzimmer das Staubtuch ausschlägt, während ihr Heumeister sich die Melodie notiert oder wie Komponisten das sonst machen, die der alte Friedhofsgärtner unten vor sich hin pfeift. Durch das Staubtuch wird man überhaupt erst auf die Melodie aufmerksam, und daß sie das eigentliche Thema des Films ist. Unter Umständen könnte man den alten Gärtner das Ausschlagen des Staubtuchs hören lassen. Er blickt zu der jungen Frau hinauf und lächelt ihr zu oder so ähnlich.

Die Szene spielt sich von allein, aber die andre mit dem Alten, da weiß ich nicht recht, wie Sie das hinkriegen wollen. Der Heumeister muß natürlich dem Alten, als er bei ihnen zu Besuch ist, die Melodie vorspielen, auf dem Klavier oder noch besser auf einem Flügel, jedenfalls muß es ein Instrument geben, denn der Kerl ist ja Komponist. Ob er damit vor seinem Schwiegervater prahlen will? Möglich, das würde zu ihm passen, soweit er uns geschildert wird, aber das ist alles schon viel zu subtil. Die beiden haben sich sowieso nicht viel zu sagen, und Olivia ist in der Küche und mit dem Nierenragout beschäftigt. Das Nierenragout habe ich von Sprieder, komisch, nicht wahr. Aber der Alte, wie verhält sich der, als er die Melodie hört? Erkennt er die Melodie gleich auf Anhieb als die, auf die er gewartet hat, und die für seinen Vers paßt? Das wird sehr schwer zu spielen sein, ich weiß nicht, wie Sie das hinzaubern wollen, daß es wie ein spontaner Einfall wirkt. Man könnte den Alten den Text sprechen lassen, ganz langsam, Wort für Wort, und der Heumeister pinkt dazu die Melodie auf dem Klavier mit dem Zeigefinger, aber ob das nicht albern und langweilig wirkt? Selbst wenn man dabei Küchengeräusche hören läßt, denn Olivia hört natürlich die Pinkerei in der Küche und hantiert wütend mit den Kochtöpfen herum — wie Frauen das so tun, eine Art Hintergrundgeräusch, durch das angedeutet wird, daß die Ehe nicht stimmt. Was halten Sie davon? Glauben Sie, daß sich das machen läßt? Das Nierenragout würde ich mir an

Ihrer Stelle nicht entgehen lassen, das riecht man geradezu und fühlt sich nach all den Zweideutigkeiten gleich wieder wohl. Auch Sprieder, der mir das alles erzählte und ja selber nicht dabeigewesen war, lachte über das Nierenragout.

Damit will ich Ihnen nur eine Anregung geben, leicht werden Sie es mit der verfluchten Szene sowieso nicht haben. Den Text können Sie sich ohne Schwierigkeit im Archiv der Grammophon-Gesellschaft verschaffen. Wie schon gesagt, die Platte war damals ein Mordserfolg. Man hörte sie aus allen offnen Fenstern und in allen Kneipen. Das müßten Sie doch eigentlich selbst noch erlebt haben, wo sind Sie denn damals gewesen? Der deutsche Text, der von dem alten Passavent — aber bitte kontrollieren Sie das vorher nach der Platte, damit es keinen Ärger gibt — der Text lautete:

Der Engel, der an meiner Wiege stand,
Der sprach: Glückseliger kleiner Unverstand,
Geh hin und liebe! Helfen wird dir keine Hand.

Wenn dies Frauenzimmer — wie hieß sie noch? — das mit ihrer heiseren Altstimme sang, das schmiß einen um. Ja, die alten Engländer, wer hätte ihnen das zugetraut. Aber gute Geschäftsleute sind sie ja immer schon gewesen.

So weit so gut, damit hätten wir die Hauptpunkte, den Text, die Melodie und wir wissen, woher dieser Heumeister die Melodie hat und daß sie von ihm nur zurechtfrisiert wurde. Und ein paar brauchbare Szenen hat uns das auch eingebracht. Aber damit wird noch kein Film daraus, das ist der Ärger. Daß ein geschickter Kerl eine Melodie als seine eigene Erfindung ausgibt, mein Gott, das dürfte wohl nicht das erste Mal vorgekommen sein, und wen interessiert das schon. Die Leute werden sich fragen, was ist denn so besonderes an dieser Melodie. Sie gefällt uns ja ganz gut, aber weshalb wird ein so großes Geschrei deswegen gemacht. Und nur ein kleiner Schritt weiter, dann werden sie fragen, woher denn der alte Friedhofsgärtner die Melodie hatte, die ihm angeblich gestohlen wurde, und damit sind wir bei dem, was ich gerade vermeiden will, da sich kein Film daraus machen läßt, mit der sogenannten Vorgeschichte, die man den Leuten unmöglich aufbinden kann, wir würden uns lächerlich machen, wenn wir das als Wirklichkeit ausgeben wollten, was mir der Andre in jener Nacht erzählte. Daß er und der alte Passavent das alles für selbstverständlich hielten, zählt für uns nicht. Die beiden waren, machen wir uns doch nichts vor, gescheiterte Existenzen, wie man es nennt, sie wußten es sogar selber, das kann man ihnen hoch anrechnen, und deshalb ermahnte der Alte wohl den Andren auch immer wieder, daß er sich nichts anmerken lassen dürfe. Doch ein klein wenig taten sie sich auch darauf zugute, das Gefühl hatte ich wenigstens. Ja, da fällt mir so ein verdächtiger Satz ein, du lieber Himmel, was einem alles zugemutet wird, ein Satz von diesem Mister Ich, nehme ich an:

›Nur jenseits von Verzweiflung gibt es vielleicht eine Möglichkeit, einem andren zu helfen.‹

Oder so ähnlich, wer soll einen solchen aufgelegten Unsinn im Kopf behalten. Soll ich etwa erst verzweifeln, um jemand helfen zu können? Herzlichen Dank!

Mit solchen Redensarten kommen wir nicht weiter. Sie sehen wohl, daß ich mir das alles ernstlich hin und her überlegt habe, denn der Film lag mir damals sehr am Herzen, doch ich bin zu keinem brauchbaren Ergebnis gekommen, und das ist wahrscheinlich auch der Grund gewesen, weshalb ich mich praktischeren Dingen zuwandte. Aber irgendwie tut es mir immer noch um die hübsche Filmidee leid, das sage ich jedoch nur Ihnen, und es kann ja sein, daß Ihnen als Fachmann doch noch etwas Besseres dazu einfällt. Vergessen Sie vor allem nicht, daß mehr Frauen ins Kino gehen als Männer, mit dem Faktum müssen Sie rechnen, wenn Sie mit Ihrem Film Erfolg haben wollen. Zum Beispiel diese Person in der Badewanne, die nicht das geringste mit der Melodie zu tun hat, lassen Sie sie getrost ins Meer abgetrieben werden, das genügt und der Ausdruck ist nicht einmal schlecht. Lassen Sie sich um Himmels willen nicht einfallen, erklären zu wollen, warum sie das mit der Badewanne gemacht hat. Oder warum ihre eigene Mutter sie ein Luder nennt. Das schlucken die Frauen im Kino auch so und machen sich ihren eigenen Vers darauf. Wissen Sie übrigens, daß das gute deutsche Wort Luder aus dem Französischen stammt? Mir hat das ein Professor erzählt, der es wissen mußte. Ich habe mich schiefgelacht. Es kommt von ›loutre‹ und das bedeutet so viel wie Köder. Sage und schreibe: Köder. Können Sie das überbieten? Aber behalten Sie das bloß für sich, sonst gibt es Krach im Kino und die ganze Mühe und das Geld, das Sie in den Film gesteckt haben, ist umsonst. Das mit der Badewanne ist in Ordnung und auch bei dem Schrei da an der Fähre ist nichts riskiert. Alle Frauen werden sagen: Ja, so ist das Leben. So springt man mit uns um und werden weinen. Auch den blauen Mantel des jungen Königs können Sie bringen, wenn noch Platz dafür in Ihrem Drehbuch ist, das geht den Frauen glatt ein. Aber keine Spitzfindigkeiten, hüten Sie sich davor.

Ein richtig durchschlagender Erfolg ist Ihnen nur garantiert, wenn Sie die Frauen auf Ihrer Seite haben. Das ist eine uralte Regel, die immer noch gilt, trotz allen modernen Getues. Denken Sie an den Schlingel, diesen Heumeister, der hielt sich an die Spielregeln mit seiner Melodie, das ist vorbildlich.

XI

Bei Köder fällt mir der Mann ein, der da in der sogenannten Quarantänestation saß und angelte. Und noch etwas fällt mir dabei ein, ich muß es von Sprieder haben, denn der Andre redete nicht über solche Dinge, jedenfalls nicht zu mir, und woher Sprieder es hatte, weiß ich nicht. Diese Person in der Badewanne, entschuldigen Sie, daß ich noch einmal auf das Frauenzimmer zurückkomme, nur zur Illustrierung für Sie, diese Frau soll ihrem Mann jeden Abend, wenn er nach Hause kam und wenn sie seinen Schlüssel in der Tür hörte, entgegengesprungen sein und sich ihm an den Hals geworfen haben. Und das im Morgenrock und offenbar nichts darunter. Sprieder sagte das nicht so deutlich, es war ihm peinlich. Jedenfalls klammerte sie sich an den Andren wie eine Verlorene, der arme Kerl wird kaum Zeit gehabt haben, seinen Regenmantel auszuziehen und seinen Apparat an die Garderobe zu hängen. Und hinterher, na, Sie verstehen schon, was damit gemeint ist, machte dann der Andre rasch irgendeine Dose mit einem fertigen Gericht auf, denn nicht einmal für ein vernünftiges Abendessen hatte die Frau vorgesorgt. Wie gesagt, das nur zur Illustrierung, für Ihren Film ist das zu deftig. Die Frauen im Kino werden empört sein und sagen: Das tut keine Frau, obwohl sie natürlich lügen, aber damit muß man rechnen.

Was nun den Angler da am Fluß angeht, anscheinend ein älterer Mann, aber was er da eigentlich zu suchen hatte, ist mir nicht klargeworden. War er der Aufseher dieser sogenannten Quarantänestation? Möglich, aber dagegen spricht, daß man als Aufseher nicht den ganzen Tag am Fluß mit der Angel hokken kann. Der alte Passavent und der Andre hielten das alles für selbstverständlich, manchmal hatte man den Eindruck, als ob sie eine Geheimsprache hätten. Der alte Passavent muß begeistert von diesem Angler gewesen sein, immer wieder soll er gefragt haben, was er gesagt hätte, aber nichts zu wollen, der Angler war viel zu sehr mit seiner Angelei beschäftigt und blieb stumm. An sich kein schlechtes Bild für Ihren Film, wie der Mann da am Fluß sitzt und seine Angel hält. Das ist überhaupt der verfluchte Ärger bei der Geschichte, daß es immer wieder recht brauchbare Bilder gibt, die sich dann doch wieder nicht brauchen lassen, weil sie aus einer Phantasiewelt stammen. Der Hauptwitz ist nämlich, daß der Angler überhaupt nichts mit seiner Angel fing, das wäre doch das mindeste, was man erwarten könnte, wenn er sich da die Zeit mit Angeln vertreibt, aber nicht der kleinste Fisch beißt an und trotzdem angelt er geduldig weiter. Das kann man den Leuten nun wirklich nicht zumuten. Sie werden mit Recht fragen: Weiß denn dieser Idiot nicht, was jedes Kind weiß, daß es da längst keine Fische mehr gibt wegen der giftigen Industrie-Abwässer oder so?

Doch ganz gleich, ob Sie den Angler nun bringen oder nicht, mit dem Thema, mit der Melodie hat er nur insofern zu tun, als der Andre und dieser alberne Musikstudent eine Zeitlang bei ihm saßen und sich über die Melodie unterhielten, wie gesagt, ohne daß der Angler eine Bemerkung dazu machte.

Wenn ich Ihnen nur diesen sogenannten Musikstudenten ersparen könnte. Eine Figur weniger in Ihrem Film, das wäre immer ein Gewinn. Aber die ganze Vorgeschichte der Melodie hängt mit diesem Bengel zusammen. Der Andre hatte sich das alles ja nicht aus den Fingern gesogen, von irgend jemand muß er es gehabt haben, denn vorher hatte er nach allem nie etwas von dem alten Passavent und von einer gestohlenen Melodie gehört und plötzlich war ihm das wichtiger als sein eigenes Pech mit der Badewannen-Dame. Wahrscheinlich bin ich befangen, sogar jetzt noch nach all den Jahren, und auch Sie wären befangen, wenn Sie damals in der Nacht dabeigewesen wären und jemand Ihnen mit tonloser Stimme all dies unglaubhafte Zeug als Wirklichkeit vorgesetzt hätte, ja, und wohl deshalb ist mir keine Ersatzfigur eingefallen für diesen überflüssigen Musikstudenten.

Wie gesagt, die beiden, der alte Passavent und der Andre, lebten in einer andern Welt. Was für uns Tatsachen sind, hielten sie für einen Vorwand — da haben wir wieder das verfluchte Wort — oder für ein Täuschungsmanöver, ja, für einen Ablenkungsversuch von dem, was hinter den Tatsachen vor sich geht. Bis zu einem gewissen Punkt kann ich das sogar verstehen, daß sie das Aktuelle nur als Vorwand nahmen, um Wichtigeres damit zu verschleiern. Mir geht es selber so, wenn ich die Morgenzeitung aufschlage. Da hat irgendwo ein Präsident sich erkältet und schon gibt es eine dicke Schlagzeile auf der ersten Seite und die Bulletins der Ärzte werden abgedruckt. Und wenn an irgendeiner Grenze ein paar Neger Schießübungen machen, dann wird mir schon eine halbe Stunde danach ein Bild mit einem Haufen Toter präsentiert. Soll sich doch der Präsident die Seele aus dem Leib husten, was geht mich das an. Oder gar diese Prinzessin da irgendwo, die sich am Unterleib operieren ließ, soll ich deswegen vielleicht Tränen vergießen? Und das nennt man aktuell, Schwindel sollte man es nennen. Wenn mir so etwas geboten wird, schlage ich sofort den Wirtschaftsteil der Zeitung auf und schau mir die Börsenkurse an, denn da gibt es keinen Schwindel, da geht es um Geld und keiner verliert gerne Geld. Rasseln die Kurse, so weiß man, daß etwas im Busche ist und daß der Präsident nicht umsonst hustet, dann heißt es aufgepaßt. Von Ihren Feuilletons will ich schon gar nicht reden, nehmen Sie es mir nicht übel. Seitenlange Berichte über irgendwelche Festspiele oder weil irgendwo ein Bursche eine alte Oper anders aufgeführt hat als es bisher Sitte war. Daß die Stadt oder die Leute, die ihr Geld in das Unternehmen gesteckt haben, auf ihre Kosten kommen wollen, läßt sich verstehen, aber muß man deswegen zwei volle Seiten mit tiefsinnigem Gerede füllen, als ob die Zukunft der Menschheit von so einem Konzert abhinge? Wem will man Sand damit in die Augen streuen?

Na, ich will Ihnen hier keinen Vortrag über Ihren Beruf halten, entschuldigen Sie, obwohl es ganz interessant für Sie sein mag zu erfahren, wie einer, der mitten im Leben steht, darüber denkt. Im Grunde, das sage ich mir manchmal, sollte ich diesen Schwindel sogar unterstützen, es bringt die Leute, die sonst nichts im Kopf haben als die nächste Gehaltserhöhung, auf andre Gedanken. Soll sich also von mir aus die Prinzessin ruhig ihren Unterleib operieren lassen.

Der alte Passavent scheint übrigens in der Beziehung unsrer Meinung gewesen zu sein. Er soll sich über eine Bemerkung lustig gemacht haben, die sein Mister Ich sich aufnotiert hatte.

›Was will einer verheimlichen, der Tagebuch schreibt?‹

Oder so ähnlich. Die Wahrheit natürlich, du armes Würstchen, soll der Alte die Frage glossiert haben. Was denn sonst? Aber noch mehr Gefallen würdest du der Wahrheit erweisen, wenn du nicht solche dummen Fragen stelltest und sie ganz verschwiegest. Nicht schlecht, was meinen Sie, fast wie einer dieser Sprüche hinten auf den Kalenderzetteln.

Doch genug davon, begeben wir uns noch einmal, hoffentlich das letzte Mal, da an den Fluß, wo die beiden, der Andre und der Musikstudent, bei dem Angler sitzen und sich ihre Geschichten erzählen, es läßt sich leider nicht vermeiden. Warum war der Bengel ausgerechnet Musikstudent, werden Sie fragen. Wollte er lernen, wie man eine ganze Zeitungsseite vollschreibt über irgendein Konzert. Schön, wenn das ein Beruf ist, der seinen Mann ernährt, habe ich nichts dagegen, daß man es den Kindern auf der Universität beibringt, in Freiburg, wie behauptet wurde. Aber der Andre konnte keine Auskunft darüber geben, er hatte sich nicht einmal die Frage gestellt, er nahm den Musikstudenten einfach so hin, vielleicht weil er ihn wegen der Melodie für einen Fachmann hielt.

Der Bengel, halten Sie sich fest, behauptete doch steif und fest, die Melodie wäre denen da drüben auf der andern Seite, wo die Fähre hinfährt, gestohlen worden. Ich lasse mich nicht gerne für dumm verkaufen, meine erste Frage, als der Andre mir das weismachen wollte, und das hätte jeder gefragt, war natürlich:

›Singen denn die da drüben?‹ Zum Glück brachte
das den Andren nicht aus dem Konzept, er merkte
nicht einmal die Komik der Sache, er blieb todernst.
Davon wisse er nichts, er sei ja nicht drüben gewesen, weil die Beamten ihn nicht durchgelassen hätten.
Vielleicht singen sie auch nicht, meinte er, denn das
würde man ja auf dieser Seite hören, trotz des Ne-
bels. Vielleicht sei es nur so eine Art, sich stillschweigend zu verständigen, ohne daß andre es merken.
Stillschweigend? Eine stillschweigende Melodie, haben Sie Worte? Ich habe lieber nicht weiterge-
fragt, ich wollte ihn ja nicht aus dem Konzept
bringen.
Es kommt noch viel schöner. Dieser kleine Musikstudent — doch vielleicht war er nicht klein, mit genau-
en Schilderungen gab sich das Andre gar nicht erst
ab — hatte ja schon in der Baracke oder dem Büro
zu dem Andren gesagt, daß es mit ihm ganz anders
stände. Er nämlich komme von drüben, da gehöre
er hin, aber man habe ihn mit einer Mission betraut,
er hätte sich freiwillig dazu gemeldet, als es drüben
bekannt wurde, daß man ihnen die Melodie gestohlen habe, denn er, weil er Musik in Freiburg studiert
hätte, könnte ja leichter herausfinden, wie es zu dem
Diebstahl gekommen sei, auch wegen seiner alten
Verbindungen. Sie hätten da im Seminar in Freiburg schon einmal moderne Schlager untersucht und
dabei hätte sich gleich herausgestellt, daß die berühmte Platte von diesen Heumeister ganz anders
wäre als die Musik, die er sonst für den Rundfunk
fabrizierte, denn dafür hätte er immer nur Melodien
von Vivaldi und Pachelbel oder wie die alten Burschen sonst heißen, verarbeitet. Dies berühmte ›Geh
hin und liebe‹ hätte eine völlig andre Struktur, wie
sie es nannten.

Bitte legen Sie mich nicht auf Seminar und Struktur fest. Was habe ich mit Struktur zu tun. Ich habe keine Ahnung davon, ob man die Jungens auf der Universität tatsächlich mit solchen Dingen beschäftigt, es interessiert mich auch nicht im geringsten. Auch ob dies bewußte Schlager-Seminar schon vorher stattgefunden hatte oder ob der Bengel erst im Laufe seiner sogenannten Mission daran teilnahm, kann ich Ihnen beim besten Willen nicht verraten. Mag sein, daß er erst Musikstudent geworden war, um dem Dieb auf die Spur zu kommen, doch was geht uns das an. Wichtiger für uns ist, daß er diese seine Mission — mein Gott, was für ein wichtigtuerischer Ausdruck wegen einer angeblich gestohlenen Melodie — nicht zu Ende geführt hatte, weil es ihn krank gemacht hätte, wie er behauptete. Er wäre zu lange hier gewesen und davon würde man leicht krank. Und darum müsse er nun hier in der Quarantäne so lange warten, wegen der Ansteckungsgefahr, bis er wieder gesund wäre.

Krank und Ansteckungsgefahr? Diese Knaben machten sich nicht einmal klar, wie beleidigend das ist. Als ob sie sich Pest oder Cholera bei uns wegholten. Sollen sie doch gefälligst drüben auf ihrer Seite bleiben, wenn es ihnen bei uns nicht paßt, es hat sie keiner um ihren Besuch gebeten. Aber der Angler, der da neben ihnen hockte, bemerkte nichts dazu, und auch der alte Passavent und der Andre hielten das offenbar für selbstverständlich. Sie hatten ihr eigenes System, an dem sie überhaupt nicht zweifelten, oder eine Art Mythologie, falls das das richtige Wort dafür ist. Der Alte wird sich zufrieden die Hände gerieben haben, als der Andre ihm nach dem Kartoffelpuffer-Essen davon Bericht erstattete, das heißt, falls es seine Gewohnheit war, sich die Hände zu reiben, aber ich stelle ihn mir eben so vor, der Mann hatte, glaube ich, Humor.

Wichtiger für unser Thema ist jedoch, daß bei der Gelegenheit da am Fluß etwas zutage kam, was auch dem Andren bis dahin völlig unbekannt war, so daß der Musikstudent es ihm erst erklären mußte. Nämlich die Tatsache, soweit man bei all dem Unsinn von Tatsachen reden kann, daß es den Leuten von drüben möglich und erlaubt war, auf unsre Seite zurückzukehren, wenn sie Lust dazu hatten, allerdings nicht für lange. Ob sie die Fähre dazu benutzten, die ja auf der Rückfahrt sowieso leer war, entzieht sich meiner Kenntnis, auch der Andre scheint sich für die Transportfrage nicht interessiert zu haben. Dafür stellte er die ganz vernünftige Frage, die mir selber auf der Zunge lag, was denn die von der andern Seite hier bei uns noch zu suchen hätten. Jedenfalls dem Sinne nach, denn soweit ich ihn kenne, wird er sich höflicher ausgedrückt haben, aber ich kann mich unmöglich auch noch mit Höflichkeiten abgeben, das wäre zuviel verlangt. Wenn es nicht mit unserm Thema, das heißt mit Ihrem Film und der Melodie zu tun hätte, würde ich Sie überhaupt nicht damit langweilen.

Also, was wollen die von der andern Seite hier bei uns, das ist die Frage. Warum bleiben sie nicht drüben? Gefällt es ihnen da nicht oder so ungefähr? Darauf bekam der Andre von dem Musikstudenten, der offenbar nicht einmal begriff, wie man so etwas fragen könnte, die Antwort: ›Aber man will doch gerne helfen.‹

›Helfen?‹

›Es sind immer einige, die gerne helfen wollen, die dürfen dann herüberkommen, aber nicht für lange.‹

›Aber wie denn helfen?‹

›Es macht sehr froh, wenn man helfen kann, aber man darf kein Mitleid haben, davon wird man krank, sehr krank sind einige davon geworden, und dafür ist die Quarantäne hier eingerichtet.‹

›Wie kommt es denn, daß ich noch nie einem begegnet bin, und ich bin doch dauernd mit offnen Augen herumgelaufen, das war mein Beruf?‹

›Von jetzt an wirst du die erkennen, aber laß dir nichts merken, bleib nicht bei ihnen stehen, das darf nicht sein, laß sie vorbeigehen, sie wissen auch so, daß du sie gesehen hast, das genügt.‹

Ich erzähle Ihnen das so, wie es mir damals in jener Nacht erzählt wurde, bitte halten Sie mich nicht dafür verantwortlich. Die beiden da am Fluß duzten sich offenbar bereits, vielleicht ist es dort so Brauch. Aber weit tröstlicher ist es für Sie und mich, zu erfahren, daß nicht die ganze Horde von drüben sich zu uns herüberwälzt, was für ein Gewimmel gäbe das, man könnte nicht mehr Luft holen, sondern nur einige, die gerne helfen wollen, wie der Bengel sich ausdrückte. Die andern sind wohl mit ihrer Melodie zufrieden und lassen den lieben Gott einen guten Mann sein, wie das Sprichwort es nennt. Und zu unserm Glück hat man den Wenigen, die sich hier herumtreiben, angeblich um zu helfen — wer hat sie bitte darum gebeten? —, wenigstens den Rat gegeben, nicht aufzufallen.

Das stimmt übrigens mit den Ermahnungen überein, die der alte Passavent seinem sogenannten Enkel dauernd erteilte. ›Wenn du einen von uns siehst, geh lieber rechtzeitig auf die andre Straßenseite oder tritt in einen Hausflur, bis er vorüber ist. Einer allein, der fällt ihnen nicht auf, den beachten sie gar nicht, aber zwei zusammen, das darf nicht sein, das macht sie stutzig und stört sie, es kann sogar ein Unglück geben.‹ Was diese kindische Geheimnistuerei soll, müssen Sie mich nicht fragen. Was haben denn diese Brüder zu verheimlichen? Da haben Sie und ich bestimmt mehr zu verheimlichen, was wir nicht gern an die große Glocke hängen wollen, als ausgerechnet diese beiden. Wissen Sie, was ich beinahe glaube? Das einzige, was die beiden verheimlichen wollten, war, daß sie überhaupt nichts mehr zu verheimlichen hatten, deshalb das ganze Getue und ihr lächerliches System.

Was mich darauf bringt, ist ein Brief des Alten oder das Konzept eines Briefes, denn der Brief, das geht aus ihm hervor, wurde offenbar nie abgeschickt und wann er geschrieben wurde, ist auch nicht klar, denn ein Datum ist nicht darauf, mit solchen gewöhnlichen Dingen wie Datum gab sich der Alte gar nicht erst ab. Aber seine Handschrift ist es, darüber besteht kein Zweifel, dieselbe Handschrift wie die in den sogenannten Ephemeriden, nur etwas sorgfältiger und ohne die vielen Durchstreichungen. Erinnern Sie mich daran, daß ich oben in meinem Zimmer nachsehe, ob ich den Brief noch habe, oder vielmehr die Fotokopie davon, die mir Sprieder überließ, sie wird nach so viel Jahren arg zerfleddert sein. Der Brief hat allerdings nichts mit der Melodie zu tun, aber die Handschrift wird Sie vielleicht interessieren. Er ist an einen Professor gerichtet, die Anrede wenigstens lautet ›Lieber Herr Professor‹, aber Professor kann sich jeder nennen und vielleicht ist es auch nur wieder einer von den Witzen des Alten. Ein Name war jedenfalls nicht dabei, auch keine Adresse. Es würde mich nicht wundern, wenn dieser sogenannte Professor nie existiert hat, bei dem Alten muß man auf dergleichen gefaßt sein. Wie gesagt, erinnern Sie mich bitte daran, daß ich oben nachsehe, ob ich den Brief überhaupt noch besitze, er ist mir schon über ein Jahr nicht mehr in die Finger geraten. Wenn nicht, dann ist auch nichts damit verloren, für Ihren Film schon gar nicht.

Weshalb ich den Brief zehn Jahre lang aufgehoben habe? Die Frage ist berechtigt, Sie brauchen sich nicht zu entschuldigen. Und weshalb ich ihn seitdem mit mir herumschleppe und sogar hier ins Sanatorium mitnehme? Immer vorausgesetzt, daß das Ding überhaupt noch da ist. Das ist reiner Zufall, glauben Sie mir. Sehe ich etwa so aus, als ob mir daran liegt, längst erledigte Papiere aufzubewahren? Das können wir den Frauen überlassen, die treiben ja geradezu einen Kult mit der Vergangenheit und reiben das einem noch dazu unter die Nase, wenn man nicht mehr so ist wie auf irgendeinem alten Foto. Für einen vielbeschäftigten Mann wie mich heißt es jedoch: Erledigt ist erledigt, in den Papierkorb damit, das spart Aktenordner und man hat den Kopf frei.

Doch jedesmal, wenn mir dieser Brief des Alten beim Aufräumen in die Hände kam, las ich ihn noch einmal kurz durch, ohne allerdings klüger davon zu werden. Nicht oft, du lieber Himmel nein, doch so einmal im Jahr schafft wohl jeder von uns in seinen Schubladen Ordnung. Und jedesmal, wenn ich schon dabei war, den Brief zu zerreißen und in den Papierkorb zu werfen, sagte ich mir: Na, heben wir ihn bis zum nächstenmal auf, vielleicht kapiere ich ihn dann, und da ich nicht wußte, wohin damit, steckte ich ihn schließlich in die kleine Mappe aus Schweinsleder, in der ich ein paar wichtige Papiere aufbewahre und die ich immer im Handkoffer mitnehme, für alle Fälle. Mein Testament zum Beispiel, natürlich nur die Kopie, das Original liegt beim Notar, und solche Dinge. Man kann ja heutzutage auf die unmöglichste Weise zur Strecke gebracht werden, nicht nur auf der Autobahn, das ist schon kaum mehr der Rede wert, aber denken Sie nur an den Zeitungsartikel heute morgen. Irgendein nachlässiger Schafskopf hat den Gashahn nicht richtig abgedreht, und schon fliegt das ganze achtstöckige Haus in die Luft und weg ist man. Aber deshalb sollen doch die Hinterbliebenen nicht in die Röhre gucken, das wäre unverantwortlich.

Wie Sie sehen, der Brief ist reiner Zufall, er gehört selbstverständlich nicht zu den Papieren. Ich habe ihn wohl auch nur deshalb nicht zerrissen, weil ich bis zur Stunde nicht herausgefunden habe, was Sprieder daran großartig fand. Er war doch ein vernünftiger Kerl, darum schätzte ich ihn auch, denn sonst hätte ich mir kaum die Mühe gemacht, dahinterzukommen, das dürfen Sie mir glauben. Ja, im Grunde ist Sprieder daran schuld, daß ich den Brief aufbewahrt habe. Ich werde ihn Ihnen morgen abend mitbringen, falls er noch da ist, vielleicht können Sie mehr daraus machen als ich, und Sie können ihn auch von mir aus behalten, dann hat die liebe Seele endlich Ruh.

Der Brief muß sich unter den Papieren des alten Passavent befunden haben, das Original wird wohl diese Olivia, seine Tochter, haben, aber Sprieder hatte Fotokopien davon machen lassen, und die lagen auf seinem Arbeitstisch herum, als ich bei ihm war, um mich wegen meiner Abreise nach München von ihm zu verabschieden. ›Da, lesen Sie das‹, sagte er und reichte mir ein Exemplar, ›das ist großartig, das geht uns alle an.‹ Na, ich las das Zeug, um ihm den Gefallen zu tun, und äußerte mich nicht weiter dazu, sondern steckte die Fotokopie ein. Sprieder war ja selber mundfaul, so fiel es nicht weiter auf. Aber

Sie können mich totschlagen, ich habe bis heute nicht begriffen, was daran großartig sein soll und vor allem, was es mich angeht.

Halten wir uns lieber an die komischen Szenen der ganzen Geschichte. Zum Beispiel die Rolltreppen-Szene ist wirklich zum Schieflachen. Ich habe vergessen, ob der Alte sie dem Andren erzählte oder dieser kleine Musikstudent, das bleibt sich auch gleich, jedenfalls erzählten sie es als Erklärung für ihre Geheimnistuerei und warum nicht zwei von ihnen zusammen gesehen werden dürften. Pure Spinnerei, aber wie gesagt, zum Schieflachen.

Der allergrößte Witz ist, daß die beiden das für bare Münze ausgaben und todernst nahmen, so wie Clowns das tun, wenn ihnen was Unmögliches passiert, denn die da auf ihrer Rolltreppe waren ja auch nur mit der Technik in Konflikt geraten, wie wir das schlicht ausdrücken würden. Also da begegnen sich zwei von denen, die sie die ›Unsrigen‹ nannten — bitte, die Bezeichnung stammt nicht von mir —, ausgerechnet auf der Rolltreppe einer U-Bahn-Station. Ob das in Hamburg war oder wo sonst, bleibt sich gleich, solche Rolltreppen gibt es ja in der ganzen Welt. Der eine von ihnen kommt von unten aus dem Tunnel und fährt auf seiner Treppe herauf und der andre kommt von oben und will auf seiner Treppe nach unten fahren. Die Treppen liegen wie überall dicht beieinander, in der Mitte müssen die beiden sich begegnen, ein Ausweichen ist nämlich nicht möglich, denn es passiert morgens vor Geschäftsbeginn, wenn Hauptbetrieb ist und die Leute es eilig haben, rechtzeitig ins Büro oder an ihren Arbeitsplatz zu kommen. Es ist ein Mordsgedränge auf den Rolltreppen, von unten und oben wird gedrängt und niemand kann sich rühren, jeder muß schon auf seiner Stufe stehen bleiben, bis ihn die Treppe an sein Ziel gerollt hat. Und nun stellen Sie sich bitte die beiden vor, die da aufeinander zu fahren und sich nicht verdrücken können, wie man es ihnen vorgeschrieben hat. Genau in dem Augenblick, als sie auf gleicher Höhe sind und sich die Hand geben könnten, bleibt die Rolltreppe stehen, beide Rolltreppen zugleich. Und die Leute werden mit einem Ruck gegeneinander geschubst. Da geht die Schimpferei los, wie Sie sich denken können, von oben und von unten wird geschimpft. Sie schimpfen auf die Technik, die wieder einmal nicht funktioniert, auf die U-Bahn-Gesellschaft, auf den Staat und was sonst noch. ›Was ist denn los?‹ wird geschrien. Gehen Sie gefälligst weiter, bleiben Sie nicht wie ein blöder Hammel stehen und mehr von der Sorte. Und auf die Weise werden denn auch die beiden, die da in der Mitte stehen und nicht wissen, wie sie sich verhalten sollen, von der Menschenmenge auf der Treppe weiter gedrängt, der eine nach oben, der andre nach unten, und in dem Moment, wo sie aneinander vorbei sind, fangen die Rolltreppen langsam wieder an zu rollen und der Zwischenfall ist schon wieder vergessen.

XII

Normalerweise hätte ich zu dem Andren gesagt: Na, das glauben Sie wohl selber nicht. Stellen Sie sich vor, es setzte sich hier jemand zu uns und wollte uns weismachen, daß diese seine Leute von der andern Seite in der Lage wären, die Technik einer Großstadt zum Stoppen zu bringen, und das nur, weil sie sich zufällig begegnen. Vielleicht würden wir lachen, denn die Geschichte ist ja recht witzig und hier im Sanatorium gibt es ja wenig Anlaß zum Lachen, aber dann würden wir doch bestimmt dem guten Mann auf die Schulter klopfen und ihn ins Bett schicken. Schlafen Sie sich erst mal tüchtig aus, mein Lieber. Denn uns beiden, Ihnen und mir geht es ja nur um die Filmidee, die zweifellos darin steckt, und so war es auch damals mit mir, in jener Nacht, als der Andre mir das erzählte, und außerdem hatte mich die lange Warterei auf dem Treppenabsatz schon konfus genug gemacht, darum hörte ich mir das alles geduldig an.

Was den alten Passavent betrifft, von dem der Andre das hatte, so war er, wie gesagt, ein Witzbold, von dem man allerhand in Kauf nehmen kann. Ich habe beinahe das Gefühl, daß er sich über den Andren lustig machte, der das natürlich nicht merkte, und daß er mit ihm so redete, wie er mit seinen Hemden redete, die über der Badewanne zum Trocknen hingen, denn die Hemden spielen ja eine gewisse Rolle in seinem Leben, auch in der komischen Geschichte mit Pascal. Wäre das nicht überhaupt ein Gedanke für Ihren Film? Ich meine, daß Sie die Rolltreppen-Affäre so bringen, als ob der Alte sie seinen Hemden erzählt. Das hätte den Vorteil, daß niemand erst nach der Glaubhaftigkeit fragt, denn seinen Hemden kann man schließlich erzählen, was man will, und wenn Sie und ich auch nicht gerade die seltsame Gewohnheit haben, uns mit unsern Hemden zu unterhalten, irgendwelche Gedanken, die wir lieber nicht laut werden lassen, hat wohl jeder von uns, wenn wir allein in unserm Zimmer auf und ab gehen, das verstehen die Leute im Kino sofort und wir sparen uns langweilige Erklärungen. Wir dürfen es nur nicht zu lange ausspinnen. Zur Not könnten Sie, wenn Sie die Rolltreppe vorführen, die bestimmt ihre Wirkung haben wird, auch noch den lächerlichen Mister Ich zeigen, wie er da am Tisch sitzt und in sein Tagebuch schreibt:

›Wann wird endlich Schluß sein?‹

Denn irgend etwas derartiges glaube ich gelesen zu haben. Das würde die Komik der Situation unglaublich steigern. Der Alte, wie er seinen Hemden die Sache mit der Rolltreppe erzählt, um sie zum Lachen zu bringen — Sie können ja die Ärmel der Hemden herumschlenkern lassen — und der lächerliche Mister Ich da am Tisch, wie er über sein angeblich schweres Leben stöhnt. Die Leute werden sich totlachen.

Aber damit will ich Ihnen nur auf die Sprünge helfen. Immerhin bin ich auch in jener Nacht nicht so konfus gewesen, daß ich mein Ziel aus den Augen verlor, die Melodie und wie sie gestohlen wurde und so weiter. Ich habe den Andren ein paarmal gefragt, was denn seine Leute von der andern Seite überhaupt hier bei uns verloren hätten, denn daß sie eine Rolltreppe zum Stehen bringen, daran liegt uns ja nun wirklich nichts und eine große Heldentat ist es auch nicht gerade. Denn seine Erklärung, die er von dem kleinen Musikstudenten hatte, daß einige von drüben Sehnsucht hätten, hier jemandem zu helfen und zu verhindern, daß er verzweifelt, obwohl er selber noch nicht einmal weiß, daß er nahe am Verzweifeln ist, das scheint mir denn doch reichlich hergesucht. Verzweifeln, wie es genannt wird, nun gut, das soll ja hin und wieder vorkommen und dafür haben wir psychiatrische Kliniken und dergleichen, die sich mit solchen Schwächlingen befassen können, aber jemand, der selber noch nicht merkt, daß er am Verzweifeln ist, das ist zu viel. Ich nehme heute an, daß der Andre selber nicht genau Bescheid wußte, er war ja auch noch neu, das heißt noch nicht lange in seiner sogenannten Quarantäne und alles, was er davon wußte, hatte er nur von diesem Musikstudenten gehört oder auch von dem alten Passavent. Mit andern Worten, ich glaube nicht, daß er sich um eine präzise Antwort drückte, warum sollte er auch. Schließlich stotterte er etwas von Heimweh, das die Leute von drüben, oder wenigstens einige von ihnen, hätten und daß sie deshalb vielleicht herüberkämen. Das klingt wenigstens plausibler, denn Heimweh — na ja, ein sentimentaler Begriff und noch dazu reichlich altmodisch, doch in einem gewissen Sinne könnte man ja sagen, daß auch wir hier in diesem langweiligen Sanatorium Heimweh nach unserm Büro und nach vernünftiger Arbeit empfinden.

Doch viel war, wie gesagt, aus dem Andren nicht herauszuholen, für unsern Film, meine ich. Er war ja auch nicht von drüben wie der kleine Musikstudent, sondern nur in Quarantäne, wie er es nannte. Wundern Sie sich nicht, daß ich solche reinen Phantasie-Ausdrücke immer wieder gebrauche; wenn man diesen Leuten lange genug zuhört, wie ich damals in jener Nacht, gewöhnt man sich daran und nimmt sie beinahe selber als Tatsachen. Für Ihren Film kann das unter Umständen sogar sehr richtungweisend sein. Der Andre druckste jedenfalls mehr oder weniger herum, wenn ich etwas wissen wollte, der Musikstudent hatte ihm nicht allzuviel erzählt, weil er alles als selbstverständlich voraussetzte, und der Alte erzählte lieber faule Witze, wie den mit der Rolltreppe, und im übrigen ließ er es bei seinen Ermahnungen, vorsichtig zu sein und nicht aufzufallen. Fragte ich den Andren etwas Bestimmtes, zum Beispiel: Warum vorsichtig sein und nicht auffallen? — das ist doch eine naheliegende Frage —, blätterte er aus lauter Verlegenheit in den Papieren dieses Mister

Ich herum, die zwischen uns auf dem Tisch lagen, bis er etwas Passendes gefunden zu haben glaubte, dann zeigte er mit dem Zeigefinger darauf und schob mir die Papiere hin, als ob damit alles erklärt sei. So etwa wegen des Nicht-Auffallens stand da:

›Herr, laß ihnen die Uniform, damit sie ein Bild von sich im Spiegel haben.‹

Ich schob ihm jedesmal die Papiere wieder zurück. Als ob es mir um die trivialen Klugschnackereien dieses Mister Ich ging, der gar nicht existierte. Selbst der Alte machte sich ja darüber lustig. Mir ging es allein um die Melodie, das heißt um das, was sich für den Film verwenden ließ. Fängt doch der Kerl noch an zu beten und den Herrn anzurufen. Das fehlte gerade noch.

Und noch ein andres Beispiel. Natürlich interessierte es mich, wie denn diese Leute von drüben, die sich hier bei uns herumtrieben, überhaupt helfen wollten, auf welche Weise bitte, denn alles in allem scheinen sie doch, wenigstens so wie sie einem geschildert wurden, selber recht hilflose Knaben zu sein. Würde mir so einer, was Gott verhüte, seine Hilfe anbieten, würde ich sagen: ›Sorg man lieber erst für dich selber, mein Junge!‹ Und unter Umständen würde ich in die Tasche greifen und ihm etwas geben, damit er sich ein Mittagessen kaufen kann, das ist immer noch die beste Hilfe. Aber der Andre drückte sich um eine präzise Antwort. Statt dessen versuchte er mich mit einer völlig nichtssagenden Geschichte von einer x-beliebigen jungen Frau abzuspeisen, und das kam so. Irgendwie waren wir auf Frauen zu sprechen gekommen, ja, warten Sie, er hatte die Bemerkung gemacht, daß man vor allem mit Frauen vorsichtig sein müsse oder so ähnlich.

›Wieso? Kennen sie denn die Melodie?‹

›Das vielleicht nicht, aber sie werden leichter traurig.‹

›Um Himmels willen, wer wird denn traurig davon, weil eine Rolltreppe nicht funktioniert. Man ärgert sich die Pest, aber traurig.‹

›Sie merken es eher, daß etwas nicht stimmt, deshalb.‹

›Und wie wollen Sie ihnen darüber hinweghelfen?‹

Es lag mir auf der Zunge zu sagen: Aha, also an die Frauen macht ihr euch auf die Weise ran, ihr Schlingel. Das ist natürlich der bequemste Weg, denn die Frauen hören es ja nur zu gern, wenn jemand sie bedauert, da schmelzen sie wie Wachs. Aber ich hielt den Mund, mir ging es nicht um Frauen, sondern um den Film und die Melodie, und nicht um irgendwelche billigen Primanertricks.

Die Geschichte, die der Andre mir des langen und breiten zu erzählen für nötig hielt, hat direkt nichts mit der Melodie zu tun, aber indirekt vielleicht doch, denn zum mindesten charakterisiert sie diese Leute und die Art ihres Denkens. Schleierhaft bleibt nur, warum das ein Beweis dafür sein soll, daß Frauen leichter traurig werden, und wie man ihnen darüber hinweghelfen kann. Doch das geht uns für den Film nichts an.

Frauen gehen ja manchmal auf den Dachboden, sagte er, wegen der Wintergarderobe, um sie einzumotten, oder weil sie sonst etwas brauchen. Natürlich nicht nachts, da haben sie Angst vor Einbrechern, die sich oben versteckt haben können, meistens wohl vormittags, wenn ihre Männer nicht da sind. Manche Männer kommen mittags zum Essen, aber nicht alle, für viele ist der Weg vom Büro zu weit, und sie kommen erst abends wieder. Doch das Essen kann man vormittags schon vorkochen, und dann fällt der Frau ein, daß sie etwas vom Boden holen will, und sie bindet die Schürze ab wegen der Leute, die sie auf der Treppe treffen könnte. Der Bodenschlüssel hängt immer an einem Haken bei der Wohnungstür, es sind sogar zwei Schlüssel an einem Ring, ein großer für die Bodentür und ein kleinerer für das Vorhängeschloß. Es hat nämlich jeder Mieter einen Verschlag da oben, einen Bretterverschlag und ein Vorhängeschloß davor, damit nichts wegkommt. Es muß ein altmodisches Haus sein, heute baut man so etwas nicht mehr, die Häuser werden schnell altmodisch.

Sie nimmt also die Schlüssel, auch den zur Wohnungstür, denn man muß sehr aufpassen, daß man ihn nicht aus Versehen drinnen stecken läßt und die Tür zuschlägt, dann muß man erst den Schlosser holen, das ist eine ärgerliche Ausgabe und außerdem kommt er nicht gleich, unterdessen kann das Essen anbrennen. So steigt sie die Treppen hinauf, vielleicht hat sie ein paar Sachen über dem Arm, die sie oben weglegen will bis zum nächsten Winter, und wenn sie auf der Treppe keine von den andern Frauen des Hauses trifft, zu denen sie Guten Tag! sagen kann oder: Haben Sie auch den Lärm heute nacht gehört? Das muß wieder im zweiten Stock gewesen sein, oder auch: Es scheint ja endlich Frühling zu werden, was man eben so sagt, wenn man jemand auf der Treppe trifft — doch wenn sie niemand trifft, dann ist es manchmal besser, daß einer da ist, der auf sie aufpaßt.

Weil sie da nämlich in ihre Einsamkeit hinaufsteigt und gar nicht darauf gefaßt ist, sie will ja nur schnell die Wintergarderobe weglegen, das braucht nicht viel Zeit, und der Topf mit dem Gulasch schmort unterdessen auf kleiner Flamme weiter, bestimmt hat sie die Flamme klein gestellt, daran liegt es nicht, doch an die Einsamkeit denkt sie überhaupt nicht, darum muß man ihr unter Umständen helfen. Oben auf dem Boden ist nämlich nicht viel Licht, nur das aus den kleinen Dachluken, und die sind sehr verschmutzt, niemand putzt sie — soll ich sie vielleicht für die andern Weiber putzen? — und der Hauswart bekommt doch immer sein Weihnachtsgeld, das wäre seine Aufgabe. Und im Verschlag ist es noch dunkler, wenn man nicht einen in der Nähe der Dachluke hat, aber das Licht genügt, die Augen gewöhnen sich daran, man weiß ja auch, wo die Sachen stehen, es geht auch ohne Taschenlampe. Doch immer ist einem der Stapel Zeitschriften im Weg, eines Tages wird man noch darüber fallen, alte Fachzeitschriften, das ist doch alles längst überholt, wozu sollen sie noch aufbewahrt werden? Vielleicht kennt der Hauswart einen Altpapierhändler und kann sich ein paar Pfennige damit verdienen, denn wenn wir umziehen, können wir doch unmöglich den Stapel noch einmal mitnehmen. Aber der aufgerollte Haargarnläufer läßt sich unter Umständen in der neuen Wohnung brauchen, man muß erst die Maße der Wohnung wissen, und die eine Seite des Läufers, die etwas abgetreten ist, kann man dann einfach abschneiden. Vielleicht werden wir ja auch in eine andre Stadt versetzt, hoffentlich ist es eine große, in der was los ist. Wann es wohl endlich mit seiner Beförderung etwas wird? Nächstes Jahr, sagt er, und solange müssen wir warten, aber inzwischen werden die Mieten immer höher. Und der Mann von der Leni ist schon befördert worden, obwohl doch nicht viel an ihm dran ist, und sie hat eine moderne Wohnung, die viel praktischer sauber zu halten ist, und für drei Wochen sind sie nach Portugal gefahren und prahlen damit herum. Warum haben immer die andern alles Glück, und wir müssen warten?

Die Truhe für die Wintersachen steht hinten rechts. Sie paßt nicht in die Wohnung zu den modernen Möbeln. Schon die Großmutter hat die Wintergarderobe darin aufbewahrt und alles, was sie sonst nicht brauchte. Vorher soll die Truhe auf der Scheune gestanden haben mit Hühnerfutter darin, da hat sie sicher die Holzwürmer gekriegt. In der neuen Wohnung kann man sie vielleicht doch unterbringen, weil sie antik ist, sie muß erst aufpoliert werden, doch vor dem Umzug hat das keinen Sinn. Auch die Ritzen müßten dicht gemacht werden, denn so mottensicher ist die gar nicht, auch früher schon nicht, wenn Großmutter darin herumwühlte und dabei stöhnte, weil ihr das Kreuz weh tat, und wenn wir mit den Mottenkugeln Marmeln spielten, gab sie uns mit dem Handrücken eins über den Mund, das tat sehr weh, aber sie meinte es nicht so, sie war eben alt und unzufrieden. Auch einmal, als sie mich erwischte, wie ich nach dem Waschen vor dem Spiegel stand, gab sie mir mit einem Küchentuch eins hinten drauf, aber da war ich schon älter. ›Du willst wohl sehen, wie dich das Nackte kleidet, du dumme Göre‹, schrie sie. ›Marsch, ins Bett!‹

Ja, die Truhe. Der riesige Schlüssel mit einem komplizierten Bart hängt an einem Bindfaden hinter dem aufgerollten Läufer, da sucht ihn niemand, und wenn man die Truhe öffnet und den Deckel festgestellt hat, damit er einem nicht auf die Arme zurückschlägt, dann gerät einem jedesmal etwas in die Hände, woran man überhaupt nicht mehr gedacht hat. Nicht ein altes Fotoalbum, das hebt man natürlich nicht in der Truhe auf, aber irgendein Kleid, das längst aus der Mode ist und da nur noch liegt, weil es aus sehr gutem Stoff ist, wie es ihn heute gar nicht mehr gibt, und vielleicht läßt sich eines Tages etwas daraus machen, ein Kissenbezug zum Beispiel. Den Stoff haben wir im Warenhaus von Mayer gekauft, Großmutter wollte da nicht kaufen, in so einem Laden kauft man nicht, hieß es, aber es war Ausverkauf und billig, und sie hatten da noch einen ganzen Ballen von dem Stoff. Und das Kleid, wann wurde es zum erstenmal getragen? Auf dem Ausflug nach Goslar natürlich, und die andern Mädchen fanden es sehr schick, nur die Helga mokierte sich darüber, sie war eine dumme Gans und nur neidisch. Was wohl aus ihr geworden ist? Und unter dem Kleid liegt der große Schal mit dem türkischen Muster, ein Longschal, wie es damals genannt wurde, den trug Großmutter immer, wenn sie zum Einholen ging, es muß sehr unpraktisch gewesen sein, sie mußte sich sehr gerade halten, damit er ihr nicht herunterrutschte, und wenn wir sie die Straße entlang kommen sahen, versteckten wir uns schnell, denn sie war sehr streng. Und aus ihrem großen alten Portemonnaie klauten wir ihr manchmal einen Groschen für Bonbons. Ob sie nicht das Portemonnaie absichtlich herumliegen ließ und insgeheim über uns lachte? Sie war keine böse Frau. Und der Longschal läßt sich noch gut als Vorhang zwischen den Türen verwenden, die Leute werden staunen: Wo haben Sie denn den her, der ist ja antik. Man müßte nur ein paar Gardinenringe annähen, das hält er noch aus.

Auf dem Ausflug nach Goslar führten sie uns in eine Kaiserpfalz, wie es genannt wurde, und zeigten uns Holzfiguren von Heiligen und Prinzessinnen in langen Kleidern. Es war kein Schulausflug, die Schulausflüge wurden woandershin gemacht, es war ein Betriebsausflug, ich war schon in der Lehre, und nachher tanzten wir, es waren junge Männer dabei; im Autobus, der uns nachts nach Hause fuhr, saß ich neben Hans Ebeling, der machte Gedichte, das imponierte mir sehr, aber er wird es wohl aufgegeben haben. Und in Wirklichkeit werden es auch gar keine Prinzessinnen gewesen sein, wie wollen sie das nach so langer Zeit wissen, sie hatten es nur darunter geschrieben, weil es hübscher klingt. Aber die Kleider waren lang, das stimmt, und mit einer Schleppe daran, tanzen hätten sie damit nicht können und im Autobus wären sie beim Einsteigen damit hängengeblieben. Wir aber tanzten und es war ziemlich warm, auch im Autobus froren wir nicht. Wir waren auch nicht müde, damals wurde man nicht müde, und so fuhren wir nach Haus — und dann ist alles anders gekommen.

Dann ist es allerhöchste Zeit, daß man der Frau aus ihrer Einsamkeit heraushilft, denn sonst verliert sie sich, weil sie es nicht gewohnt ist, man muß ihr rasch helfen, damit sie sich wieder zurechtfindet. Man braucht nur an das Gulasch zu erinnern, das auf kleiner Flamme weiterschmort. Ach du lieber Himmel, mein Gulasch! Und die Truhe wird schnell zugeklappt und der Schlüssel wieder hinter dem aufgerollten Läufer versteckt.

Na, was sagen Sie dazu? Träumereien einer romantischen jungen Frau könnte man es nennen, kein schlechter Titel, und das mit dem Gulasch imponiert geradezu. Doch daß dazu Leute von der andern Seite nötig sind, um die junge Dame an ihr Gulasch zu erinnern, das ist nun wirklich eine allzu starke Zumutung.

Für Ihr Drehbuch kommt die Geschichte sowieso nicht in Betracht. Eine Zeitlang erwog ich, ob man sie vielleicht als Überleitung benutzen könnte, um die Kinobesucher an die Stimmung zu gewöhnen, die in der andern Szene herrscht, die natürlich auf keinen Fall fehlen darf, in der, wo zwei dieser Burschen von drüben entdecken, daß man ihnen ihre geliebte Melodie gestohlen hat. Eine gewisse Ähnlichkeit in der Stimmung scheint mir vorhanden, auch das Etagenhaus, in dem es passiert sein soll, kommt mir so ähnlich vor, aber es würde denn doch wohl zu weit führen, nur deswegen auf die Großmutter und die Truhe und das Gulasch zurückzublenden. Halten wir uns an das, was der sogenannte Musikstudent... ich weiß nicht, ob Sie nicht doch lieber einen Namen für den Bengel erfinden sollten, wegen der Faßlichkeit, oder ob es zu diesen Burschen von der andern Seite, wenn wir uns schon einmal mit ihnen abfinden, gehört, daß sie keinen anständigen Namen haben, mit dem sie sich anreden lassen, aber das müssen Sie entscheiden... um den Bengel kommen wir leider nicht herum, das verlangt die Logik der Geschichte, denn wer soll sie dem Andren da am Fluß erzählt und ihn damit auf den Weg geschickt haben, wenn nicht dieser Musikstudent? An eine gewisse Logik müssen wir uns schon strikt halten, gerade weil das Ganze so unlogisch ist.

Also eines Morgens sollen zwei, die sich die Nacht über hier bei uns herumgetrieben hatten, um uns zu helfen, wie sie behaupten, auf ihre Seite zurückgekommen sein und berichtet haben, daß sie die Melodie bei uns gehört hätten. Daraufhin soll sich ein großes Geschrei erhoben haben: Man hat uns die Melodie gestohlen, was nun? Oder vielleicht auch kein Geschrei, mag sein, daß es da auf ihrer Seite nicht Sitte ist zu schreien, wie sollen wir das wissen. Jedenfalls muß es eine ziemliche Unruhe gegeben haben, denn die Burschen da drüben bildeten sich ja ein, die Melodie gehöre ihnen ganz allein, und niemand auf der Welt wisse etwas davon. Wenn Sie es erst fertiggebracht haben, daß Ihr Publikum diese unsinnigen Voraussetzungen in Kauf nimmt, bereitet die Szene, wie die beiden entdecken, daß man ihre Melodie auch bei uns kennt, keine Schwierigkeiten. Sie wird sich gut drehen lassen.

Ich sagte ja schon, daß man denen von drüben geraten hatte, sich hier bei uns nicht zu zweit sehen zu lassen. Mit den albernen Gründen für die Warnung brauchen wir uns nicht abzugeben. Aber nachts brauchten sie die Warnung anscheinend nicht so genau zu nehmen wie bei Tageslicht, besonders spät nachts nicht oder mehr gegen Morgen hin, wenn alle Welt im Bett liegt und schläft, denn einem späten Taxi dürfte wohl kaum das Benzin ausgegangen sein, nur weil da zwei von denen herumstehen, und die Rolltreppen der U-Bahn sind ja nachts sowieso abgestellt.

In welcher Stadt das passiert sein soll, kann ich Ihnen nicht sagen, meiner Meinung nach ist es auch gleichgültig, nachts sind alle Städte grau, und solche übriggebliebenen Straßen gibt es in jeder großen Stadt, sicher auch bei Ihnen in Frankfurt, in Ihrem sogenannten Westend zum Beispiel, wenn mich nicht alles täuscht, ich bin da nur einmal kurz durchgefahren. Aber dazu brauchen wir Frankfurt nicht, das läßt sich für Ihren Film auch in München oder in Hamburg finden. Eine Straße in einem alten Wohnviertel, das einmal lange vor unserer Zeit vornehm gewesen sein muß, was auch immer man sich damals darunter vorstellte. Eine Straße ohne Läden, denn das hielten sie früher für unvornehm und außerdem hatten sie genügend Dienstmädchen, die sie zum Einholen schicken konnten. Meistens liegen solche alten Wohnviertel zwischen zwei Hauptstraßen und haben deshalb nicht viel Verkehr, so daß sie es sich sogar noch leisten können, die alten Bäume an den Seiten stehenzulassen, obwohl sie das ziemlich dunkel macht. In unserm Falle waren es Lindenbäume, das wurde extra erwähnt, doch daran brauchen Sie sich nicht zu halten, jeder andre Baum tut es auch, nur auf die Dunkelheit kommt es an.

Die liegt aber auch an den Häusern, große alte Etagenhäuser aus roten oder schmutziggelben Ziegeln, so wie man sie damals baute, vier Stockwerke nur mit hohen Fenstern und mit Achtzimmerwohnungen. Unvorstellbar die Platzverschwendung, und selbstverständlich ein protziges Portal mit Säulen an den Seiten. Für hochherrschaftlich hielten sie das, es ist nicht zu fassen. Unsereiner kann nur bedauern, daß der letzte Krieg wie zum Hohn ausgerechnet diese alten Kästen verschont hat. Ich kann nur die unglücklichen Hausbesitzer bedauern, denn was bringt so etwas schon an Mieten ein. Wo es sich noch machen ließ, wird man natürlich die Wohnungen aufgeteilt haben, aber das ist doch alles nur Flickwerk. Die Heizung und die sanitären Anlagen zu erneuern kostet mehr, als den Kasten niederzureißen und statt dessen ein vernünftiges Apartmenthaus hinzubauen. Dann würde die Stadt die Straße auch anständig asphaltieren, denn sie hat oft noch das alte Kopfsteinpflaster von anno Krug. Und was die Bäume angeht, na, lassen wir das. Wenn es wirklich Linden waren, können wir nur hoffen, daß es nicht zur Zeit der Lindenblüte war, denn abgesehen von dem Geruch, von dem man Kopfschmerzen kriegt, müßten Sie Ihren Wagen, wenn Sie darunter parken, neu lackieren lassen, denn die Honigtropfen von den Blüten gehen bei einer normalen Wagenwäsche nicht wieder weg.

Was nun einer von denen da drüben da in der Straße zu suchen hatte und noch dazu um die Zeit, weiß der Teufel. Um Frauen kann es sich nicht gehandelt haben, denn Frauen gehen, wie gesagt, um die Zeit nicht auf den Dachboden. Jedenfalls stand der Bursche da unter einem der Bäume und schaute zu einem beleuchteten Fenster im dritten Stock hinauf, das noch dazu offen stand. Dies einzelne beleuchtete Fenster in der sonst dunklen Häuserreihe ist an sich schon ein Bild, das seine Wirkung nicht verfehlen wird. Jeder wird sich fragen, auch wir würden das tun, wenn wir zufällig durch die nächtliche Straße gingen: Wer ist denn da noch auf? Sind die Leute erst jetzt von einer Gesellschaft nach Hause gekommen? Oder ist da jemand krank, und sie warten auf den Doktor? Oder vielleicht ein Student, der noch für das Examen arbeitet? So ein beleuchtetes Fenster regt die Phantasie an.

Doch es kommt noch besser. Nicht genug, daß dieser eine da unter dem Baum stehenbleibt und zum Fenster hinauf horcht, es kommt ausgerechnet in jener Nacht noch ein zweiter von diesen Burschen die Straße entlang. Er ist wohl von der Hauptstraße eingebogen und hat keine Ahnung, daß da ein paar Schritte weiter schon einer von ihnen unter dem Baum steht. Den Vorschriften nach hätte er sofort kehrtmachen und verschwinden müssen, wenn ich auch nicht weiß, ob die Vorschriften auch nachts gelten. Diesmal jedenfalls kehrt er nicht um, sondern geht, als ob er gezogen würde, weiter und stellt sich zu seinem Kumpel unter den Baum und horcht wie er mit offnem Mund zu dem Fenster hinauf. Oder auch nicht mit offnem Mund, das ist mir nur so herausgefahren, doch irgendwie staunend und sogar erschrocken.

Und warum? Aus dem beleuchteten Fenster da oben

hören die beiden ihre Melodie, da oben singt die Schlagersängerin ihr ›Geh hin und liebe!‹ in voller Lautstärke in die Nacht hinaus. Großartig! Besser läßt sich das nicht erfinden. Das eine beleuchtete Fenster in der nächtlichen Straße und die Melodie, die man aus dem Zimmer hört, das ist ein Treffer. Auch ich wäre unter dem Baum stehengeblieben und hätte es mir angehört, obwohl ich nicht von der andern Seite stamme. In Ihrem Film sollten Sie das als Vorspann nehmen, wie man es nennt, dann läuft der Rest ganz von allein ab.

Selbstverständlich muß das ›Geh hin und liebe!‹ deutlich zu hören sein, darauf kommt alles an. Daß es sich um eine Grammophonplatte handelt, die da oben jemand aufgelegt hat, braucht man zunächst nicht zu wissen, denn die beiden unter dem Baum wissen es ja auch noch nicht, sollen die Leute ruhig denken, da singt wirklich ein Frauenzimmer und nimmt weiter keine Rücksicht auf die andern Mieter im Haus, die gern schlafen möchten. Man muß sich in die beiden unter dem Baum hineinversetzen, die ihre geliebte Melodie zum erstenmal bei uns hören, was nach ihrer Meinung nicht möglich sein konnte, und deshalb völlig ratlos stehen blieben.

Es kommt noch viel besser, filmisch besser, meine ich, sogar ein Abschluß der Szene wird gleich mitgeliefert, wie er sich wirksamer kaum denken läßt. Aus dem Fenster oben beugt sich plötzlich ein Mädchen, noch während die Melodie spielt, denn man muß gleich begreifen, daß nicht sie es ist, die da singt, sie beugt sich hinaus und blickt auf die Straße. Die beiden da unten kann sie wegen des Baumes nicht sehen, und sie spricht ins Zimmer zurück: ‹Da hat jemand seine Wagenlichter nicht ausgemacht, morgen wird sein Wagen nicht anspringen.› Und damit schließt sie das

Fenster und zieht die Vorhänge vor. Das Licht erlöscht, die da oben kriechen wohl ins Bett.

Was für ein Bild! Das Mädchen könnte schon im Nachthemd sein oder wenigstens recht dürftig bekleidet, das macht sich immer gut. Und mit dem Schließen des Fensters ist natürlich auch Schluß mit der Melodie. Die Szene spielt sich ganz von selbst, der Film kann beginnen. Als Einleitung scheint mir das viel besser, als die blöde Alte da am Fenster in den Kolonnaden mit ihrer sogenannten Blickrichtung und ihren gelähmten Beinen. Die Alte können wir streichen.

Vor allem sparen Sie sich langweilige Erklärungen, das muß unsre Hauptsorge sein. Niemand wird erst lange fragen, warum es drüben auf der andern Seite einige Unruhe gibt, als die beiden nächtlichen Herumtreiber bei ihrer Rückkehr von ihrem Erlebnis berichten. Und daraus ergibt sich wie von selbst, daß der kleine Musikstudent sich vordrängt und freiwillig meldet, um der Sache nachzuforschen und wie es zu dem Verrat gekommen ist. Soweit läuft alles logisch ab, etwas schwieriger ist es nur, den Leuten klarzumachen, warum der Musikstudent seine Aufgabe nicht zu Ende geführt hat. Bis zur Grammophonplatte hat er es gebracht, ja, sogar bis zu der Grammophongesellschaft, die die Platte aufgenommen und auf den Markt gebracht hat. Aber davon wird doch kein Mensch krank, selbst wenn er von der Firma mit faulen Redensarten abgespeist wird. Dafür müßten Sie schon irgendeinen andern Grund finden, es wird Ihnen schon was einfallen. Der Vorteil bei dem Versagen des kleinen Musikstudenten — komisch, ich stelle ihn mir immer klein vor — liegt darin, daß es uns an den Fluß zurückführt und damit zu unserm Thema und zu dem Andren, dem auf diese Weise der

Auftrag zur Erledigung aufgehalst wird. Der arme Bursche war ja noch benommen, wie es heißt, und so ließ er sich willenlos nach Hannover zu diesem Heumeister schicken, von dem er bis dahin noch nie etwas gehört hatte.

Sie müssen zugeben, das alles hat eine gewisse Logik. Mit Hannover brauchen wir uns nicht lange aufzuhalten, der Andre erzählte nicht viel davon, und aus dem guten Sprieder war sowieso nicht viel herauszuholen. Dieser listige Heumeister schickte den Andren, das wissen wir schon, nach Hamburg zu ›Meiner verehrten Exgattin‹ wie er sich ausdrückte, doch er lud den Andren zu sich nach Haus zu einer musikalischen Abendunterhaltung ein. Ich entsinne mich schwach, daß von einer Rothaarigen die Rede war, die sich mit einem Glas in der Hand auf der Couch herumflegelte, während die andern Musik machten, doch dem Andren scheint das wenig behagt zu haben, er ging bald wieder und wartete lieber im Bahnhof auf seinen Zug nach Hamburg.

Da fällt mir ein, den Wartesaal in Hannover sollten Sie sich nicht entgehen lassen, so ein Wartesaal hat es in sich, mit einem Lautsprecher, der die Züge ansagt und vielleicht mit einer Polizeistreife, die sich Ausweise zeigen läßt, und dazu der Dreck und all die müden Leute, die da herumlungern, kurz, das hat Atmosphäre. Man könnte den Andren bringen, wie er vor einer Tasse Kaffee am Tisch hockt und sich Mühe gibt, nicht einzuschlafen, denn er hat ja allerhand hinter sich. Und dabei könnte man ganz kurz zurückblenden auf diesen Heumeister und den Besuch bei ihm und sogar auf die besoffene Rothaarige auf ihrer Couch. Damit wäre dann alles hinreichend angedeutet. Aber das ist nur ein Vorschlag, ich will Ihnen um Gottes willen nicht in den Kram pfuschen.

Immerhin, den Zug, auf den der Andre wartet, könnte man endlich ausrufen lassen. Damit wären wir dann gleich in Hamburg und bei dem alten Passavent mit seinen Kartoffelpuffern, worauf es uns ja ankommt.

XIII

Den bewußten Brief des Alten habe ich übrigens gefunden, aber das hat Zeit bis nachher, mit der Melodie hat er sowieso nichts zu tun. Und wenn Sie uns morgen wirklich schon verlassen wollen, was ich Ihnen nicht verdenken kann, muß ich Ihnen noch schnell die Geschichte mit Pascal erzählen, denn die darf auf keinen Fall fehlen, damit steht und fällt Ihr Film. Wer Pascal ist, wissen Sie vielleicht noch von der Schule her, na sehen Sie, man hat uns da mit irgend so etwas wie einem Pascalschen Lehrsatz gequält, wenn ich nicht irre, ich bin nie eine Leuchte in Mathematik gewesen, ich habe mich gerade noch so durchgemogelt. Aber das ist Nebensache, Pascal ist Zufall. Es hätte auch Schiller da im Lehrerzimmer hängen können oder meinetwegen Friedrich der Große, ganz gleich, irgendein berühmter Mann, wählen Sie sich aus, was Ihnen am praktischsten erscheint. Vielleicht nicht gerade Jesus, das könnte Anstoß erregen, und außerdem sind wir ja nicht in einem Kloster, sondern in einem Gymnasium. Ich gebe zu, Pascal ist etwas abwegig, wer von den Kinobesuchern hat denn schon den Namen gehört, aber lassen wir es unter uns vorläufig bei ihm, ich habe mich die ganzen Jahre, wenn ich über den Film nachdachte, an den Namen gewöhnt.
Ich habe übrigens oft überlegt, ob der alte Passavent

die angeblich gestohlene Melodie schon vorher gekannt hat, das heißt, bevor dieser raffinierte Heumeister sie dann so geschickt verwertete. Es wurde zwar nie auch nur mit einem Wort erwähnt, daß der Alte besonders musikalisch gewesen wäre, weder von dem Andren noch von Sprieder, soweit sich der überhaupt darüber ausließ, aber das könnten Sie dem Alten ja wenn nötig ohne weiteres andichten. Wie Sie sehen, habe ich all die filmischen Möglichkeiten ernstlich erwogen, und dabei bin ich natürlich darüber gestolpert, wieso der Alte bei seinem kurzen Besuch in Hamburg den Text zu der Melodie sozusagen auf Anhieb liefern konnte, als dieser Heumeister sie ihm auf dem Flügel vorspielte, während diese Olivia nebenan mit ihrem Nierenragout beschäftigt war. Das ist doch reichlich unwahrscheinlich, selbst wenn wir annehmen, daß dem Alten als Lehrer dieser Vers des alten Engländers gut bekannt war, aber weshalb soll er ihm gerade in diesem Moment eingefallen sein? Und andrerseits ist es doch gewöhnlich so, wenn ich recht unterrichtet bin, daß zuerst der Text da ist und dann jemand eine passende Melodie dazu erfindet, und in diesem Falle soll es genau umgekehrt gewesen sein? Komischerweise, obwohl das für Ihren Film nicht unbedingt wichtig ist, nehme ich nicht einmal an, daß der Alte die Melodie schon vorher gekannt hat, und wie sollte er auch, er stammte ja nicht von der andern Seite, wir müssen da im Sinne des Films ganz logisch vorgehen, wenn es auch noch so schwer fällt. Meinem Gefühl nach und soweit sich unsereiner überhaupt in diese Leute hineinversetzen kann, scheint es tatsächlich umgekehrt gewesen zu sein. Daß nämlich der Alte den bewußten Vers schon lange kannte, und weil er ihm aus irgendwelchen privaten Gründen besonders gut gefiel, die ganzen Jahre nach einer geeigneten Melodie dafür gesucht hatte, selbstverständlich vergebens, da Melodien schließlich nicht sein Beruf waren. Was mich darauf bringt, ist nicht einmal die Geschichte mit Pascal, sondern die witzige Schlüsselloch-Affäre, die ich Ihnen ja schon skizzierte.

Und noch etwas, bitte lachen Sie mich nicht aus, daß ich so viel Zeit an diese Nichtigkeiten verschwende, das alles ist absurd, das weiß ich selber, aber es geht darum, ein wenig handfeste Atmosphäre in Ihren Film zu bringen, und dazu eignet sich die Schlüsselloch-Affäre gut, kurz, ich habe den Verdacht, daß dem Alten der Vers so gut gefiel, weil er ihn für einen passenden Wahlspruch für seine Tochter Olivia hielt. Das hört sich reichlich hergesucht an, aber nach allem, was so erzählt wurde, müssen die beiden sehr aneinander gehangen haben, so etwas kommt ja vor, und sie bildeten da in dem Haus in Rödelheim sozusagen eine Partei, wenn auch stillschweigend, gegen die bridgespielende Mutter und das andre Mädchen, wie hieß sie noch gleich, auch so etwas kommt ja vor. Warum allerdings ausgerechnet zu der kleinen Olivia ein Engel an der Wiege gesagt haben soll: ›Geh hin und liebe! Helfen wird dir keine Hand‹, da bin ich völlig überfragt. Ich sagte ja schon, daß sie eine energische elegante junge Dame war, doch einen besonders amourösen Eindruck machte sie eigentlich nicht auf mich. Im Gegenteil, sie wußte sich recht gut allein zu helfen, das beweist ja ihr Beruf, aber sicher haben auch solche jungen Damen ihre Liebesgefühle, oder wie man das sonst nennen will, und was wissen wir davon, wie sie sie regulieren.

Ich habe sogar mit Sprieder darüber gesprochen, nicht über Liebesgefühle, sondern über den Engel an der Wiege und so weiter, die Sache muß mich also schon gleich damals beschäftigt haben. Sprieder lachte herzhaft. ›Das Baby Olivia ist in einer Frauenklinik geboren wie wir alle. Engel pflegen sich da kaum herumzutreiben, sie wären mit ihren Flügeln nur den Ärzten und Säuglingspflegerinnen im Weg, und außerdem verstößt es gegen die hygienischen Vorschriften.‹ Typisch Sprieder!

Trotzdem, bitte sagen Sie nicht gleich nein, wäre selbst das als Szene in Ihrem Film zu verwerten. Natürlich kein Engel in langem Nachthemd und mit Flügeln und womöglich mit einer Lilie in der Hand, solchen Kinderkram darf man den Leuten heute nicht mehr zumuten, aber irgendeine Figur, von der man gleich merkt, daß sie da in der Klinik nichts verloren hat. Sie braucht nicht einmal den Betrieb zu stören, die Krankenschwestern rennen mit ihren Utensilien einfach durch die Erscheinung hindurch und all die Wöchnerinnen in ihren Betten schwatzen weiter, das läßt sich ja technisch leicht machen, indem man zwei Aufnahmen übereinander kopiert, und unterdessen tritt die Figur zu dem Baby hin und sagt ihren Spruch. Ich möchte beinahe die Hand dafür ins Feuer legen, daß sämtliche Frauen im Kino darauf anspringen.

Oder aber, der Einfall kommt mir erst jetzt, sollten wir den unmöglichen Engel ganz fallenlassen und einfach den Alten den Vers zu seinem Baby sagen lassen? Er war ja damals ein junger Vater und hatte das Recht, seine Frau in der Klinik zu besuchen, insofern wäre alles in Ordnung. Wozu die Geschichte durch einen Engel noch mehr komplizieren? Oder scheint Ihnen das mit dem Vater zu dick aufgetragen? Zum mindesten hätten wir dadurch den Vorteil, daß wir uns langwierige Erklärungen sparen, warum der Alte und seine Tochter so sehr aneinander hingen.

Es war da nämlich immer von einem bestimmten Blick die Rede, mit dem diese Olivia ihren Vater anblickte, schon als Mädchen, zum Beispiel bei der Schlüsselloch-Szene und dann nach der Geschichte mit Pascal. Auch Sprieder sprach einmal davon, er behauptete, es gehe einem durch und durch, und es sei ein unfehlbarer Trick, einen armen Mann fertigzumachen. Mich hat die junge Dame nicht mit ihrem berühmten Blick beehrt, wenn sie mich bei Sprieder zufällig traf, ich war für sie einer, der ihm Aufträge verschaffte, da genügte ein Kopfnicken von oben herab. Für Sie ist das auch höchstens wichtig wegen der Schauspielerin, die Sie für die Rolle dieser Olivia auswählen.

Es muß, soweit ich es verstanden habe, ein fragender und vielleicht sogar vorwurfsvoller Blick gewesen sein, oder auch nur enttäuscht, das kann sein. Na, Ihre Schauspielerin wird das schon ohne Mühe zustande bringen, darauf verstehen sich die Frauen aus dem Handgelenk. Es mag bei dieser Olivia sogar nicht einmal Absicht gewesen sein, oder ein Trick, wie Sprieder es nannte, sondern sie fühlte sich wohl tatsächlich von ihrem Vater im Stich gelassen oder so ähnlich, es ist schwer für unsereinen dahinterzukommen. Auch der Alte, das erwähnte ich schon, aber ich glaube, daran können wir festhalten, fühlte sich irgendwie schuldig ihr gegenüber, und das wohl kaum nur wegen ein paar großer Augen, mit denen das Mädchen ihn ansah, schuldig daran, daß sie das Haus sehr früh verließ und Sekretärin bei einem Hausmakler in Frankfurt wurde, wo sie das Handwerk lernte, und daß sie dann auf diesen Heumeister reinfiel und mit ihm nach Hamburg zog. Wie weit das alles zeitlich auseinander liegt, weiß ich nicht, aber schließlich wollen Sie ja nicht eine Biographie der

Familie Passavent schreiben, sondern einen Film über die Melodie. Zum erstenmal war von dem bewußten Blick die Rede anläßlich der Schlüsselloch-Szene, die, ich kann mir nicht helfen, irgendwie mit der Geschichte mit Pascal zusammenhängt, mögen auch Monate oder wer weiß wieviel Zeit dazwischen gelegen haben. In Ihrem Film sollten Sie die beiden Szenen des leichteren Verständnisses halber zusammenschieben.

Das Bild sehe ich direkt vor mir. Das Mädchen, diese Olivia, sitzt da nachmittags bei ihrer Mutter im Zimmer und macht irgendwelche Schularbeiten oder meinetwegen auch etwas andres, falls sie schon in der Lehre bei dem Hausmakler sein sollte. Die Mutter liegt in einem Schaukelstuhl und blättert in einer Illustrierten. Man könnte einen ganzen Stapel Illustrierter daneben auf den Fußboden legen, das würde die Alte gut charakterisieren, von solchen Weibern leben ja diese Zeitschriften. Doch während sie da schaukelt und sich die Bilder beguckt, horcht sie mit einem Ohr ins Treppenhaus hinaus, denn sie hat die Tür einen Spalt offen gelassen, damit ihr ja nichts entgeht, falls sich im Haus etwas regt. Sie weiß natürlich, daß ihr Mann noch da ist, denn wenn er weggegangen wäre, hätte man ihn auf der Treppe gehört. Es muß ein kleines Einzelhaus gewesen sein, so ein Reihenhaus, nehme ich an. Der Alte hatte damals noch die Gewohnheit, seine Hefte zu Hause zu korrigieren oder was ein Oberlehrer sonst zu tun hat, später, und wenn ich das vorschlagen darf, infolge der Schlüsselloch-Szene ging er dann gleich nach dem Mittagessen wieder in sein Gymnasium und arbeitete dort im Lehrerzimmer, wo dann ja auch die Geschichte mit Pascal passierte.

Doch von dem Alten ist nichts zu hören, nicht ein

Laut, und eigentlich müßte man ihn hören, wie er in seinem Zimmer herumwirtschaftet, es liegt nur ein paar Schritte entfernt, das Haus hat dünne Wände, denn so reichlich hat es ein Lehrer ja nicht. Wie gesagt, es ist totenstill und schließlich hält die Alte das nicht mehr aus. Sie erhebt sich mühsam aus ihrem Schaukelstuhl, sie ist ja ziemlich dick, schlüpft aus ihren Schuhen und macht ein Zeichen zu ihrer Tochter hin. Man kann sie notfalls auch flüstern lassen: ›Wollen mal sehen, was er da wieder macht‹, und bei der Gelegenheit ließe sich zum erstenmal der bewußte Blick des Mädchens anbringen, so als ob sie sagen will: ›So was tut man doch nicht, Mutter‹, aber sie sagt es nicht, weil es doch keinen Zweck hätte oder weil die Mutter den Zeigefinger auf den Mund legt. Das weitere habe ich Ihnen ja schon geschildert, wie die Alte auf Strümpfen über den Korridor schleicht, sich vor der Tür des Alten niederbeugt und durchs Schlüsselloch guckt, und wie das Mädchen voller Angst bei der andern Tür stehenbleibt und ihre Mutter beobachtet. Eine handfeste Szene, und das scheint mir wichtig; man fühlt sich endlich wieder auf sicherem Gelände nach all dem phantastischen Unsinn da am Fluß mit dem Musikstudenten und all den Burschen von der sogenannten andern Seite. Wenn sie dann auf Strümpfen in ihre Zimmer zurückkommt, noch ganz aus der Puste von der Bückerei, kann man sie sagen lassen: ›Und so was nennt er arbeiten‹, denn da fällt mir ein, daß sie manchmal zu ihren Töchtern gesagt haben soll: ›Euer Vater hat leider gar keinen Ehrgeiz.‹ Keine besonders schöne Bemerkung, wenn Sie mich fragen, obwohl ich den Alten keineswegs in Schutz nehmen will, aber Bridge spielen und Illustrierte lesen ist ja auch nichts, womit man sich großtun kann. Übrigens war der Alte damals gar nicht so alt, das vergesse ich immer wieder, er wird wohl Mitte der Vierziger gewesen sein.

Was hat denn das Weib durch das Schlüsselloch gesehen, wird jeder Kinobesucher fragen. Hat sich der Alte etwa hingelegt und schnarchte da in aller Ruhe? Das wäre wohl der erste Gedanke, den jeder hat. Filmisch wäre ja so ein Blick durchs Schlüsselloch kein Problem, die Schwierigkeit liegt vielmehr darin, daß die Alte sozusagen gar nichts gesehen hat außer dem Rücken ihres Mannes. Soweit sich das wenige, was ich aus Sprieder herausholen konnte, kombinieren läßt, steht nämlich der Alte mit dem Rücken zur Tür mitten im Zimmer, ohne die kleinste Bewegung zu machen, ohne den geringsten Laut, wie gebannt oder wie erstarrt, als ob er auf etwas lausche oder etwas beobachte, und das noch dazu wer weiß wie lange. Wie soll man den Leuten so etwas Verrücktes erklären? Wir, das heißt Sie und ich, wissen inzwischen, daß es eine dumme Gewohnheit von ihm war, er soll ja auch in seinem Zimmer in den Kolonnaden stundenlang am Fenster gestanden und versucht haben, die Wandhaken der geteerten Brandmauer zu zählen, doch da in Rödelheim gab es keine solche Brandmauer mit Haken. Das Häuschen dieser Passavents muß auf einer Art Anhöhe gelegen haben, jedenfalls der Beschreibung nach blickte der Alte aus seinem Fenster auf einen Wiesenabhang und unten soll sich irgendein Bach durch die Wiesen geschlängelt haben. Die Nidda sagen Sie? Von mir aus die Nidda, aber lassen Sie um Gottes willen den Namen aus dem Spiel. Ihr Lokalpatriotismus in Ehren, doch wer hat schon von einer Nidda gehört, es klingt so provinziell, verzeihen Sie, schon Rödelheim scheint mir reichlich gewagt. Meinetwegen, wenn Sie den Blick aus dem Fenster durchaus bringen müssen, zaubern

Sie lieber auf die andre Seite Ihrer Nidda eine Wäscheleine mit ein paar trocknenden Hemden hin, das ließe sich wegen des Zusammenhangs rechtfertigen, denn ohne Hemden ging es ja nun einmal bei dem Alten nicht. Und da fällt mir noch ein, ich muß das von Sprieder haben, denn der Andre ist ja nie in Rödelheim gewesen, etwas weiter hin muß man Ihre Nidda für eine Badeanstalt aufgefangen haben, für ein Freibad, von wo es im Sommer viel Kindergeschrei gab. Möglicherweise haben die beiden Mädchen, diese Olivia und die Hattie da auch im Sommer gebadet, aber, bester Mann, das würde uns doch allzu weit von unserm Thema abbringen.

Für Ihren Film sehe ich nur eine Lösung: dem Alten ging es ja überhaupt nicht um die Nidda und die Badeanstalt samt Kindergeschrei, nicht deswegen stand er da stundenlang unbeweglich in seinem Zimmer statt Hefte zu korrigieren. Ihm ging es, daran müssen wir uns ein für allemal halten, ob es uns paßt oder nicht, allein um die Melodie für seinen kleinen Vers, deshalb stand er da und horchte, ob er ihrer nicht habhaft werden könnte. In Ihrem Film könnte man die Melodie jedesmal, wenn der Alte wieder seine Zustände hat, mit ein paar Tönen anklingen lassen. Besonders gefällt mir die Idee auch nicht, aber wir bleiben damit wenigstens bei unserm Thema, und da der Alte immer dabei unterbrochen wurde, wie ja auch diesmal wegen des Schlüssellochs, hat er die Melodie nie richtig zu fassen gekriegt, bis dieser Heumeister sie ihm dann vorspielte. Das wäre eine logische Erklärung, und auch bei der Gelegenheit könnte man diese Olivia ihren berühmten Blick produzieren lassen. Etwa so: sie kommt von der Küche und läßt das Nierenragout weiterschmoren, weil sie die Klavierspielerei gehört hat und blickt ihren

Vater vorwurfsvoll an, weil er sich da mit ihrem Mann einläßt. Wie gesagt, das bringt Zusammenhang in die Geschichte.

Aber so weit sind wir noch nicht. Vorläufig sind wir noch in Rödelheim, und zwar beim Abendessen. Olivia hat mit ihrer Mutter nicht ein Wort über die Schlüsselloch-Sache gesprochen, aber die ganze Zeit ist sie in Angst, daß ihr Vater etwas gemerkt hat und was er nun wohl tun wird. Beim Abendessen sitzen sie alle um den Eßtisch wie es sich gehört, die Mutter hat sich nicht enthalten können, ihren Mann zu fragen, als er zum Essen kommt: ›Na, bist du mit den Heften fertig, du Ärmster?‹ und hat dabei ihrer Tochter zugeblinzelt. Doch bei Tisch geht alles ordnungsgemäß zu. Das andre Mädchen erzählt, was sie nachmittags erlebt hat, die Mutter erzählt von ihrem nächsten Bridge oder was sie aus den Illustrierten herausgelesen hat, und der Alte nimmt ganz normal an der Unterhaltung teil. Nur Olivia blickt ihn heimlich immer wieder mit großen Augen an. Hoffentlich glaubt er nicht, denkt sie, ich sei mit schuld daran, aber der Vater fragt sie höchstens einmal: ›Hast du keinen Appetit, Kind?‹ Olivia nimmt nämlich als sicher an, daß er es gemerkt hat. Das spürt man doch wie einen Wespenstich zwischen den Schulterblättern, glaubt sie, und der Alte hat es auch bestimmt gemerkt, darauf kann man Gift nehmen, aber er tut so, als ob es ihn nicht zwischen den Schulterblättern juckt, er nimmt an dem Geschwätz teil, die Alte führt natürlich wie immer das große Wort, und darum fühlt sich das Mädchen verraten. Nicht einmal, als sie alle vom Tisch aufstehen, legt er seinen Arm um ihre Schulter und fragt: ›Was ist denn heute mit dir los, Kind?‹ Das hätte doch genügt, man würde wegen der Mutter selbstverständlich nicht geantwortet haben, doch man hätte sich auch so verstanden und alles wäre gut. Aber nichts dergleichen, der Alte benimmt sich nicht wie ein Vater, sondern wie irgendein fremder Mister Ich, der sich nicht um einen kümmert und einen allein stehen läßt, so daß man nun selber sehen muß, wie man mit allem fertig wird.

An dieser kleinen Familienszene ist nicht viel dran, das gebe ich zu, doch ich würde sie trotzdem einblenden, wenn auch nur ganz kurz, denn sie scheint mir ein guter Übergang zu der Geschichte mit Pascal zu sein, die man sonst vielleicht nicht so ohne weiteres verstehen würde. Zum Beispiel der erwähnte Mister Ich, diese unmögliche Phantasiefigur, würde damit ein wenig mehr Umriß bekommen, denn mit seinen blöden Ephemeriden ist keinem etwas geholfen, ich verschone Sie deshalb mit solchen Banalitäten. Es deutet doch, wie es scheint, alles darauf hin, daß der alte Witzbold auch schon vorher zwei Rollen gespielt hat, eine für zu Haus und so wie seine Frau ihn haben wollte, und eine andre, wenn er allein war. Na, das dürfte für einen erfahrenen Schauspieler nicht weiter schwierig sein.

Wann der Alte die Gewohnheit angenommen hat, nachmittags gleich wieder in seine Schule zu gehen und erst zum Abendessen wieder nach Haus zu kommen, unter dem Vorwand natürlich, daß er sich auf die Weise nicht mit den schweren Heften abzuschleppen brauche, geht uns nichts an und mag auch ein Jahr oder mehr dazwischen liegen. Seiner Frau wird es nur zu recht gewesen sein, wenn sie ihn nicht im Haus herumhocken hatte. Mein Rat ist, das alles als direkte Folge der Schlüsselloch-Szene hinzustellen, der Zeitfaktor spielt in Ihrem Film überhaupt keine Rolle. Sie könnten unter Umständen noch weiter gehen und die Familie bei Tisch über die Erbtante reden lassen und daß sie im Sterben liegt. Die arme Tante Henriette und so weiter, denn so hieß sie, glaube ich. Dann hätten Sie alle Fliegen mit einem Schlag, ich meine eine logische Erklärung dafür, woher denn das Weib plötzlich das Geld hatte, um nach der Geschichte mit Pascal mit Sack und Pack nach Davis, Kalifornien, auszurücken, was man ihr nicht einmal übelnehmen kann. Dazu müßten wir allerdings die beiden Töchter schon etwas älter sein lassen, das wäre zu bedenken. Das andre Mädchen, diese Hattie, müßte zum mindesten schon ihren amerikanischen Professor kennen, und das wäre nicht einmal schlecht wegen Olivia, denn es heißt doch immer, wenn die Jüngere zuerst heiratet, beeilt sich die Ältere, auch schnell einen Mann zu erwischen, um nicht sitzenzubleiben, und damit hätten Sie dann einen plausiblen Grund, warum sie auf diesen Heumeister reinfiel. Sie sehen, was für Möglichkeiten das Thema bietet.

Die Geschichte mit Pascal ist nun wirklich ein einzigartiger Leckerbissen. Das heißt, wenn einer sich aufzuhängen versucht, das dürfte für einen Film nicht gerade empfehlenswert sein. Wir haben ja leider auch schon die Sache mit der Badewanne, aber dabei kommt wenigstens eine nackte Frau vor, das lenkt die Leute immer ab. Bei der Geschichte mit Pascal müssen Sie sich ausschließlich an die unglaubliche Komik halten, bläuen Sie das Ihrem Regisseur um Gottes willen ein, damit es keine Panne gibt. Selbst Sprieder, der doch alles sehr ernst nahm, was mit dem Alten zu tun hatte, grinste, als er mir die Geschichte erzählte, denn von ihm habe ich sie ja, der Andre wußte offenbar gar nichts davon. Ich könnte mir sogar denken, daß der alte Clown die Geschichte selber so erzählt hat, als ob er sie extra dafür erfunden hätte, um sich über sich lustig zu machen, zuzutrauen wäre es ihm.

Doch zur Sache: da hängt also im Lehrerzimmer über der Tür eine Totenmaske von diesem Pascal. Wie ein Lehrerzimmer heutzutage aussieht, kann ich Ihnen beim besten Willen nicht sagen, danach müßten Sie sich erkundigen. Ich habe nur eine vage Erinnerung, als Junge habe ich einmal hineingesehen, aber das ist schon über dreißig Jahre her und braucht jetzt nicht mehr so zu sein. Ein ziemlich großes Zimmer mit Büchern an den Wänden, mit einem Blick auf den Schulhof aus den Fenstern und in der Mitte ein großer Tisch, um den die Lehrer sitzen, wenn sie eine Konferenz halten oder sich für ihre Stunde vorbereiten oder auch nur rauchen, was weiß ich, was die Burschen da tun, für einen Jungen kann es höchstens etwas Unangenehmes sein. So jedenfalls sehe ich das Bild vor mir, aber danach brauchen Sie sich nicht zu richten.

Dieser Pascal muß da schon seit jeher über der Tür gehangen haben, es achtete niemand mehr darauf. Vielleicht hatte ihn früher einmal ein besessener Mathematiklehrer gestiftet, das kann sein. Er soll ja auch etwas mit Religion zu tun gehabt haben, wie Sprieder sagte, diesen Pascal meine ich, aber um Himmels willen keine Religion im Film, das gibt nur Zank und Streit, Mathematik ist schon mehr als genug. Kurz, der alte Passavent wird nach all den Jahrzehnten oder Jahrhunderten der erste gewesen sein, der wieder von der Totenmaske Notiz nahm. Sie können daher gleich mit der Komik beginnen, mit dem Wieso und Warum brauchen wir uns nicht lange abzugeben, die Leute werden sich schieflachen.

Also, da haben wir den Alten allein im Lehrerzimmer, denn die andern Lehrer ziehen es vor, ihre Hefte zu Haus zu korrigieren, er geht da auf und ab und blickt aus den Fenstern, und auf einmal bleibt er vor seinem Pascal stehen und fragt ihn: ›Was meinen Sie, Monsieur Pascal, hat es noch Sinn?‹

›Was soll Sinn haben?‹ können Sie die Totenmaske brummig zurückfragen lassen, darüber wird sich niemand wundern, glaube ich, abgesehen von der Komik an sich.

›Na, sagen wir, Monsieur, um in unserm Beruf zu bleiben: den Kindern all dies Zeug beizubringen, damit sie nur ja nicht auf die Idee kommen, glücklich sein zu wollen.‹

›Glücklich?‹ kann man die Maske zurückschnauzen lassen.

Dieser Pascal war ja Franzose, darum ist es richtig, ihn mit ›Monsieur‹ anzureden. Immer vorausgesetzt natürlich, daß Sie nicht lieber Friedrich den Großen dahin hängen, dann müßten Sie den Dialog ändern und die richtige Anrede wäre wohl ›Majestät‹, was auch sehr witzig klingen würde.

Und nun weiter. Der Alte, weil er angeschnauzt wurde, schiebt einen Stuhl an die Tür, steigt darauf und nimmt die Gipsmaske vom Haken. Vergessen Sie mir den Haken nicht, die Kamera muß ihn als Großaufnahme zeigen, der Haken ist wichtig. Meinetwegen kann auch noch der Umriß der Maske auf der Wand zu sehen sein, der Schmutzstreifen rings herum, sie hängt ja lange genug da oben, und die Reinmachefrauen werden immer nur drumherum gewischt haben. Ja, lassen Sie den Alten mit seinem Taschentuch den Staub von der Maske abklopfen, das wird sich gut machen, denn besonders der Nasenrücken von diesem Pascal ist im Laufe der Jahrhunderte schon ganz schwarz geworden, da über der Tür hat das natürlich kein Mensch bemerkt. Und währenddessen unterhält sich der Alte weiter mit der Maske.

›Warum denn ein so strenges Gesicht, Verehrtester? Man darf es doch den Kindern nicht zeigen, wenn man von ein paar Zweifeln heimgesucht wird, das ist doch reine Privatsache, damit geht man doch heimlich beiseite, aber öffentlich damit herumhängen, entschuldigen Sie die Bemerkung, das sollten wir besser nicht tun. Und bei dem herrlichen Blick, den Sie von Ihrem Platz hier oben tagein tagaus haben, kann es Ihnen doch nicht schwerfallen ein wenig zu lächeln. Soll ich, ein ganz gewöhnlicher kleiner Lehrer, Ihnen das vormachen? Gestatten Sie?‹

Ungefähr so, das überlasse ich Ihrem Ermessen. Und damit legt der Alte die Maske sorgfältig oben auf das Bücherbord, damit sie nicht kaputt geht, und tatsächlich ist sie heil geblieben, man hat sie nachher dort gefunden und vermutlich wieder an den alten Platz gehängt, schon allein um den Fleck an der Wand zu verdecken, aber das gehört schon nicht mehr in Ihren Film, dafür genügt, daß die Maske da auf dem Bord liegt. Ja, und statt dessen hängt sich der Alte selber an den Haken.

Nein, warten Sie, nicht so eilig. Vorher müssen Sie mit der Kamera noch eine Schwenkung auf den angeblich herrlichen Blick aus den Fenstern machen, den dieser Pascal da immer genoß. Nichts daran war herrlich, das ist der Witz, im Gegenteil, ich hätte auch ein brummiges Gesicht geschnitten, wenn mir nichts anderes geboten würde. Nichts als der langweilige Schulhof, jetzt am späten Nachmittag noch dazu völlig leer und ohne Geschrei, und gleich nebenbei, vom Schulhof durch ein Gitter abgetrennt, damit die Bengel nicht in der Pause darüber klettern und alles zertrampeln, ein kleiner Gemüsegarten für den Schuldiener oder den Pedell, wie man es früher nannte, eine Art Schrebergarten und vielleicht mit einer Laube oder kleinen Holzbude für die Geräte. Vor allem aber, wie könnte es anders sein, mit zwei Pfosten für eine Wäscheleine, an die die Frau des Schuldieners ein paar Hemden ihres Mannes zum Trocknen aufgehängt hat. Da haben Sie die berühmten Hemden, für Ihren Film sind sie fast ebenso wichtig wie das ganze Drum und Dran mit der Melodie.

Und da hätten Sie den herrlichen Blick. Das Herrlichste für den Film ist daran, daß es das Letzte ist, was der Alte sieht, als er den Stuhl mit den Füßen umstößt und sich an den Haken hängt. In dem Moment nämlich gibt es draußen einen Windstoß und die Hemden heben die Arme warnend oder wie um Hilfe schreiend zum Himmel, ein Bild, das nicht zu übertreffen ist.

Wie der Alte sich aufgehängt hat? Vielleicht an seinem Schlips, obwohl ich nicht weiß, ob das noch Brauch ist und ob die heutigen Schlipse so etwas aushalten. Oder er hat sich auch schon von zu Haus eine passende Schnur mitgebracht, das sähe ihm ähnlich. Darauf kommt es überhaupt nicht an, kein Mensch im Kino wird danach fragen, weil alle sich den Bauch vor Lachen halten werden. Dieser Pechvogel ist natürlich viel zu beschäftigt mit seinem Pascal und den Hemden da draußen, als daß ihm die Idee käme, erst einmal den Haken auszuprobieren, ob er auch fest genug sitzt, was doch jeder vernünftige Mensch tun würde. Für Pascal hätte der Haken bestimmt noch ein weiteres Jahrhundert gereicht, aber für einen lebenden Menschen ... Und wie nicht anders zu erwarten, reißt der Haken prompt aus, als der Alte den Stuhl umstößt und sein ganzes Gewicht daran hängt, und sicher rieselt noch eine Menge Verputz aus dem

Loch in der Wand. Der Alte stürzt auf den Boden und bricht sich dabei den Arm, und außerdem holt er sich, glaube ich, noch eine tüchtige Beule am Kopf, mit dem er auf das eine Stuhlbein schlug. Geschieht ihm ganz recht, denn so blöd fängt man das nicht an.

Na, habe ich zuviel versprochen? Ist das nicht von einer unglaublichen Komik? Die Hemden, die mit ihren Ärmeln vor Schreck herumschlenkern und dann wie der Haken ausreißt, ich gebe zu, ich wäre nie von selber auf so etwas gekommen, es ist beinahe so, als ob der Alte sich das absichtlich ausgedacht hätte, um uns zum Lachen zu bringen. Eine Szene, die für alle Ewigkeit standhält.

Da liegt der arme Kerl also und versucht sich hochzurappeln, doch das nützt ihm alles nichts. Es ist leider schon spätnachmittags und draußen auf den Gängen der Schule und im Treppenhaus bohnert eine Armee von Putzfrauen herum. In allen Schulen der Welt riecht es nach Bohnerwachs, es wird einem übel davon, wenn man nur daran denkt, aber ohne die Bohnerei geht es wohl in den Schulen nicht, und die Weiber haben natürlich den Krach im Lehrerzimmer gehört und sehen nach, ob da etwas passiert ist. Man sieht es direkt vor sich, wie sie sich gegen die Tür stemmen, die sie nicht aufkriegen können, weil sie von dem da liegenden Alten blockiert ist, und wie sie ihn ein Stück weiterschieben. Na, das Geschrei kann man sich vorstellen. Anstandshalber und um die Sache zu vertuschen, wurde nachher behauptet, der Alte habe nur seinen Pascal abstauben wollen, dabei sei ihm aus Versehen der Stuhl umgekippt, er hätte sich zwar noch an dem Haken festhalten wollen, aber der wäre dabei ausgerissen. Da hätten Sie den Chor der Putzfrauen hören sollen. So eine Beleidigung! Sie schworen natürlich Stein und Bein, daß sie das Gesicht dieses Pascal täglich abwischten, und daß sie sich so etwas nicht bieten ließen. Diesen Chor der Putzfrauen würde ich an Ihrer Stelle auf jeden Fall auftreten lassen, das ist ja beinahe wie in der antiken Tragödie.

Da also bestimmt etwas durchgesickert wäre, pensionierte man den Alten lieber vor der Zeit und gesundheitshalber wie es hieß, denn ein Lehrer, der sich im Lehrerzimmer aufhängt und sich dabei den Arm bricht, das kann sich keine Schulbehörde leisten, darüber hätten sich ganze Schülergenerationen mokiert. Kurz und gut, man schaffte den Alten in die nächste Klinik, wo ihm der Arm geschient und ein dickes Pflaster auf die Stirn gedrückt wurde, und so lieferte man ihn dann seiner Frau zu Hause ab.

Auch die Szene wäre unter Umständen brauchbar, wenn der Film dadurch nicht zu lang wird, ich meine, wie das Taxi vorfährt und der Fahrer herausspringt, um dem Alten beim Aussteigen zu helfen. Aber wer bezahlt das Taxi? Mit einem bandagierten Arm ist das nicht so einfach, an solche Kleinigkeiten muß man denken. Doch vielleicht kriegt er ja auch das Fahrgeld von der Krankenversicherung wieder, was weiß ich.

Vor dem Haus steht natürlich die liebende Ehefrau und bei ihr das Mädchen, diese Olivia. Sicher hat man von der Schule oder von der Klinik längst angerufen, daß es einen Unglücksfall gegeben habe, aber nichts sehr Schlimmes und so weiter. Das Mädchen könnte man wieder ihre großen vorwurfsvollen Augen machen lassen, von denen Sprieder redete, so als ob sie fragte: Warum hast du das getan, Vater? Aber die dicke Alte spielt selbstverständlich die besorgte Gattin, die sich aufopfert und alles für ihren bedau-

ernswerten Mann tut, denn wahrscheinlich steht da
viel Volk herum, um sich das Unternehmen anzu-
schauen, deshalb. Doch im Herzen wird sie denken:
Soll ich mich etwa auch noch mit einem Mann ab-
plagen, der vor der Zeit pensioniert ist? Das kann
wirklich niemand von mir verlangen. Und auf geht
es bei der nächstbesten Gelegenheit nach Davis, Kalifornien.

XIV

Damit enden die Notizen, die sich der Herausgeber
damals gemacht hatte. Soweit er sich nach so langer
Zeit erinnert, dürfte an jenem letzten Abend im Sanatorium kaum noch etwas Interessantes zum Thema
gesprochen worden sein. Der Herausgeber fuhr früh
am nächsten Morgen nach Haus und hat von Herrn
Fürst nie wieder etwas gehört, von ›diesem‹ Herrn
Fürst, wie man vielleicht sagen müßte, um seine ab-
schätzige Ausdrucksweise auf ihn anzuwenden. Was
aus ihm geworden ist und ob er weiter seine Werbefirma erfolgreich führt, steht nicht zur Debatte; es
wird kaum nötig sein, sich in der Beziehung um ihn
Sorge zu machen. Seine Figur mutet nach so vielen
Jahren reichlich unglaubhaft an, offen gesagt sogar
unglaubhafter, als das, was er erzählte und angeblich
als Filmidee an den Mann zu bringen suchte. Doch
überlassen wir das den Psychiatern und andern Fach-
leuten.
Sicher hat dieser Herr Fürst auch noch dem Herausgeber gönnerhaft auf die Schulter geklopft und ihm
versprochen, beide Daumen für das Gelingen des
Films zu halten. ›Schreiben Sie mir, wenn Sie noch
Fragen haben sollten, genieren Sie sich nicht, es wird

mir eine Freude sein, Ihnen helfen zu können‹, und was es dergleichen Redensarten mehr gibt. Er zog auch seine Brieftasche heraus und gab dem Herausgeber seine Geschäftskarte, die sich allerdings nicht unter den Notizen gefunden hat, wahrscheinlich warf der Herausgeber sie gleich weg, da es nicht in seiner Absicht lag, ein Drehbuch aus dem allem herzustellen.

Dabei jedoch fiel diesem Herrn Fürst der erwähnte Brief in die Hände, den er vorgab, schon wieder vergessen zu haben. Der Brief existierte also tatsächlich, er war keine Erfindung, wie man hätte annehmen können. ›Machen Sie damit, was Sie wollen‹, sagte dieser Herr Fürst, ›er hält sowieso nicht mehr lange zusammen, und für Ihren Film kommt er nicht in Frage.‹

Doch endlich genug von diesem Herrn Fürst. Die Fotokopie des bewußten Briefes war in der Tat arg vergilbt und nahe daran, sich in ihre Bestandteile aufzulösen, schon damals und heute erst recht, was immerhin das Alter des Briefes und seine häufige Lektüre zu bestätigen scheint. Ob es sich bei der Handschrift um die von Herrn Dr. Passavent handelt, läßt sich nicht mit Sicherheit sagen, zumal die sogenannten Ephemeriden dieses Mister Ich, in die mancher vielleicht gern Einblick genommen hätte, nicht zum Vergleich vorliegen. So muß man die Handschrift schon auf Treu und Glauben hinnehmen, und wer sollte den Brief auch sonst geschrieben haben. Höchstens daß der Brief in deutscher Handschrift geschrieben war, wäre noch zu erwähnen, da das heute recht selten vorkommt, doch da der Herausgeber über keine graphologischen Kenntnisse verfügt, vermag er sich nicht weiter dazu zu äußern.

Nur über Datum und Anlaß des Briefes noch ein

Wort. Er muß, wenn er von Herrn Dr. Passavent stammt, noch zu dessen Frankfurter Zeit geschrieben sein. Das geht eindeutig aus der Erwähnung des Café Kranzler hervor, denn da nie von einem Aufenthalt Herrn Dr. Passavents in Berlin die Rede ist, kann es sich unmöglich um das gleichnamige Café am Kurfürstendamm handeln. Daß Herr Dr. Passavent in dieses Frankfurter Café Kranzler bei der Hauptwache ging, falls es nicht ein einmaliger Zufall war, wirft wiederum ein besonderes Licht auf ihn, denn es paßt, so wie man ihn uns geschildert hat, absolut nicht zu ihm. Das Café ist mehr oder weniger ein Treffpunkt oder sogar eine Börse für Grundstücksmakler und nachmittags spielt da sogar noch eine kleine Musikkapelle genau wie vor fünfzig oder hundert Jahren. Ein Fremder, der das Café zum erstenmal betritt, schreckt erstaunt zurück, weil er meint sich verirrt zu haben. Doch es kann ja auch sein, daß die Gattung Menschen, die in dem Brief mit dem nicht allzu gebräuchlichen Ausdruck ›Remigranten‹ bezeichnet werden, sich gerade in ein solches Café mit altmodischen Prätensionen gezogen fühlt, in der vergeblichen Hoffnung, etwas wiederzufinden, was für immer verloren ist. Eine Begegnung dieser Art scheint den Brief veranlaßt zu haben, er ließe sich geradezu als ›Brief an einen Remigranten‹ betiteln. Ein schlechter Witz wäre es übrigens gewesen, wenn die Musikkapelle ausgerechnet während der Begegnung die ›Gestohlene Melodie‹ gespielt hätte, aber das wird uns zum Glück erspart. Lassen wir den Brief für sich selber sprechen.

›Sehr geehrter Herr Professor,
es kann gut sein, daß diese Zeilen Sie nicht erreichen, Adressen sind ja das Ungewisseste bei uns, aber das ist nicht wichtig.

Einer von uns — entschuldigen Sie, daß ich *uns* sage und mich dazu zähle — setzte sich heute nachmittag im Café Kranzler an meinen Tisch, weil er sich dort wohl etwas verloren vorkam, und erzählte mir von Ihnen, doch auch das ist nicht wichtig, denn so oder so hören wir ja immer gleich voneinander und von dem, was uns angeht. Er sagte, Sie seien Dozent an einer norddeutschen Hochschule, die Stadt nannte er nicht, oder ich habe sie vergessen. Dozent, nun gut, das ist eine der möglichen Rollen, die sich spielen lassen, wenn man nicht auffallen will. Ich zum Beispiel spiele die Rolle eines Pensionierten, wenn man sie komisch genug spielt, hat sie den Vorteil, daß niemand einen haßt außer dem Computer, der jedes Jahr zornig fragt: Muß ich dem überflüssigen Kerl immer noch Pension zahlen? Doch auch meine Rolle garantiert leider keinen zuverlässigen Schutz gegen die Traurigkeit, die uns zuweilen heimsucht und die Quelle unserer Irrtümer ist.

Der, der mir von Ihnen erzählte — bitte glauben Sie nicht, daß es ihm dabei um eine dringliche Mitteilung ging, er sprach von Ihnen, wie man eben in einem Café zu einem andern spricht, der da zufällig an einem der kleinen runden Tische mit der eiskalten Marmorplatte sitzt, und seine Stimme klang wie eine Tasse, die einen Sprung hat und nicht mehr tönt, wenn man mit dem Fingernagel daran klopft — er stammte aus Berlin, war aus den üblichen politischen Gründen außer Landes gejagt worden und hatte all die Jahre im Exil von einem Berlin geträumt, in das er nach einem Wandel der Zeitgeschichte wieder zurückkehren wollte. Und nun mußte er erfahren, was jeder Remigrant erfährt, daß von seinem Berlin nicht einmal mehr eine gebrechliche Kulisse stand, die ihm seinen Traum weiterzuträumen erlaubt hätte, und daß der ehrwürdige Begriff Heimat nur noch ein Schlagwort der Fremdenindustrie ist. Es betrübte mich, daß er die schlichte Tatsache seiner Heimatlosigkeit nicht akzeptierte, doch so weit war er noch nicht. Statt dessen will er im Tessin leben, er wird Ihnen wohl auch davon erzählt haben und Sie werden ihm ebensowenig wie ich davon abgeraten haben, denn wie dürfte unsereiner einen Rat geben. Im Tessin, ich bitte Sie! Warum setzt er sich dem künstlichen Ferienglück dieses Tales aus? Ich hätte nicht den Mut dazu, deshalb bin ich auch in Sorge um ihn.

Und nur darum hat mich auch der Plan, den er wohl auch Ihnen unterbreitet hat, so beunruhigt, daß ich an Sie schreiben muß. Ich meine den Plan eines Ordens, den wir Remigranten bilden sollten. Oder falls Ihnen der Ausdruck nicht gefällt, der auch für mich nicht mehr als ein Hilfsbegriff ist, einen Orden all derer, auf die der Tod bereits einmal seine Hand gelegt hat, aber sie in der letzten Sekunde, obwohl wir uns nicht wehrten oder etwa gerade deswegen? zurückzog, weil sich ihm eine lohnendere Beute bot, was wissen wir von ihm, vielleicht läßt auch er sich von politischen Tendenzen beeinflussen — all derer also, die auf diese Weise aus der Wellblechbaracke der Zeitgeschichte herausgestoßen und zum Überleben gezwungen wurden. In die Zeitgeschichte gibt es keine Rückkehr, aber der, der mir in dem Café Kranzler seinen Plan unterbreitete, wollte sich damit nicht abfinden. Er litt noch darunter, für die Zeitgeschichte überflüssig zu sein.

Sogar einen Wahlspruch hatte er für seinen geplanten Orden schon gefunden und tat sich etwas darauf zugute, daß es kein Satz von Hegel oder Marx war, was sich doch für ein heutiges Kollektiv viel besser eignen würde. Welch eine knabenhafte Idee! Wozu

denn ein Wahlspruch, denn wir erkennen uns ja auch
ohne einen solchen? Und was wäre denn ein Orden
andres als auch nur ein Kollektiv? Sollen wir, die nicht
auffallen dürfen, etwa eine Uniform tragen, damit
jeder sich an uns vergreifen kann?

Hat er Ihnen seinen Wahlspruch verraten oder ist er
ihm erst in meiner Gegenwart eingefallen? Noch dazu ein Wahlspruch, den er ganz falsch verstanden
hat, wie ich mir habe sagen lassen. Denn der Stoßseufzer ›Inter mortuos liber‹, der einem Remigranten
vor zweieinhalbtausend Jahren im 87. Psalm entfuhr,
was jedem von uns passieren kann, hat nicht, wie der
Mann im Café Kranzler es meinte, ›Unter Toten ein
freier Mann‹ zu bedeuten, welch eine prahlerische
Selbstbemitleidung wäre das auch? Bei dem ›liber‹
soll es sich um einen Übersetzungsfehler aus Unver-
ständnis schon in der Vulgata handeln. Will man
durchaus nicht auf die zweifelhafte Silbe ›frei‹ ver-
zichten, ließe sich eher sagen: ›Auch unter Toten
Freiwild‹, doch auch das klingt noch nach Selbstbe-
dauern, und so läßt sich der Sinn des Stoßseufzers nur
ungefähr umschreiben mit: ›Selbst unter Toten nicht
sozialisierbar‹, womit zum mindesten die positiven
Möglichkeiten eines Überlebens der Zeitgeschichte
angedeutet wären. Aber daraus einen protzigen
Wahlspruch machen, hieße doch Verrat an unserm
Freund aus dem 87. Psalm üben, Verrat vor allem an
dem einzigen, was uns gemeinsam ist, der Einsamkeit.

Verzeihen Sie, daß ich Sie mit Philologie belästige,
ich habe selber als Medizin nach ihr greifen müssen,
da mich das nachmittägliche Gespräch im Café
Kranzler beunruhigt hatte. Denn mein armer Kaffee-
hausbesucher berichtete mir von Ihnen, wobei ich
nicht außer acht lasse, daß er Sie mißverstanden hat

und Ihren Worten seine eigene Ungewißheit unterlegt, er berichtete, daß Sie darunter litten, jeden Morgen, wenn Sie den Hörsaal betreten, durch eine Welle des Hasses schreiten zu müssen, und daß dieser Haß sich in die Falten Ihres Gewandes nistete und so auch Ihr Alleinsein zu vergiften drohe.

Haß? Wenn Haß die richtige Bezeichnung dafür ist, aber das sind wir doch von jeher gewohnt, Herr Professor, denn wie müssen die Gesellschaftsgläubigen unsern Freund aus dem 87. Psalm gehaßt haben, weil er ohne Rückendeckung dazustehen wagte? Und welch ein Triumph für ihr menschenunwürdiges Ameisendasein, als sie ihn in einem Augenblick des Strauchelns seinen Stoßseufzer von sich geben hörten.

Haß? Was uns da als Haß entgegenschlägt, ob nun in der Straßenbahn von den Mitfahrenden oder von den Nachbarn auf demselben Treppenflur oder von den Studenten in Ihrem Hörsaal, das ist doch nur eine neurotische Ausflucht vor etwas weit Furchtbarerem, das unser Mitleid erheischt, vor der entsetzlichen Ratlosigkeit, in die ein Bewußtwerden der Vergeblichkeit aller noch so schönen Gesellschaftsordnungen sie stoßen würde. Vergessen wir doch nie, daß die jungen Menschen nichts von Ihnen wollen, als daß Sie ihnen eine Rolle beibringen, mit der sie ihre kleine Aktualität erfolgreich bestehen können, eine Rolle, die sie von der Freiheit erlöst, ohne Rolle zu existieren. Wie sollten sie sich nicht in die Mystik des Zerstörens flüchten, wenn Sie Ihre Studenten wittern lassen, daß alles nur Rolle ist, auch Ihr Dozent-Sein, und daß noch so handfeste Lehrsätze und eine noch so utopische Kostümierung nichts an dem Problem des einzelnen ändert. Denn das instinktive Wittern des Provisorischen aller noch so schönen Gesellschaftsordnungen ist auch dem Stupidesten eigen, ja, und ist bei ihm besonders gefährlich. Wehe dem, der es zur Unzeit weckt! Der arme Mann im Café Kranzler wußte von einem Bischof zu erzählen, der wie Sie unter dem leidet, was Sie fälschlicherweise Haß nennen. Wir Laien möchten annehmen, ein Bischof wäre durch das Gewand seiner Institution dagegen geschützt, doch auch ein Bischof wird wohl seine Stimme nicht immer so in der Gewalt haben, daß nicht jemand an einem leichten Schwanken merkt, sein Bischof-Sein ist nicht seine Wirklichkeit, sondern auch nur eine Rolle, um der Aktualität zu genügen.

Denken wir doch vor allem an den einen, den es immer gibt, auch in Ihrem Hörsaal, lieber Herr Professor, wenn er es heute auch noch nicht weiß, der nicht dafür geschaffen ist, sich in seiner Zeitgeschichte zu etablieren, und der, weil er das für ein Versagen hält, sich eines Tages in das stürzen will, was ihm alle Kollektive der Welt mit seltener Einmütigkeit als das Nichts gepredigt haben. Für ihn steht doch unser Freund aus dem 87. Psalm seit zweieinhalbtausend Jahren da und mit ihm alle, die es auf sich genommen haben, das Antlitz des Menschen vor der Verzerrung durch ihre Zeitgeschichte zu bewahren. Jenseits der Aktualitäten beginnt ja erst die Wirklichkeit, wird der eine aus Ihrem Hörsaal dann freudig ausrufen, wenn er die, die dort stehen, wahrnimmt, denn er hat den Glauben an brauchbare Schlagworte noch nicht abgelegt. Nein, junger Mann, nur die Möglichkeit deiner Wirklichkeit, doch immerhin eine Möglichkeit. Wir dürfen uns ja nicht als Wegweiser anbieten, aber wenn jemand, der fremd in der Stadt ist, uns nach einer Straße fragt, können wir ihm manchmal seine Richtung angeben, nicht mehr. Dazu bedarf es keines Ordens, ein Orden wäre ein Rückfall.

Das alles wissen Sie genausogut wie ich, darum werde ich diesen Brief nicht abschicken. Es genügt, ihn geschrieben zu haben, für Sie genügt es und für mich.‹